Après avoir été défaits par en dehors, on a commencé à se défaire par en dedans.

Un pays dont la devise est je m'oublie

Du même auteur

Diguidi diguidi ha! ha! et Si les Sansoucis s'en soucient, ces Sansoucis-ci s'en soucieront-ils? Bien parler, c'est se respecter, Leméac, 1972

Le Roi des mises à bas prix, Leméac, 1972

Les Tourtereaux ou La Vieillesse frappe à l'aube, Éditions de l'Aurore, 1974

Les Hauts et les Bas dla vie d'une diva: Sarah Ménard par eux-mêmes, VLB, 1976

Un pays dont la devise est je m'oublie, VLB, 1976

Les Faux-Brillants de Félix-Gabriel Marchand, VLB, 1977

L'École des rêves, VLB, 1979

Mamours et Conjugat, VLB, 1979

Les Nuits de l'indiva, VLB, 1983

A Canadian Play/Une Plaie canadienne, VLB, 1983

Montréal en mots/Montréal en couleurs, (Collectif), Stanké, 1991

Le Feuilleton de Montréal, (Tome 1), Stanké, 1994

Table d'hôte, (Collectif), VLB, 1994

Le Feuilleton de Montréal

Données de catalogage avant publication (Canada)

Germain, Jean-Claude, 1939-
Le Feuilleton de Montréal
Comprend des réf. bibliogr. et un index.
Sommaire: t. 1, 1642-1792 - t. 2, 1793-1892.
ISBN 2-7604-0454-4 (v. 1) - ISBN 2-7604-0493-5 (v. 2)
1. Montréal (Québec) - Histoire. 2. Montréal (Québec) - Histoire - Chronologie. 3. Montréal (Québec) - Histoire - Anecdotes. 4. Canada - Histoire - Jusqu'à 1763 (Nouvelle-France) - Anecdotes. 5. Québec (Province) - Histoire - Anecdotes. I. Titre.

FC2947.4.G47 1994 971.4'28 C93-097289-9
F1054.5.M8G47 1994

Les illustrations de ce livre originent de gravures et portraits anciens.

Photo de la couverture: Carl Valiquette
Conception graphique et montage: Olivier Lasser

Les éditions internationales Alain Stanké bénéficient du soutien financier du Conseil des Arts du Canada pour leur programme de publication.

ISBN 2-7604-0493-5

Dépôt légal: deuxième trimestre 1995

IMPRIMÉ AU QUÉBEC (CANADA)

Jean-Claude Germain

Le Feuilleton de Montréal

Tome 2

1793-1892

Stanké

Le Feuilleton de Montréal a d'abord vu le jour dans le cadre de l'émission «CBF-Bonjour» à CBF 690, sous la forme de chroniques historiques diffusées du 3 septembre 1991 au 31 décembre 1992.

Merci à Jean-Pierre Paiement pour son soutien indéfectible, à Robert Blondin pour sa complicité éclairée, à Jacques Bouchard pour son enthousiasme constant et à Joël Le Bigot pour son accueil fraternel.

Introduction

L'histoire respecte la loi de la relativité et en ce sens elle est démocratique. Tous les points de vue ne sont-ils pas dans la nature en même temps? Idéalement, l'histoire en serait l'addition, un tout plus grand que la somme ou le solde. Les événements ne sont-ils pas polyvalents par définition? N'appartiennent-ils pas à tous et à toutes, aux morts et aux vivants, aux acteurs et aux témoins, aux vainqueurs et aux vaincus?

L'histoire de l'histoire se charge de nous rappeler que l'histoire de tous, par tous et pour tous, n'est toujours qu'une utopie. Aujourd'hui comme hier, l'interprétation des événements demeure le privilège des vainqueurs, quels qu'ils soient et de tout acabit. Se l'arrogent-ils pour mousser leur gloire? Masquer leurs crimes ou leurs prédations? Se péter les bretelles? Assurément! Mais également par nécessité.

On n'écrit pas l'histoire impunément. Le vainqueur l'écrit d'abord pour asseoir son triomphe sur un socle et ensuite pour parachever la déconfiture de son adversaire. C'est une arme psychologique qui a pour fonction d'assurer la pérennité de son pouvoir. Si, dans leur esprit, les vaincus n'ont perdu qu'une bataille, c'est raté. Ils relèveront la tête. Leur défaite doit donc se métamorphoser en destin.

Le conditionnement est d'autant plus efficace que le vainqueur ne l'orchestre pas directement. Il laisse habituellement ce soin au clergé. Les meilleures prisons ne sont-elles pas celles dont les murs poussent par en dedans? Depuis la Défaite, le nôtre est aux abois et, pour exorciser sa peur panique de la Révolution française, il ne trouve rien de mieux que de transfigurer la Reddition de 1760 en une Conquête providentielle. Quelle veine de cocus! Nous avons été vaincus à temps!

À chaque tournant de l'histoire maintenant, l'Église gagne en voix et prend du poids. *Il suffit de castrer un verrat pour qu'il trouve la note*, dit le proverbe. Nous n'avons pas tout perdu! Quelle chance de bossus! psalmodie le clergé pour saluer l'Union. Nous avons presque tout bradé! Quelle aubaine inespérée! ronronnent les prélats pour célébrer la Confédération. Appelée à trancher entre l'anglais et le français, l'Église rend matoisement son jugement en latin. Sommée de choisir entre Ottawa et Québec, elle les coiffe de sa mitre et en tire un troisième choix: Rome! C'est le comble! *Pour les chapons*, dit un autre proverbe, *tous les chemins mènent à la chapelle Sixtine.* Désormais, les faits seront autorisés, l'histoire relève du Saint-Office.

Parallèlement, dès la première session du premier Parlement, la bourgeoisie québécoise patriote affronte le Pouvoir colonial au nom des principes de la Révolution française qu'elle mâtine de ceux du libéralisme britannique. Un à un, elle revendique les droits de la nation qu'elle représente: celui de parler sa langue, d'élire ses représentants, d'adopter ses lois, de contrôler ses dépenses et de lever ses impôts.

Les patriotes payent un prix élevé pour leur obstination. Ils doivent braver l'exclusion, la discrimination, le racisme, l'oppression, la censure, la répression, la trahison, les dénonciations, l'emprisonnement, l'échafaud, l'exil, la ruine, sans oublier les condamnations, les mandements, les excommunications et l'influence indue du clergé.

L'Église a pris le maquis dans sa chasuble lorsque Lord Durham a rendu son verdict à l'effet que nous étions un peuple sans histoire. Elle ne le quittera que pour retirer sa caution à la réponse de François-Xavier Garneau. Le clergé ne peut autoriser une interprétation de l'histoire du Canada où les héros sont des excommuniés. Elle s'empresse de remplacer le notaire De Lorimier par les saints martyrs canadiens et, dans la version qui fera autorité pendant les 100 ans de la Grande Noirceur, de 1860 à 1960, l'Antagoniste ne sera plus le Pouvoir colonial mais l'Iroquois, avec lequel nous avons pourtant signé une paix qui dure depuis 1701. Interpréter les événements dans le sens du vainqueur est l'office du collaborateur.

Tout le XIXe siècle tient dans ce ballet croisé entre la lumière et l'éteignoir, la dépendance et l'indépendance, la soumission et la liberté. Cent fois on la souffle, cent fois on la mouche, cent fois on l'étouffe. Cent fois elle renaît, cent fois elle se ranime, cent fois elle se ravive, toujours aussi vive, pour former une chaîne ininterrompue qui éclaire le siècle. Le futur est indécis mais l'avenir est certain. Le reflet d'une travée de lumière l'illumine déjà.

TROISIÈME ÉPISODE

L'ENTREPRISE DU MONOPOLE

JOSEPH-OCTAVE PLESSIS

1793

Le député John Richardson de Montréal-Est est convaincu que la Chambre d'assemblée est *contaminée par les principes détestables qui prévalent en France.* La meilleure preuve n'est-elle pas que la majorité canadienne au Parlement s'oppose à ce que seul le texte anglais des lois soit reconnu juridiquement?

Comme prévu, la majorité canadienne a battu la motion de Richardson en ce sens. Londres, toutefois, est venu à sa rescousse et a tranché en faveur du lobby des marchands dont il est le chef. *À la Chambre et au Conseil législatif,* avise-t-on le Gouverneur, *seule la langue de Shakespeare a force de loi.* De plus, chaque projet de législation, y compris ceux de droit civil, doit être approuvé dans sa version anglaise.

Pour d'autres raisons, la France vient de déclarer la guerre à l'Angleterre. Le succès des armées révolutionnaires contre les Prussiens, à Valmy, et contre les Autrichiens, à Jemmapes, n'y est pas pour peu. Sommé de choisir son camp, le premier Président des États-Unis, George Washington, a opté pour la neutralité. Edmond-Charles Genêt, le chargé d'affaires du gouvernement révolutionnaire, n'en tente pas moins de compromettre les Américains et de réunir, malgré eux, *la brillante étoile du Canada aux États-Unis.*

WASHINGTON

De Philadelphie, Genêt a lancé un *Appel des Français libres à leurs frères canadiens.* Le manifeste est distribué au Bas-Canada par les bons soins de Jacques Rous. Ce dernier habite près de la frontière américaine, à Rouse's Point, sur une terre qui lui a été concédée pour avoir combattu dans les rangs de l'armée du Congrès en 1776. *L'insurrection est le plus sacré des devoirs!* claironne Genêt dans son appel au soulèvement. *Canadiens, imitez l'exemple des Américains des États-Unis et le nôtre, la route est tracée, une résolution magnanime peut vous faire sortir de l'état d'abjection où vous être plongés.* C'est un peu fort de café pour une population qui a toujours eu tendance à avoir une haute opinion d'elle-même. Le citoyen-ministre n'est pas le premier ni le dernier révolutionnaire à avoir sacrifié la réalité à l'idéologie.

Dans les circonstances, Monseigneur Jean-François Hubert s'empresse de reprendre du service pour défendre l'Empire. L'Évêque de Québec craint que les habitants des campagnes ne se laissent duper par la propagande de Genêt du fait qu'elle est française. *Les liens qui nous attachaient à la France ont été entièrement rompus*, précise-t-il dans une lettre circulaire, *et dans la conjoncture présente, par suite de la conduite des révolutionnaires français vis-à-vis de leur Roi, le plus grand malheur qui peut arriver au Canada serait de tomber en la possession de ces révolutionnaires.*

Lord Dorchester, pour sa part, en est revenu à ses vieux travers du temps où il n'était que Guy Carleton. Sa phobie de l'insurrection appréhendée est à nouveau à l'ordre du jour. Lors de l'inauguration de la deuxième session du premier Parlement, Lord Dorchester a invité les députés à *ne point perdre de temps pour prendre les arrangements nécessaires pour la défense et la sécurité de la province.* Trois jours plus tard, avant même que l'Assemblée n'ait pu examiner la question, le Gouverneur brûle les étapes et émet une proclamation où il invite les magistrats et capitaines de milice à *découvrir les personnes qui pourront tenir des discours séditieux ou autres paroles tendant à la trahison.* Dans lesquels cas, il ordonne d'*arrêter ou faire saisir toutes et chaque personnes agissant d'une manière illégale et pernicieuse.* La chasse aux espions est ouverte.

À PARIS

Lancé par les aristocrates pour railler les républicains déguenillés, le mot *sans-culotte* est à la mode. Les patriotes s'en font maintenant une gloire et l'ex-capucin Chabot lui a accordé l'ultime consécration. *Le citoyen Jésus-Christ,* s'est-il écrié devant les députés de la Convention nationale, *est le premier sans-culotte du monde!*

Cela dit, les Montréalais qui voyagent se soucient peu d'être abordés par un de ces mystérieux étrangers qui, au dire du Gouverneur, *se tiennent cachés dans différentes parties de la province, avec l'intention de troubler la tranquillité, l'ordre et le bon gouvernement.* Leur problème, c'est le temps qu'on perd dans les relais entre Montréal et Québec. *Quand un voyageur arrive chez un maître de poste,* raconte Philippe Aubert de Gaspé, *et qu'il demande une voiture,* vous allez en avoir une dans un instant, *lui répond la maîtresse de maison.* Mon mari laboure avec les chevaux à un pas d'ici, et mon petit gars va courir en chercher un. Donnez-vous la peine de vous asseoir et fumez un peu en attendant. *Dans son langage, fumer est synonyme de se reposer ou de prolonger une visite. Le voyageur attend une demi-heure, regarde souvent par la fenêtre, commence à s'impatienter et dit:* Votre petit gars va-t-il finir par amener le cheval? Il est allé le chercher où? Au bout du monde? Ben non, mon monsieur, *lui répond la Josephte,* ce n'est qu'à un pas d'ici, à une petite demi-lieue, au bout de notre terre.

Une autre fois, ironise De Gaspé, *les chevaux ne labourent pas, mais ils paissent dans la prairie ou dans les bois à grande distance et, se doutant de la politesse qui les attend une fois le mors dans la bouche, ils ne finissent par se laisser prendre qu'après une lutte des plus acharnées qui dure quelquefois des heures entières. Naturellement, après avoir tant attendu, le voyageur espère toujours que le cocher va reprendre le temps perdu, mais cela aussi est un vain espoir.*

Le voyageur peut tout essayer, conclut un De Gaspé résigné, *complimenter le cheval, le dénigrer. La réponse de Jean-Baptiste est toujours la même.* Oh! c'est une fine cavale que ma bête, allez, une cavale qui faut toujours retenir à deux mains sur les cordeaux; la maîtresse trotteuse de la paroisse, mais quand elle mène des voyageurs, c'est plus fort qu'elle, à prend son temps, petit train va loin, elle va jamais plus vite qu'au taux de la loi.

1794

Montréal a un nouveau curé au prénom voltairien. Il vient tout juste de débarquer du bateau. Candide-Michel Le Saulnier s'était réfugié en Angleterre pour échapper à la Grande Terreur qui règne en France. Il n'est pas le seul. On compte maintenant plus de 9 000 prêtres français qui se sont enfuis en Grande-Bretagne. Inutile de préciser qu'ils sont tous farouchement royalistes et antirévolutionnaires.

Rassuré par leur orthodoxie politique, le gouvernement de Londres a choisi de lever l'interdit sur l'entrée des prêtres français au Canada. Ce n'est pas un mauvais calcul. La persécution révolutionnaire a transformé tous ces prêtres émigrés en apôtres de l'ordre établi. Ainsi, depuis l'an dernier, tout prêtre français muni d'un passeport délivré par un des secrétariats du Roi est reçu à Québec sans la moindre difficulté. *Le problème,* fait remarquer Monseigneur Hubert, *ce sont les frais du voyage d'Angleterre au Canada qui sont considérables et que le clergé doit supporter seul.* Malgré ses besoins pressants, l'Église canadienne n'a donc pu accueillir jusqu'à maintenant que 22 prêtres *attachés aux bons principes et ennemis de la nouveauté* dont 11 Sulpiciens, 12 avec Candide-Michel Le Saulnier. Pour le Séminaire de Saint-Sulpice à Montréal, l'arrivée massive de professeurs est une bénédiction. Pour enseigner aux 184 élèves du collège, il ne restait plus que 7 jeunes Canadiens, agrégés depuis la Défaite, et 2 prêtres français. La réaction des nouveaux arrivants devant la qualité de l'enseignement professé au Canada fut on ne peut plus typique. Elle se résume en un mot, sans doute de Monsieur Jean-Henry-Auguste Roux, qui fera sa marque: *Il faut tout reprendre à zéro.*

La situation politique pour le clergé est confuse et, comme le souligne avec pertinence Monseigneur Hubert, *les agitations surprenantes dans lesquelles la Révolution de France jette les esprits des peuples rendent le concert entre l'Empire et le sacerdoce plus nécessaire.* En somme, nécessité fait loi. Tous ne sont pas aussi pragmatiques. En juin, dans l'oraison funèbre de Monseigneur Jean-Olivier Briand qu'il prononce à la cathédrale de Québec, l'abbé Joseph-Octave Plessis dépasse les bornes de la prudence. Briand, on s'en souvient, avait pris sa retraite en 1784.

Né à Paris plutôt qu'à Montréal, Plessis ne se sentirait pas plus menacé par la Révolution française. Dans son esprit, la survie du clergé et celle du Canada ne font qu'un. La défaite de 1760, pour lui, est un pire qui a engendré un mieux. C'est une interprétation qui aura la vie longue. En somme, si on a été conquis, c'était pour notre plus grand bien et par notre plus grande faute. *Les désordres qui régnaient dans cette colonie,* clame Plessis du haut de sa chaire, *s'étaient élevés jusqu'au ciel, avaient crié vengeance et provoqué la colère du Tout-Puissant. Dieu la désola par les horreurs de la guerre. Nos conquérants n'inspiraient que de l'horreur et du saisissement. On ne pouvait se persuader que des hommes étrangers à notre sol, à notre langage, à nos lois, à nos usages et à notre culte fussent jamais capables de rendre au Canada ce qu'il venait de perdre en changeant de maîtres.* S'il n'était pas retenu par le cadre funèbre de l'oraison, le prélat chanterait sûrement: Alléluia, le beau miracle que voilà!

Nation généreuse, qui nous avez fait voir avec tant d'évidence combien ces préjugés étaient faux, poursuit un Plessis pâmé pour l'Angleterre; *nation industrieuse, qui avez fait germer les richesses que cette terre renfermait dans son sein; nation exemplaire, qui, dans ce moment de crise, enseignez à l'univers attentif en quoi consiste cette liberté après laquelle tous les hommes soupirent et dont si peu connaissent les justes bornes; nation compatissante qui venez de recueillir avec tant d'humanité les sujets les plus fidèles et les plus maltraités de ce royaume auquel nous avons appartenu autrefois; nation bienfaisante, qui donnez chaque jour au Canada de nouvelles preuves de votre libéralité; non, non, vous n'êtes pas nos ennemis, ni ceux de nos propriétés que vos lois protègent, ni ceux de notre religion que vous respectez.* Même emporté par son lyrisme, l'abbé n'en demeure pas moins lucide. Son enthousiasme n'est pas partagé par tous ses concitoyens. *Pardonnez donc ces premières défiances à un peuple qui n'avait pas encore le bonheur de vous connaître,* implore-t-il au nom de ses ouailles, *et si, après avoir appris le bouleversement de l'État et la destruction du vrai culte en France, et après avoir goûté pendant 35 ans les douceurs de votre Empire, il se trouve encore parmi nos quelques esprits*

À PARIS

La Grande Terreur a fait 1 376 victimes en 47 jours, exclusivement à Paris. Elle a pris fin le 28 juillet lorsque Robespierre est monté à l'échafaud avec 21 de ses amis. Le jour même, on prêtait à l'Incorruptible cette épitaphe: *Passant ne pleure pas ma mort; si je vivais, tu serais mort.*

assez aveugles ou assez mal intentionnés pour entretenir les mêmes ombrages et inspirer au peuple des désirs criminels de retourner à ses anciens maîtres, n'imputez pas à la multitude ce qui n'est que le vice du petit nombre.

Un petit nombre tout de même assez nombreux pour que le Parlement fasse adopter une loi qui suspend l'*habeas corpus* dans les cas de suspicion, de trahison, pour interdire les rassemblements, pour prévenir la venue d'étrangers, pour interdire les discours séditieux et la propagation des fausses nouvelles. Le Procureur général James Monk n'écoute pas que les homélies de Plessis. *Les idées françaises sont si généralement répandues*, déclare-t-il, *le pays en est tellement infecté, qu'il faut à peine compter sur le concours des Canadiens.* En tout cas, ceux qui ne portent pas la soutane.

1795

Tous les magasins sont vides depuis la mi-mai. *À Montréal,* note le Duc de La Rochefoucauld-Liancourt, *on ne peut trouver ni une bouteille de vin ni une aune de drap.* C'est un des effets du monopole de navigation qui a été accordé aux navires britanniques. Les premiers n'arriveront que le 20 juillet.

La Rochefoucauld-Liancourt

Exilé politique, le Duc de La Rochefoucauld a visité le Haut-Canada où il a été reçu par le Lieutenant-gouverneur Simcoe. Une politesse que ne lui a pas rendue le Bas-Canada. En vertu du décret interdisant l'accès de la colonie aux étrangers, Lord Dorchester a refusé au Duc l'autorisation de visiter la province. Insulté, ce dernier s'en est retourné à Philadelphie, ce qui ne l'a pas empêché pour autant de se faire une opinion sur la situation. *Pour les officiers britanniques,* explique La Rochefoucauld dans son récit de voyage, *le Canada ne sera jamais qu'une charge onéreuse pour l'Angleterre et les Canadiens ne seront jamais un peuple attaché à la Grande-Bretagne. Tout en convenant qu'ils sont mieux traités par le gouvernement anglais, ils laissent à chaque instant percer leur attachement pour la France. S'il fallait lever une milice pour marcher en temps de guerre, toujours selon eux, la moitié ne s'armerait pas contre les Américains et aucun peut-être contre les Français.*

Au dire de l'ancien confident de Louis XVI, chacun réagirait selon sa classe sociale. *Composée des seigneurs et des hommes attachés au gouvernement anglais,* a-t-il noté, *la première classe de la population canadienne hait la Révolution française dans tous ses principes et paraît plus exagérée sur ce point que le gouvernement anglais lui-même. Opposée aux seigneurs et aux seigneuries, la seconde classe des Canadiens aime la Révolution française, dont elle réprouve les crimes sans cesser d'aimer la France. La troisième classe, c'est-à-dire la dernière, aime la France et les*

Français sans penser à la Révolution et sans en rien savoir. Monarchiste libéral et ancien Président de l'Assemblée nationale constituante, La Rochefoucauld ne s'est jamais senti à l'aise dans le Haut-Canada. Tout en louant l'hospitalité de Simcoe, le Duc fait remarquer que, avec la guerre qui fait rage en Europe, les Anglais n'arrivaient pas à comprendre que, même pour un émigré français, l'annonce d'une victoire de ses compatriotes était plus agréable à entendre que celle d'un triomphe des Britanniques.

De retour aux États-Unis, le Duc de La Rochefoucauld s'est empressé de retrouver un de ses compagnons d'exil qui scandalise la bonne société de Philadelphie lorsqu'il déambule dans les rues avec son pied bot, son chien et une magnifique femme de couleur, rutilante de joie et de clinquant, pendue à son bras. Monsieur de Talleyrand n'en est pas à son premier scandale. Expulsé d'Angleterre, où il s'était réfugié pour échapper à la Grande Terreur, l'ex-Évêque d'Autun s'est retrouvé en Amérique où il s'emploie à faire fortune. Comme tous les exilés français d'importance, il prend des notes pour ses mémoires. Ce qui frappe Talleyrand dans les maisons américaines, ce n'est pas la pauvreté mais la laideur, l'absence de goût, le manque d'harmonie et le peu de souci du confort, aggravé par un penchant pour le tape-à-l'œil.

Dans l'Ohio, en entrant dans une cabane de troncs d'arbre, quelle ne fut pas sa stupéfaction d'y trouver un piano magnifique surchargé de bronzes dorés. Lorsque son compagnon veut l'ouvrir et en jouer, on le prie de ne pas y toucher. Le piano est hors d'usage.

L'accordeur habite à 250 milles. Dans une autre de ses prospections, Talleyrand retrouve une jeune femme, la Marquise de la Tour du Pin, qu'il avait connue enfant et qui parvient à vivre en cultivant la terre américaine à Troy, près d'Albany. *Elle a des manières simples,* écrit le diplomate, *et, ce qui est fort recommandable ici, couche toutes les nuits avec son mari. Ils n'ont qu'une chambre, c'est un article essentiel pour avoir une bonne réputation dans ce pays.* Talleyrand ne se contente pas d'observer les mœurs, il profite de son séjour pour prendre le pouls de l'Amérique. Douze ans n'ont pas suffi à faire oublier aux Américains que, sans la France, ils n'auraient pas réussi à devenir indépendants, ce qui ne les oblige pas pour autant à croire à la vertu qu'on appelle reconnaissance entre nations.

Malgré la guerre d'Indépendance, l'inclination naturelle des Américains est favorable à l'Angleterre. Pour Talleyrand, ce n'est pas une question de sentiment, mais d'intérêt. *En Amérique,* observe-t-il froidement, *l'intérêt ne prend pas la peine de se déguiser parce que, dans ce pays-là, l'affaire de tout le monde, sans aucune exception, est d'augmenter sa fortune. Ainsi, l'argent est le seul culte universel; la quantité qu'on en possède est la mesure de toutes les distinctions.*

EN ANGLETERRE

Dorénavant, tous les marins de la *British Navy* sont obligés de boire du jus de lime pour combattre le scorbut, ce qui leur vaut un nouveau sobriquet, celui de *limeys.*

1796

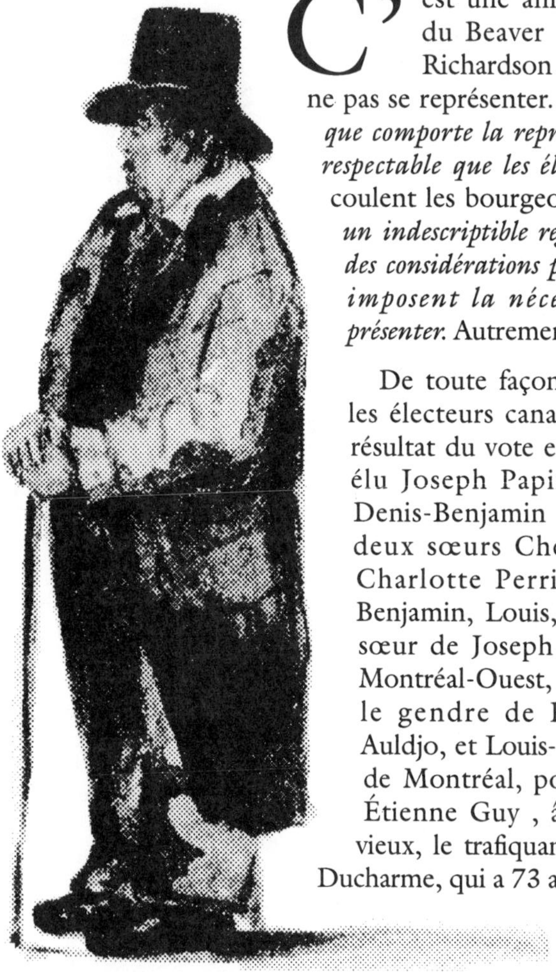

C'est une année d'élections! Le lobby du Beaver Club, McGill, Frobisher, Richardson et Durocher, a décidé de ne pas se représenter. *Appréciant tout l'honneur que comporte la représentation d'un corps aussi respectable que les électeurs de cette ville,* roucoulent les bourgeois de la fourrure, *c'est avec un indescriptible regret que nous trouvons que des considérations personnelles irrésistibles nous imposent la nécessité de refuser de nous présenter.* Autrement dit: *N'insistez pas!*

De toute façon, il n'est pas évident que les électeurs canadiens auraient insisté. Le résultat du vote est familial. Montréal-Est a élu Joseph Papineau et son beau-frère, Denis-Benjamin Viger. Ils ont épousé les deux sœurs Cherrier, Marie-Rosalie et Charlotte Perrine. Le frère de Denis-Benjamin, Louis, est également marié à la sœur de Joseph Papineau, Marie-Agnès. Montréal-Ouest, pour sa part, a opté pour le gendre de Richardson, Alexander Auldjo, et Louis-Charles Foucher. Le comté de Montréal, pour le plus jeune député, Étienne Guy , âgé de 22 ans, et le plus vieux, le trafiquant de fourrures Jean-Marie Ducharme, qui a 73 ans.

JOSEPH PAPINEAU

La palme de la campagne électorale revient pour la deuxième fois à Jean-Antoine Panet de Québec. Le message qu'il a adressé à ses électeurs dans *La Gazette de Québec* est suave. *Messieurs, la confiance dont vous m'avez honoré par l'élection faite en 1792 m'a tellement attaché à vos droits et intérêts,* pouvait-on y lire, *que je crois de mon devoir de vous offrir à nouveau mes services et de solliciter vos voix en ma faveur à l'élection qui doit se faire en cette Haute-ville, le 17 de ce mois.* Néanmoins, son coup de génie publicitaire, Panet l'avait gardé en réserve pour après sa réélection. Comme il n'a distribué ni rhum ni cocardes pour se faire élire, il se déclare alors *prêt à donner 100 piastres à la fille d'entre toutes celles résidant dans la Haute-ville de Québec qui, la première, y fera publier, dans l'une des églises, le premier ban de son mariage et qui sera mariée.*

Les élections à peine terminées, toute la population se mobilise pour combattre une loi votée par le Parlement précédent qui oblige les habitants à donner jusqu'à 12 jours de corvée par année pour l'entretien des chemins. Toute personne qui refusera ou négligera de se présenter lorsqu'elle a été convoquée pourra être condamnée à une amende. Depuis toujours, les Canadiens sont réfractaires aux corvées et les Montréalais en particulier. Le 2 octobre, le constable Marston se présente à la demeure de Luc Berthelot pour une saisie. Berthelot a été condamné à l'amende pour résistance à l'Acte des chemins. Cinq ou six personnes présentes dans la maison bardassent et rossent le constable. Deux jours plus tard, le bruit se répand que les juges de paix se réunissent au Palais de justice pour se concerter sur les mesures à prendre.

À l'heure de l'assemblée, une centaine de personnes s'attroupent autour de l'édifice. Averti que Berthelot se trouve dans la foule, le Shérif arrête aussitôt ce dernier qui se laisse emmener sans résistance. Cinq minutes plus tard, Berthelot est enlevé des mains de la loi de la manière la plus violente. La foule a intercepté le Shérif alors qu'il traversait la Place d'Armes avec son prisonnier. Quatre personnes seront traduites aux assises et condamnées pour cette agression. Le 11 octobre, un très grand rassemblement se tient sur la Place d'Armes. C'est une manifestation non violente. Le 24, Marston, toujours lui, se présente chez Latour, un des meneurs. Il trouve ce dernier enfermé dans sa maison avec plusieurs de ses amis, tous armés de mousquets qu'ils pointent vers le constable aussitôt qu'ils le voient approcher. Le calme ne revient à Montréal que le 30 octobre, avec l'arrivée de deux régiments de soldats réguliers.

Pour le Procureur général Jonathan Sewell, les responsables de ces émeutes ne peuvent être que les agitateurs français, qu'on

AUX PORTES DE L'ITALIE

Le nouveau Général en chef de l'armée républicaine d'Italie, Napoléon Bonaparte, sait motiver ses troupes: *Soldats*, leur a-t-il déclaré, *vous êtes nus, mal nourris, le gouvernement du Directoire ne peut rien vous donner; vous n'avez ni souliers, ni habits, ni chemises, presque pas de pain et nos magasins sont vides. Ceux de l'ennemi regorgent de tout; c'est à vous de les conquérir! Vous le voulez, vous le pouvez, partons!*

présume assez nombreux dans la région de Montréal. La preuve, selon lui, est un pamphlet distribué chez les habitants se terminant par cette phrase: *On n'entendra bientôt que le cri de Vive la République! depuis le Canada jusqu'à Paris!* Pour le Gouverneur en chef Robert Prescott, l'existence des agitateurs est d'autant plus probante qu'on n'arrive pas à la prouver. *Jusqu'à maintenant*, écrit-il en Angleterre, *les émissaires français se sont dérobés à tous les efforts faits pour les découvrir et l'asile secret qu'ils ont trouvé ne montre que trop bien qu'il existe dans les basses classes de la population une disposition favorable à leur cause.*

Ce que Prescott et Sewell ignorent, de toute évidence, c'est que les Canadiens n'ont pas attendu la Révolution française pour définir leur liberté en trois articles: *Non à la conscription! Non aux corvées obligatoires! Non aux taxes!*

1797

Le gouvernement tient enfin son espion, l'agent provocateur qui serait responsable de tous les mouvements d'humeur de la population. Il s'agit d'un Américain qui se fait passer pour un Juif acheteur de chevaux et qui se nommerait Jacob Felt. Il est accompagné par un guide canadien dans ses déplacements.

L'an dernier, il a contacté un marchand montréalais, William Barnard, à qui il a confié son désir de prendre Montréal et d'y enlever les personnes les plus importantes. Par la suite, il avait l'intention d'exiger une rançon pour leur libération et, avec l'argent, de libérer le pays des Anglais. Barnard, que Felt avait rencontré dans le Vermont, l'a dénoncé. En mai, cette année, Felt confie à son guide, Charles Fréchette, qu'il n'est pas un marchand. Il se nomme David MacLane et il est envoyé par le gouvernement français *pour exciter une insurrection en Canada dans le but de délivrer de l'esclavage nos frères et parents.* Il révèle alors à son compagnon qu'il est le Commandant en second de l'armée française *destinée à opérer contre cette province,* et que, pour atteindre son but, Fréchette doit le mettre en communication avec des hommes susceptibles de faire avancer la cause révolutionnaire. Le guide suggère un député qui a été injustement emprisonné, John Black.

À ce moment-là, MacLane se cache dans les bois de l'anse des Mères, près de Québec. Fréchette se rend à la ville et ramène John Black. MacLane fait part au député de son plan pour prendre la capitale en endormant la garnison avec du laudanum. Black se montre intéressé et invite MacLane à loger chez un ami, le député Paquet. Il est à peine installé que Black, qui a déjà servi comme agent provocateur, s'empresse d'aller le dénoncer. On arrête aussitôt David MacLane et le lendemain il est accusé de haute trahison. Son procès, devant 12 jurés anglais, s'ouvre quelques semaines plus tard. Une dizaine de témoins comparaissent devant le Juge William Osgoode pour relater comment MacLane leur a tenu un langage révolutionnaire. Le même jour, après une délibération du jury d'une demi-heure, MacLane est condamné à être exécuté d'une façon exemplaire. Le but de l'entreprise est de frapper les esprits.

J'ai vu conduire MacLane sur la place d'exécution, raconte Aubert de Gaspé, *il était assis le dos tourné au cheval sur une traîne dont les lisses grinçaient sur la terre et les cailloux. Une hache et un billot étaient sur le devant de la voiture. Il regardait les spectateurs d'un air calme et assuré, mais sans forfanterie. C'était un homme d'une haute stature et d'une beauté remarquable.* La veille du jour prévu pour l'exécution de MacLane, il n'y avait toujours pas d'exécuteur des hautes œuvres. C'est un certain Wara qui va accepter de remplir l'office en échange d'une somme fabuleuse pour l'époque, 600 $.

Le bourreau renversa l'échelle sur laquelle MacLane, la corde au cou et attaché au haut de la potence, était étendu sur le dos, relate toujours De Gaspé qui assiste au supplice, *le corps lancé de côté par cette brusque action frappa un des poteaux de la potence et demeura ensuite stationnaire après quelques oscillations faibles.* Il est bien mort, *dit le Docteur Duvert, lorsque le bourreau coupa la corde à l'expiration de 25 minutes,* il ne sentira pas toutes les cruautés qu'on va lui faire maintenant.

Une plate-forme sur laquelle était fixé un billot, raconte un autre témoin, *fut apportée près de la potence, et il fut allumé un feu pour exécuter le reste de la sentence. La tête fut tranchée et l'exécuteur la tenant élevée à la vue du public cria:* La tête d'un traître! *Il fut fait une incision au-dessous de la poitrine, le cœur et une partie des entrailles furent tirés et brûlés. La sentence précisait que le corps de MacLane, avant d'être abandonné, serait divisé en quatre parts. Les quatre quartiers furent marqués avec un couteau mais ne furent pas séparés du tronc.*

Les spectateurs les plus près de la potence, se souvient De Gaspé, *ont rapporté que le bourreau refusa de pousser outre après la pendaison, en alléguant qu'il était bourreau mais qu'il n'était pas boucher, et que ce ne fut qu'à grand renfort de guinées que le Shérif réussit à lui faire exécuter toute la sentence. À chaque nouvel acte sanglant, il devenait plus exigeant. Chaque fois, il y gagnait une centaine de dollars et, à la fin, il empocha un total de 900 $ pour 2 heures de travail.*

À Londres

Le propriétaire d'une mercerie, John Hetherington, a été arrêté pour avoir provoqué une émeute. Il déambulait dans les rues coiffé de sa toute dernière nouveauté: le *tuyau de castor*!

Le corps du pauvre MacLane fut abandonné sur place. À la faveur de la nuit, 4 citoyens de Québec creusèrent une fosse près du gibet et y déposèrent ses restes. Le dernier message de MacLane avait été celui d'un pacifiste. Sauf pour les autorités, c'était un illuminé et non un dangereux révolutionnaire. En s'adressant aux soldats, il leur avait dit: *Je vais dans un lieu où sans armes je serai en sécurité.*

1798

Depuis l'an dernier, l'événement qui fait courir les Montréalais, c'est le cirque Ricketts qui a monté son chapiteau au coin des rues Saint-Paul et Bonsecours. Rien de moins qu'un amphithéâtre permanent. *Nous avons dû bâtir le cirque tout en pierre,* raconte John Durang, *y aménager une salle à manger et lui faire un toit avec des puits de lumière.*

L'aménagement ressemble à celui du cirque de Philadelphie avec son balcon surélevé et le parterre, au niveau du sol, devant la scène. Les loges et la salle d'attente sont en dessous du balcon. L'orchestre, celui de la garnison, prend place au-dessus du portique où les chevaux font leur entrée. La voûte est d'un bleu ciel pâle et, tout autour de la rotonde, des cupidons soutiennent des guirlandes de roses. Le balcon est rose et ses panneaux de lambris blancs. Ces derniers sont ornés de draperies bleues en feston. Entre les anneaux qui fixent les festons aux lambris se trouvent des colonnes reliées entre elles par une chaîne d'or. La scène est ornée de toiles peintes et d'un rideau. Elle est garnie d'un frontispice. Les entrées des artistes sont enjolivées d'une niche où se trouvent des bustes héraldiques.

Propriétaire d'un cirque à Londres, John Bill Ricketts est débarqué à Philadelphie en 1792 où il a édifié le premier cirque

américain. Son partisan le plus enthousiaste a été le Président George Washington, à qui Ricketts a enseigné les rudiments de son art d'écuyer. Le Président des États-Unis n'est pas le seul à se passionner pour le cirque. Ricketts a construit un deuxième amphithéâtre en bois à New York et six cirques, qui parcourent la côte Atlantique, portent sa bannière et comptent une vingtaine d'employés chacun. L'an dernier, Ricketts a fermé un de ses théâtres et réduit son personnel et il est venu s'installer à Montréal avec ses artistes et une troupe de comédiens de Philadelphie. C'est la première réussite commerciale de notre histoire du théâtre.

Les spectacles du cirque Ricketts comportent des exercices équestres, des jeux d'adresse, des numéros d'équilibre et une pantomime qui nécessite la présence d'un orchestre et l'intervention de machines scéniques. C'est du spectacle à grand déploiement. À l'occasion, la soirée peut comprendre une comédie, une farce, un opéra ou une danse comique. Parmi les pantomimes qu'on a pu voir au cirque Ricketts, on a retenu *Robinson Crusoe*, *L'Antre d'enchantement*, *Don Quixotte*, *The Bird-Catcher*, *Don Juan or The Libertine Destroyed*, *The Voyageurs or Harlequin in Montreal* et *The Death of Captain Cook*. Dans sa publicité, Ricketts ne mise pas tellement sur les *exhibitions dramatiques,* il met l'emphase sur le spectaculaire. Son but n'est pas de cultiver mais de divertir et surtout d'émerveiller.

À Montréal, la publicité du cirque Ricketts a été diffusée exclusivement en anglais. *Cela dit,* comme le souligne Durang, *le public étant essentiellement canadien, on a dû annoncer les numéros en français, en plus de l'anglais et de l'allemand.* Un seul communiqué de Ricketts a été rédigé en français et publié dans la *Gazette*. Il

annonçait la tenue d'une soirée de spectacle au profit des pauvres. C'est une tradition dans le monde du spectacle. L'intérêt pour les pauvres y joue pour peu. C'est un moyen habile que les artistes et les acteurs ont trouvé pour désamorcer les préjugés contre le théâtre qui existent aussi bien aux États-Unis qu'au Canada. En offrant la recette d'une soirée à une institution charitable ou à une église, on se dédouane auprès des gardiens de la morale.

Heureusement pour Ricketts, l'Église catholique n'a jamais condamné les spectacles de cirque. La bête noire du clergé canadien, c'est le théâtre; même quand il offre ses recettes aux bonnes œuvres, il faut s'en tenir loin. *Nulle communauté,* a statué Monseigneur Hubert, *ne peut recevoir le produit des représentations théâtrales offert comme tel, quoiqu'il semble très certain que recevoir cet argent au profit des pauvres, ce n'est nullement consentir ni coopérer à l'action dont il est le fruit: mais il faut prévenir même les scandales qui naîtraient des mauvais raisonnements.*

De retour aux États-Unis après son triomphe montréalais, Ricketts a joué de malchance. Au cours de la scène où Méphisto brûle aux enfers dans *Don Juan*, le théâtre a pris feu et son cirque de New York a été réduit en cendres. Quelques mois plus tard, celui de Philadelphie subissait le même sort. Ruiné, Ricketts s'est embarqué pour l'Angleterre avec ses derniers chevaux. Il n'est jamais arrivé. Le navire qui le transportait a coulé corps et biens.

À PARIS

Après avoir remplacé Monsieur Delacroix comme Ministre des Relations extérieures, Monsieur de Talleyrand l'a également remplacé dans le lit de sa femme qui vient de mettre au monde un fils qu'on a nommé Eugène Delacroix pour sauver l'honneur conjugal de l'ex-Ministre.

1799

Le 10 janvier, l'année a débuté par une journée d'actions de grâce. Le Gouverneur Prescott l'a proclamée pour célébrer une défaite française ou plutôt une victoire britannique vieille de six mois. Les nouvelles prennent un certain temps à nous parvenir d'Égypte. En août dernier, la flotte française était rangée en ordre de bataille, dans la rade d'Aboukir, avec tous ses canons pointés vers la mer. L'Amiral Nelson, celui de la colonne Nelson, est parvenu à se glisser derrière elle et l'a complètement anéantie. Une victoire écrasante qui a redonné le contrôle de la Méditerranée à la marine de guerre britannique. Alléluia!

L'Évêque en titre, Monseigneur Pierre Denaut, qui demeure ici à Longueuil, se serait contenté d'un *Te Deum*. Son Coadjuteur, Monseigneur Plessis, qui habite Québec, croit pour sa part que le gouvernement s'attend à une preuve de loyalisme plus éclatante. Plessis n'est pas un tiède, c'est le moins qu'on puisse dire. Le 10 janvier, son oraison est on ne peut plus loyale. *Tout ce qui affaiblit la France, mes bien chers frères, tend à l'éloigner de nous,* lance-t-il à ses ouailles. *Tout ce qui l'en éloigne assure nos vies, notre liberté, notre repos, nos propriétés, notre culte, notre bonheur. L'Angleterre est le grand boulevard sur lequel reposent toutes nos espérances; si elle triomphe, sa gloire sera votre salut et vous assurera la paix. Mais, si elle succombe, c'en est fait de votre repos et de vos gouvernements.*

HORATIO NELSON

Le titulaire de cette envolée est un Contre-Amiral britannique, Horatio Nelson, sans doute le plus grand Commandant de l'histoire navale. Même s'il fait partie de la marine depuis qu'il a l'âge de 13 ans, Nelson est sûrement un grand capitaine mais c'est un pauvre marin. Il est toujours en proie au mal de mer. Il souffre également de la goutte, sans parler de sa malaria récurrente, de douleurs à la poitrine et aux poumons, de fièvre rhumatismale et d'une tendance à la dépression nerveuse. À Aboukir, il a été blessé à la tête, une blessure qui s'ajoute à l'œil qu'il a déjà perdu et au bras qu'on lui a amputé. Bref, il a tout d'un héros, sauf le *look*. Quand on le rencontre en uniforme, il a l'air d'un paquet d'os dans un sac. Ce qui ne l'empêchera pas d'inscrire son nom au panthéon des grands amoureux.

Lady Hamilton

Marié, Nelson a rencontré l'amour de sa vie, il y a 6 ans, à Naples, sous les traits de Lady Emma Hamilton, l'épouse d'un quasi septuagénaire. Sir William Hamilton a 69 ans. Avec ses yeux gris, ses longs cheveux auburn, son corps aux formes pleines qui a horreur des corsets, à 33 ans, Emma Hamilton est sans doute la plus belle femme de son temps. Emma a débuté sa carrière au *Temple de la santé,* la création d'un charlatan londonien, le Docteur Graham. Ledit *Temple* comprenait un canapé, le *lit céleste,* qui était loué aux hommes impuissants qui cherchaient à retrouver leur virilité. Emma exécutait, nue, des danses érotiques autour du lit. Une thérapie qui lui permit d'être remarquée par les grands peintres de Londres, Gainsborough, Lawrence, Reynolds et Romney dont elle devint le modèle préféré. Sa présence sur les murs des divers salons en Vénus, Circé, Marie-Madeleine ou Jeanne d'Arc lui ouvrit les bras de la noblesse et le lit d'un dilettante, Charles Francis Greville, qui la céda à son oncle en échange d'une place dans le testament de ce dernier. Emma se vengea de Greville en mariant l'oncle, Sir William Hamilton.

Lorsque Nelson revint à Naples, après sa victoire d'Aboukir, Lady Hamilton ne l'avait pas vu depuis 5 ans. Ce fut un choc. *Mon Dieu!* s'écria-t-elle, *comment est-ce possible?* Et, sur-le-champ, elle tomba évanouie dans le bras de Nelson, un Contre-Amiral à demi infirme secoué de quintes de toux et complètement édenté à cause de la nourriture en mer. L'infirmière qui sommeillait en Emma se réveilla. Elle fit boire du lait d'ânesse à Horatio, le ranima de quelques danses et, pour fêter les 40 ans de son héros, organisa une fête de 1 800 invités. Bref, l'Europe tout entière fut mise au courant de leur liaison.

Ce n'est pas le cas de la liaison qu'entretenait le Juge Pierre-Amable De Bonne avec la femme d'Antoine Juchereau Duchesnay. Ce dernier vient d'intenter un procès au juge *pour l'aliénation de l'affection* de sa femme. La nouvelle n'a fait que le tour du Bas-Canada où on connaît la réputation du Juge De Bonne. L'adultère n'a surpris personne. En 1781, De Bonne a épousé Louise Chartier de Lotbinière. Un an plus tard, les deux époux se séparaient par consentement mutuel pour cause de mœurs légères chez l'un et l'autre. Si le Juge De Bonne n'a jamais connu les foudres de Monseigneur Plessis, c'est sans doute parce qu'il est encore plus près du pouvoir que le Coadjuteur. Ce qui n'est pas peu dire!

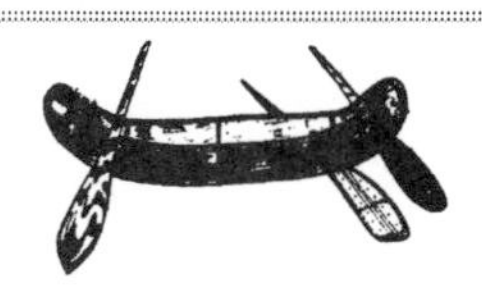

AUX ÉTATS-UNIS

Washington est mort sans fla-fla comme il a vécu. Quand il a su qu'il allait mourir, il a dit: *C'est une dette que nous devons tous payer.* Le moment venu, il a ajouté: *Maintenant, je meurs.* Et il a conclu: *C'est bien.*

1800

PHILIPPE AUBERT DE GASPÉ

On vit toujours dans un climat de méfiance généralisée. *De peur de passer pour des* French and bad subjects, note Aubert de Gaspé, *on ne se parle que dans le tuyau de l'oreille.* L'horrible exécution du conspirateur David MacLane fait toujours partie des conversations.

Le gouvernement s'est chargé de la publiciser. Il a fait imprimer les minutes du procès à 2 000 exemplaires et a financé deux éditions d'un résumé de l'affaire qui ont été publiées par *La Gazette de Québec.* Sans oublier une brochure relatant aux Américains le procès et le châtiment barbare et exemplaire du présumé espion. Maintenant, c'est au tour des dénonciateurs d'être récompensés pour leurs loyaux services. John Black a reçu 53 000 arpents de terre dans le comté de Beauce, William Barnard, 41 000 et un témoin de la Couronne, Elmer Cushing, 58 000. Quant au guide canadien de MacLane, Fréchette, il est toujours en prison.

Dès que le nouveau Lieutenant-Gouverneur, Robert Shores Milnes, a eu vent que 12 hommes se réunissaient dans le secret autour d'une table à Montréal, quoi de plus naturel que de conclure à une conspiration révolutionnaire. Une éventualité d'autant plus inquiétante qu'un notable comme le Juge Louis-Charles Foucher a été identifié comme membre de ce club qui porte le nom de Club des Douze Apôtres.

Ryland, le secrétaire de Milnes, a été chargé de sonder Foucher sur ses activités subversives. Dans sa réponse, le Juge ne peut réprimer un sourire amusé. *Le Club des Douze Apôtres, cher ami, est composé de 12 personnes civiles et militaires et c'est purement à ce nombre qu'il doit son nom,* précise-t-il à Ryland. *Quant au motif du Club, il est de prendre un dîner une fois par mois. En septembre dernier, j'assistai à un dîner et on me demanda de me joindre au Club. En conséquence, j'y assistai deux autres fois et n'y remarquai que beaucoup de loyauté et de convivialité. Le caractère des personnes et leur emploi sous le gouvernement ne me permirent pas de réfléchir sur le ridicule du nom, que je n'ai eu sujet d'attribuer qu'à la pure occasion et au nombre premier qui le composait.* Au dernier dîner, début décembre, le nombre de convives se trouva tellement réduit par l'absentéisme qu'on a résolu de mettre fin aux agapes... faute d'apôtres.

Héritier de ceux qui donnaient un tout autre sens au mot *apôtre*, le dernier Jésuite vient de mourir le 16 mars. Le père Jean-Joseph Casot était l'unique survivant au Canada de la Société de Jésus, un ordre religieux qui n'existe plus depuis sa suppression par le Pape en 1773.

Casot était arrivé ici comme frère coadjuteur. Il avait d'abord rempli la fonction de cuisinier puis de Procureur du Collège de Québec. Après la Défaite, pour augmenter le nombre de Jésuites, Briand l'avait ordonné prêtre avec deux autres frères jésuites, Noël et Maquet. Il va sans dire que les biens considérables des Jésuites suscitent la convoitise depuis longtemps. Immédiatement après la Conquête, le Commandant en chef des armées anglaises en a revendiqué la cession en récompense de ses services. Entreprise en 1771, la réclamation de Jeffrey Amherst a été renouvelée en 1771, 1786 et 1791. Il est mort en 1797 mais son héritier a réitéré sa demande. Pour clore le dossier Amherst, le parlement de Londres a accordé une rente de 3 000 livres à son ayant droit. Le père Casot s'est éteint à l'âge de 71 ans. Le Jésuite avait rédigé un testament. Tout en refusant de le reconnaître officiellement, le Gouverneur Milnes en a néanmoins respecté les dispositions.

En avril, le Shérif Sheppard a donc pris possession, au nom de la Couronne, de tous les biens immobiliers et fonciers des Jésuites. Une fois l'inventaire dressé, tout ce qui concernait le culte a été remis au Coadjuteur Plessis. Quant aux documents (plusieurs coffres selon l'inventaire, dont le *Journal des Jésuites* sans aucun doute), ils ont été confiés au Secrétaire de la province. Casot disposait d'un revenu de plusieurs milliers de piastres par année mais il vivait très modestement. *Il employait tous ses revenus,* nous dit l'annaliste des Ursulines, *à soulager les pauvres et les indigents, pendant qu'il se refusait le nécessaire.*

EN FRANCE

Depuis que Napoléon Bonaparte est Premier Consul de la République française, il habite aux Tuileries. Le jour où il en a pris possession, le petit Corse se sentait déjà à l'aise dans les meubles de la royauté. *Allons, petite créole,* a-t-il lancé à Joséphine au moment du coucher, *venez vous mettre dans le lit de vos maîtres.*

Avec la disparition de Casot, le gouvernement peut mettre en œuvre le plan qu'il tient en réserve depuis Carleton: financer un système scolaire avec les revenus générés par les biens des Jésuites. *Un projet d'autant plus urgent,* rappelle l'Évêque anglican Jack Mountain, *que, faute d'écoles convenables à Québec, les parents protestants sont obligés d'envoyer leurs jeunes gens aux États-Unis pour recevoir leur instruction.* Une perspective inacceptable pour des loyalistes car *l'anglais qu'on apprend en Amérique*, comme le dit la chanson, *vous donne l'accent de la République.*

1801

On n'a jamais connu un aussi beau printemps. Les semailles étaient terminées le 19 avril et les récoltes ont été abondantes partout. C'est l'euphorie. Au Parlement, à Québec, les députés ont obtenu ce que d'aucuns considèrent comme un signe minimal de considération et d'autres comme une largesse abusive du gouvernement. Il a été résolu qu'on ferait construire des secrétaires de chaque côté de la Chambre, *pour l'aisance et la facilité* des parlementaires. Jusqu'à maintenant, les députés n'avaient pas de pupitres et devaient faire leurs écritures, chacun leur tour, dans le bureau du Greffier.

Un des premiers projets de loi étudiés a pour objet de fournir de l'eau à la cité de Montréal *et aux parties adjacentes.* C'est le député James McGill qui le défend. *Depuis sa fondation jusqu'à aujourd'hui,* explique-t-il à ses collègues, *les habitants de Montréal ont été dans la nécessité de transporter du fleuve toute l'eau à l'usage de leur famille, laquelle, au printemps, en été et en automne, est rendue trouble et extrêmement sale par les vidanges de la ville.* Joseph Frobisher et ses associés, Gray, Sutherland, Schieffelin et Sewell, ont fondé une compagnie qui va faire affaire sous quatre raisons sociales: Compagnie des Eaux de Montréal, Montreal Water Works, Compagnie des Propriétaires des Eaux de Montréal et Company of Proprietors of the Montreal Water Works. En compensation des sommes qu'ils vont investir dans le projet d'un système d'aqueduc et du risque qu'ils vont encourir, Frobisher et ses associés demandent qu'on leur alloue *le privilège de fournir d'eau la ville et les faubourgs de Montréal durant l'espace de 100 ans, à compter de cet acte.* Un privilège que la Chambre leur accorde.

Pour amener à la ville l'eau provenant des sources sur la montagne, la compagnie fait une première tentative en utilisant des tuyaux de bois. Lorsque l'aqueduc entrera en activité, les usagers devront signer un contrat rédigé soit en français, soit en anglais, en vertu duquel ils s'engageront à payer la somme de sept piastres tous les six mois et à ne pas laisser leurs voisins venir s'approvisionner chez eux. Les clients devront également s'engager à ne pas donner ou vendre l'eau des robinets.

Le projet de loi le plus important, c'est évidemment celui qui a pour but l'établissement des écoles gratuites pour l'instruction des enfants dans la langue anglaise. Dans l'esprit de l'Évêque anglican Mountain, *l'ignorance totale de la langue anglaise de la part des Canadiens établit une ligne de démarcation nuisible au bien-être et à la félicité des deux éléments et contribue à diviser en deux peuples ceux que leur situation et leurs intérêts communs devraient unir en un seul.* Mountain est parvenu à convaincre le Lieutenant-Gouverneur Milnes et le Duc de Portland à Londres du bien-fondé de sa position et presque toutes ses propositions en ce sens se retrouvent dans le projet de loi scolaire. En vertu de cette loi, le gouvernement s'accorde le droit d'engager et de rémunérer un certain nombre de maîtres d'école anglais. Chacune des cités et villes ainsi que les plus gros villages seront par la suite dotés d'un de ces maîtres d'école, dans le but et sous l'obligation expresse d'enseigner l'anglais gratuitement à un certain nombre d'enfants canadiens. Dans son discours inaugural, Milnes a indiqué qu'il plaisait à Sa Majesté d'appliquer à cet objet les revenus d'une partie convenable des terres de la Couronne, autrement dit des biens des Jésuites. Contrairement à ce qu'on aurait pu prévoir, le projet de loi fut adopté sans trop de discussion.

L'essentiel est sauf. Un des articles spécifie que la loi ne s'applique pas aux écoles déjà établies. Un autre qu'aucune école ne peut être établie en vertu de la nouvelle loi sans l'assentiment de la majorité des habitants, lesquels doivent offrir de l'ériger à leurs propres frais. Que les Canadiens s'offrent pour défrayer les coûts de construction de quoi que ce soit aurait de quoi surprendre. Dès son arrivée l'an dernier, Milnes a constaté l'esprit d'indépendance de la population canadienne. *Les habitants, pouvant se procurer par eux-mêmes d'une année à l'autre les choses nécessaires, constituent la race la plus indépendante que je connaisse,* observe-t-il, *et je ne crois pas que, dans aucune partie du monde, il y ait un pays où se trouve établie à ce point l'égalité de situation.*

À PARIS

Dédiées aux bonnes mères de famille, aux excellentes femmes de ménage et aux épouses sensibles, Sylvain Maréchal vient de publier *113 Propositions contre les femmes* dont celle-ci: *Conservez sans regret votre douce ignorance, gardienne des vertus et mère des plaisirs.*

L'avenir pour Milnes peut réserver des surprises. *Les habitants canadiens sont laborieux, paisibles et bien intentionnés mais, par suite de leur manque d'éducation,* s'inquiète-t-il, *ils peuvent être induits en erreur par des hommes insidieux et trompeurs. Il faudra s'attendre aux pires conséquences si jamais ils se rendent entièrement compte de leur indépendance, car ils sont de fait les seuls propriétaires de presque toutes les terres cultivées du Bas-Canada.*

1802

M*ontre-moi la couleur de ta tuque,* comme on dit sur la place du Marché, *et je te dirai d'où tu viens. De Québec? Rouge! Des Trois-Rivières? Blanche! De Montréal? Bleue!* Quant aux bottes, si elles ne sont pas trop couvertes de boue, c'est qu'elles fréquentent les rues Saint-Paul et Notre-Dame, nouvellement pavées en pierre et où on trouve les principaux magasins de détail montréalais, dont la plupart sont entre des mains anglaises.

Tandis qu'à l'ouest les tanneries sont assez nombreuses pour former un quartier dit des tanneries, à l'est, un ingénieur veille à l'entretien des rues et à l'ouverture des artères. Dans le faubourg Québec, on perce présentement le long du terrain du Juge Pierre-Louis Panet, une rue qui portera un jour son nom. Montréal élargit son territoire et ses horizons. Pendant qu'à Paris on défile au musée de cire de Madame Tussaud pour admirer les têtes tranchées de Robespierre, Danton et Louis XVI, à Montréal, chez Monsieur Proulx, près des Récollets, on se presse pour découvrir 33 personnages grandeur nature, dont George Washington prenant les armes pour défendre son pays, le Général Wolfe agonisant sur les plaines d'Abraham et l'actuel Président des États-Unis, Thomas Jefferson.

Alors qu'à Québec on a toujours les yeux braqués en permanence sur la nouvelle capitale fédérale, Washington, les États-Unis, pour leur part, n'ont d'intérêt que pour un conflit militaire qui les oppose à Tripoli, la future Libye. L'an dernier, le Pacha Yousouf Karamanli a déclaré la guerre aux États-Unis. Furieux de ne pas avoir reçu de tributs supplémentaires pour garantir la liberté de navigation des vaisseaux américains, le Pacha a envoyé ses soldats au consulat de Tripoli pour y abattre le mât où flottait le drapeau aux 16 étoiles. Le Président Jefferson a aussitôt riposté en dépêchant l'escadrille du Contre-Amiral Richard Dale en Méditerranée. À la mi-juillet, sa flotte bloquait le port de Tripoli. Début août, après un affrontement qui dure 3 heures, la goélette *Enterprise* capture *Le Tripoli*, une felouque barbaresque. Les Américains tuent 20 pirates et en blessent une trentaine d'autres. Avant de rallier Malte pour s'approvisionner en eau

potable, le Commandant de l'*Enterprise* fait balancer à la mer les 14 canons de la felouque et la démâte. James Cathcart, toujours en poste à Tripoli, poursuit les négociations et cherche à persuader Karamanli de réduire ses tarifs à un versement de 250 000 $ et à un tribut de 20 000 $ par an. Les États-Unis estiment que les exigences du Pacha sont trop élevées, tout en acceptant le principe de ces paiements. *Business first!*

EN FRANCE

Pour Rivarol, les 10 dernières années de Révolution se résument en une phrase. *Las de se gouverner,* ironise-t-il, *les Français se massacrèrent. Las de se massacrer au-dedans,* conclut-il, *ils subirent le joug de Bonaparte qui les fit massacrer au-dehors.*

En France, l'heure n'est pas à la confrontation navale mais à la réforme scolaire. Le Premier Consul, Napoléon Bonaparte, a décrété la suppression des écoles centrales issues de la Révolution. Ces écoles étaient l'objet de vives critiques. On leur reprochait le libéralisme excessif de la pédagogie et de la discipline, bref, des élèves qui ne sont pas tenus d'assister à tous les cours, qui peuvent choisir les enseignements selon leur intérêt et des professeurs qui ne sont astreints à aucun programme. On déplorait également dans ces écoles centrales la place prépondérante faite aux sciences au détriment des langues anciennes, de l'histoire et de la littérature.

C'est le retour du balancier vers la droite. Pour procurer une formation générale aux fils des notables, le Premier Consul a décidé la création de 45 lycées d'État. Ils emprunteront aux collèges de l'Ancien Régime le système de l'internat. La discipline de ces établissements sera rigoureuse. Regroupés en compagnies, les internes obéiront aux roulements du tambour. Le proviseur, le censeur, l'économe et les professeurs, tout comme les élèves, seront astreints à porter l'uniforme. Dans ces lycées, les élèves seront répartis en deux séries, littéraire et mathématique, qui se rejoignent en une sixième année de mathématiques transcendantes. Puis, la littérature l'emporte. Le lycée rétablit la primauté des études classiques avec ses six années de latin et de grec obligatoires. Les lycées devront être des écoles de civisme. Ils sont destinés à former les futurs notables, les futurs fonctionnaires et les futurs officiers. Bourgeoisie oblige! Comme par le passé, l'enseignement primaire sera laissé à l'initiative et à la charge des communes et des familles.

En Angleterre, on ne se préoccupe pas de l'éducation des enfants mais de leur santé. Le *Factory Bill* a été adopté par le Parlement. Il interdit désormais d'employer les enfants dans les manufactures plus de 12 heures par jour. La loi ne s'applique qu'aux enfants qui ont moins de 9 ans.

1803

Encore une fois, ça brûle. Le 6 juin, à 3 heures de l'après-midi, les cloches sonnent. Le feu est pris dans le faubourg Saint-Laurent. Une heure plus tard, 15 maisons sont réduites en cendres. Les pompiers volontaires n'ont pas eu le temps de reprendre leur souffle qu'un autre incendie se déclare, au cœur de la ville, rue Notre-Dame.

La prison, ce qui n'est pas un mal, l'église des Jésuites qui sert de mitaine aux protestants, l'ancien château Vaudreuil qui abrite le collège Saint-Raphael, la chapelle Bonsecours et une vingtaine de maisons sont rasés. Dans les deux cas, le sinistre a été provoqué par une main criminelle. Le 31 juillet, le ou les incendiaires frappent de nouveau: deux autres maisons sont incendiées. Les magistrats de Montréal offrent la somme de 1 000 piastres à quiconque découvrira le coupable ou les coupables dudit crime. Le Lieutenant-Gouverneur Milnes, pour sa part, en a aussitôt conclu que ces incendies sont l'œuvre d'agents provocateurs. C'est la faute aux Français! D'ailleurs, selon certaines sources, on aurait aperçu des officiers français en uniforme dans les rues de Montréal. Rien n'est confirmé et rien ne le sera, mais il n'y a pas de feu, croit-on, sans une explication fumeuse.

En revanche, ce qui est confirmé, c'est la présence de Jérôme Bonaparte à New York. Le frère du Premier Consul aurait pour mission d'entrer en communication avec les Canadiens. Pour faciliter l'identification du jeune révolutionnaire, le Consul britannique de New York a fait parvenir son signalement à Milnes. *Jérôme Bonaparte qui paraît avoir environ 21 ans en a 19, il mesure 5 pieds 6 ou 7 pouces; il est délicatement charpenté, il a le teint blême, le menton pointu et proéminent, les cheveux bruns coupés court auxquels il ajoute parfois une queue. Il se poudre et il a les yeux noirs.* Des yeux qui, pour l'instant, sont dans la graisse de bines. Jérôme courtise la fille d'un des hommes les plus riches des États-Unis, Elizabeth Patterson. Il va d'ailleurs l'épouser en grande pompe à Baltimore.

Les Britanniques n'ont pas tout à fait tort de s'inquiéter. Le Premier Consul Bonaparte a effectivement des projets pour l'ancien

Empire français d'Amérique, sauf qu'il n'en a aucun pour le Bas-Canada. Il y a 3 ans, en 1800, Bonaparte a obligé l'Espagne à rétrocéder la Louisiane à la France dans un traité secret. Il s'apprête à y envoyer 12 navires et un corps expéditionnaire de 3 500 hommes. La flotte feindra d'abord de se diriger sur Saint-Domingue avant de rallier la Nouvelle-Orléans, où la France reprendra possession de l'ancienne colonie royale.

Dans un premier temps, pour sonder le terrain, Bonaparte a envoyé une mission de reconnaissance qui a été accueillie avec enthousiasme par les Louisianais. La réaction des États-Unis est immédiate: pas question de stopper l'expansion américaine vers l'ouest et de remettre en question le droit de transiter par la Nouvelle-Orléans, déjà concédé aux commerçants américains par les Espagnols. Dare-dare, Jefferson dépêche James Monroe à Paris. Ses instructions sont très claires: *Si les Français s'emparent de la Louisiane,* y précise-t-on, *les États-Unis devront s'allier à la marine et à la nation britanniques.* Les Anglais ne sont pas restés inactifs pendant ce temps. Sans déclaration de guerre, comme au début de la guerre de Sept Ans, de janvier à avril, la marine britannique a arraisonné 1 200 navires de commerce français et hollandais.

Bonaparte n'insiste pas. *Dans les circonstances,* déclare-t-il à ses ministres, *s'obstiner à vouloir conserver la Louisiane serait de la folie.* Il faut solder et vite. *Compte tenu,* ajoute-t-il, *de l'obligation dans laquelle nous sommes de vendre, soyons modérés.* À peine débarqué, Monroe est pris au dépourvu par la proposition française: *la Louisiane contre 80 millions de francs.* C'est une offre que les États-Unis ne peuvent refuser. Dix-huit jours plus tard, le traité est rédigé. C'est un coup de chance inouï. *Cette transaction,* déclare Napoléon Bonaparte, *affermit pour toujours la puissance des États-Unis. Je viens de donner à l'Angleterre une rivale maritime qui, tôt ou tard, abaissera son orgueil.* Tout aussi prophétique, Livingston, qui accompagne Monroe, estime à son tour que si *les guerres sont inévitables, la France aura un jour, dans le Nouveau Monde, un ami naturel qui ne peut manquer de devenir puissant et respecté sur toutes les mers du monde.*

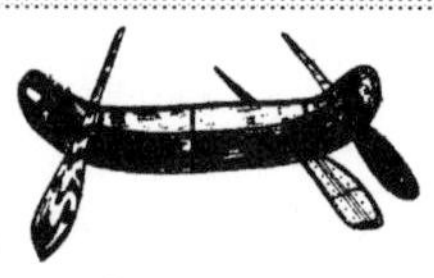

L'AVENIR, C'EST LA CONTINENCE

Pour vaincre la pauvreté, la misère et le chômage, la solution de l'avenir, déclare le pasteur Malthus dans l'édition définitive de son *Essai sur le principe de population, c'est la limitation des naissances réalisée par la continence partielle ou totale.*

Il ne restait plus à régler que les détails techniques, c'est-à-dire le sort des Louisianais. Le 30 novembre, sur la Place d'Armes de la Nouvelle-Orléans, on a descendu le pavillon espagnol et on a hissé le pavillon français. Trois semaines plus tard, on descendait le tricolore et on hissait les 16 étoiles américaines. À la dernière minute, Bonaparte avait ajouté une pensée pour les futurs Cajuns dans le traité. *Que les Louisianais sachent que nous nous séparons d'eux à regret,* peut-on y lire. *Qu'heureux de leur indépendance ils se souviennent qu'ils ont été français. Que l'origine commune, la parenté, le langage, les mœurs perpétuent... l'amitié.*

1804

Les Montréalais abordent les travaux de démolition des fortifications avec le même enthousiasme qu'ils ont mis à les construire, c'est-à-dire une trentaine d'années à refuser cotisations et corvées. À vue de nez, on peut prévoir que la déconstruction prendra au moins une dizaine d'années.

Parlant de travaux inachevés, il semble bien que c'est le sort qui attend le château de Simon McTavish. Au moment de sa mort, le patron incontesté de la Compagnie du Nord-Ouest était à le construire sur le flanc de la montagne. La résidence était à son image. Avec sa façade de 120 pieds encadrée par 2 tours semi-circulaires et les 3 étages de son corps central, le château se voulait différent de toutes les autres maisons de l'île. Construit pour être vu de toute la ville, le château domine Montréal, tout comme McTavish a dominé le monde des affaires depuis son arrivée en 1774.

SIMON MCTAVISH

Le Marquis, comme on l'a surnommé, est mort à 54 ans. Ses adversaires ne le regretteront pas. McTavish présidait aux destinées d'un empire qui, depuis Montréal, s'étend jusqu'aux Rocheuses à l'ouest et, à l'est, jusqu'au Labrador. Bon an mal an, la Compagnie du Nord-Ouest ramasse plus de 100 000 peaux de castor, 5 000 peaux de martre, 10 000 peaux de bison et des quantités d'autres peaux. Elle emploie 2 000 hommes dont la majorité sont des Canadiens. La richesse de McTavish était considérable, 125 000 livres à sa mort. Depuis peu, il s'était lancé dans l'agriculture. Il y a 2 ans, il obtenait une concession de 11 500 acres de terre dans le canton de Chester et achetait la seigneurie de Terrebonne, près de Montréal. Dans le temps de dessoucher un arpent de terre, il exploitait un magasin, deux moulins à farine des plus modernes, avait bâti une scierie et construit une boulangerie où on prépare les biscuits pour le Nord-Ouest.

McTavish n'avait pas besoin de porter le titre pour être un seigneur. C'était un bon vivant qui aimait la fine nourriture, les boissons de luxe et les dames. C'est lui qui a donné le ton aux associés de la Compagnie du Nord-Ouest qu'on appelle les bourgeois et qu'on aperçoit dans les rues de Montréal, enveloppés dans leurs riches fourrures.

Une fois par année, les bourgeois se réunissent au Grand Portage pour discuter des affaires de la fourrure. C'est un cortège de 100 canots qui part de Lachine pour le lac Supérieur. Des canots immenses, luxueux et équipés de toutes les commodités. Les bourgeois amènent avec eux leurs cuisiniers, leurs boulangers, des friandises et un abondant choix de vins. On est loin de la chasse-galerie. Une fois rendus dans le Nord-Ouest, les associés délibèrent et banquettent au gibier avec le même raffinement qu'au Beaver Club. Ce qui ne les empêche pas d'être de rudes jouteurs! Et McTavish plus que tous les autres. Le Marquis est autoritaire mais ce n'est pas un tyran. Il sait s'attirer la loyauté des commis de la compagnie en les intéressant aux profits, mais il ne s'intéresse pas à eux. Ou à personne. *Je me suis habitué à sacrifier mes opinions et mes sentiments au profit des autres,* lui écrit un de ses associés, Hallowell, *à cause de cela, dois-je l'avouer toutefois, je m'attendais à une certaine considération de votre part. J'ai bien peur que vous n'ayez mal interprété cette déférence, y voyant de la faiblesse d'esprit de ma part et un manque d'opinion personnelle, alors qu'en réalité ma conduite a été dictée par le sentiment de mes devoirs envers vous, la considération que j'ai pour vous et, par-dessus tout, la forte conviction que cette considération était réciproque.*

Marie-Marguerite Chaboillez a épousé Simon McTavish alors qu'il avait 43 ans et qu'elle en avait 18. Elle partage l'avis d'Hallowell et a quitté le Marquis pour aller vivre en Angleterre avec ses enfants. Marie-Marguerite est issue de la bourgeoisie de la fourrure. Son père, Charles-Jean Baptiste, fut un des membres fondateurs du Beaver Club. On disait de lui qu'il n'y avait personne de plus à l'aise dans tout le commerce du Nord. Le frère de Marie-Marguerite, Charles, est partenaire de la Compagnie du Nord-Ouest et sa sœur, Rachel, a épousé Roderick, le frère d'Alexander MacKenzie, l'explorateur, également associé du vieux Simon. Né pauvre en Écosse, McTavish était un *Highlander* comme la plupart des bourgeois de la fourrure de Montréal. C'est ce qui explique pourquoi il n'était pas près de ses cennes, une image qu'on associe volontiers aux banquiers écossais. Eux, ce sont des *Lowlanders* et ils ne partagent pas le goût du Marquis pour la bonne vie.

Quand je n'étais pas en amour, écrit ce dernier à son frère, *j'étais toujours comme un poisson hors de l'eau.* Simon McTavish a été enterré près de son château inachevé et sa tombe est devenue une borne pour les promeneurs sur la montagne. *Ses adversaires,* raconte-t-on, *s'y rendent pour vérifier s'il est bien mort.*

UN MIRACLE AÉRIEN

Pour établir un record d'altitude lors d'une ascension solitaire en ballon, 7 016 mètres, le physicien Gay-Lussac a jeté sa chaise par-dessus bord. Elle a été recueillie par une paysanne qui s'est empressée d'aller porter à l'église cette *chaise des anges.*

1805

Âgé de 64 ans, Jean-Baptiste Noreau de Saint-Constant s'est rendu en France pour présenter une pétition à Sa Majesté Napoléon Ier. *Au commencement de mars dernier,* explique-t-il à l'Empereur dans une lettre, *je partis de Montréal avec mon fils pour porter auprès de Votre Majesté impériale et royale les vœux des habitants de Québec pour l'Empire français.*

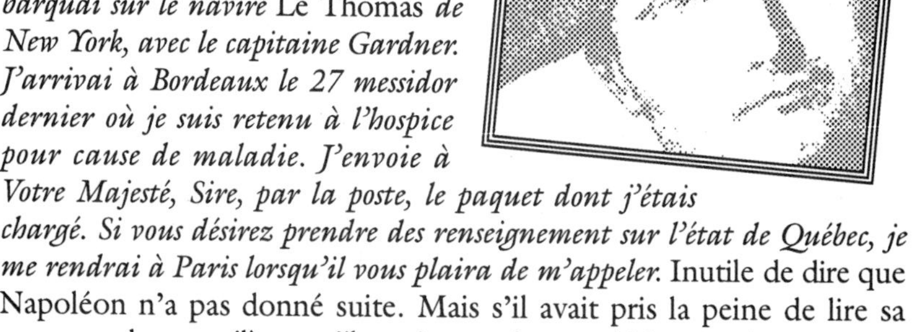

Arrivé à New York, poursuit le sexagénaire, *mon fils, qui m'accompagnait et qui est âgé de 22 ans, y resta pour cause de maladie. Je m'embarquai sur le navire* Le Thomas *de New York, avec le capitaine Gardner. J'arrivai à Bordeaux le 27 messidor dernier où je suis retenu à l'hospice pour cause de maladie. J'envoie à Votre Majesté, Sire, par la poste, le paquet dont j'étais chargé. Si vous désirez prendre des renseignement sur l'état de Québec, je me rendrai à Paris lorsqu'il vous plaira de m'appeler.* Inutile de dire que Napoléon n'a pas donné suite. Mais s'il avait pris la peine de lire sa correspondance, voilà ce qu'il aurait trouvé: une pétition signée par 12 habitants de la Rive-Sud dont l'âge variait de 50 à 70 ans.

Nous avions projeté, Sire, disait-elle, *de secouer le joug des Anglais; nous attendions des fusils pour nous armer et frapper un coup sûr. Mais notre espoir a été trompé. Contre notre réunion et nos efforts, sous un bon Général français, la surveillance des Milords, des Lords et des salariés de tout genre échouerait. Nous assurons Votre Majesté que nous sommes disposés à subvenir aux frais que cette entreprise exigera. Sire, nous attendons de votre sollicitude paternelle que la paix ne se fera pas sans que nous ayons repris le nom de Français canadiens. Nous sommes prêts à tout entreprendre à la première vue des Français que nous regardons toujours comme nos frères.* Et c'est signé: Pierre Trudeau et André Noreau, de Longueuil; Jean Lefebvre, Charles Labarge, Préjean et Ebrum, de Châteauguay; Louis Laplante et Dauphin Dupuy, de Saint-Constant; Eustache Martin, de Saint-Philippe; Antoine Giraut, de Belœil; et Jean Léveillé, de Mascouche.

Ce que les pétitionnaires ignorent, bien sûr, c'est que les Français n'ont pas l'intention de reprendre le Canada. Milnes en a obtenu l'assurance. Il a débauché l'agent des Français, Jacques Rous de Rouse's Point. Ce dernier s'est rendu à Washington. Son rapport est catégorique. *Il n'entre pas dans les intentions de l'Empire,* confirme-t-il, *de jamais risquer une flotte dans le Saint-Laurent.* Avec la guerre continentale qui monopolise tous les efforts de guerre de l'Angleterre, le climat demeure celui d'une insurrection appréhendée. *La consigne était si sévère,* raconte Aubert de Gaspé, *qu'on aurait cru les Français campés sur les plaines d'Abraham. Dès neuf heures du soir, il fallait répondre au qui-vive des sentinelles postées dans tous les coins de la ville de Québec. On racontait même des histoires lamentables de personnes sur lesquelles les sentinelles avaient fait feu parce que, ignorant la langue anglaise, elles n'avaient pas répondu* «friend» *au qui-vive de la sentinelle.*

UN HÉROS DANS L'ALCOOL

L'Amiral Nelson a souffert du mal de mer toute sa vie. Après avoir remporté la bataille navale de Trafalgar et avant de mourir de ses blessures, il a demandé qu'on ne jette pas son corps dans les flots comme c'est la coutume dans la marine. On a donc ramené sa dépouille en Angleterre dans une futaille d'eau-de-vie, un liquide contre lequel le héros n'entretenait aucun préjugé.

Trois jeunes filles canadiennes, poursuit De Gaspé, *les trois sœurs, âgées de 12 à 15 ans, revenaient gaiement du théâtre du sieur Barbeau, le* Théâtre des Marionnettes, *rue d'Aiguillon, lorsque la sentinelle postée à la porte Saint-Jean leur cria d'une voix de stentor:* Who goes there? *Soit parce qu'elles étaient effrayées, soit parce qu'elles ignoraient la réponse qu'elles devaient faire, les jeunes filles ont continué d'avancer jusqu'à ce qu'elles reçoivent une seconde sommation encore plus éclatante que la première:* Who goes there? *À ce moment, l'aînée a pris son courage à deux mains et elle a répondu en tremblant:* Trois petites Dorionne *come from the* Marionnette! *En apercevant les jeunes filles, la sentinelle leur a alors répondu en riant: Pass* trois petites Dorionne *come from the* Marionnette!

Malgré la paranoïa des autorités, c'est une année faste pour le théâtre. En janvier et février, le *Théâtre de société de Québec* a présenté à nouveau *Colas et Colinette ou le Bailli dupé*, au *Théâtre Patagon*. Jos Quesnel est l'auteur le plus joué au Canada, quatre fois maintenant. Il y est allé d'une *Adresse aux jeunes acteurs* qui n'a pas perdu son à-propos.

Acteurs, pour réussir, voici la règle sûre:

Observez, imitez, copiez la nature;

Examinez surtout quelles impressions

Produisent sur les traits toutes les passions;

Sachez peindre en un mot l'exacte vérité.

Fuyez, en prononçant, toute affectation,

Et parlez comme on parle en conversation.

Le langage affecté ne peut plaire à personne;

Et rien n'est plus choquant qu'un acteur qui gasconne.

Imitant la nature en sa simplicité

Jusque dans le costume aimez la vérité.

Quelque talent qu'il ait, l'acteur ne saurait plaire,

Quand un costume faux dément son caractère.

Et le rôle en un mot perd souvent tout son sel

Quand l'habit et l'acteur n'ont point l'air naturel!

1806

Les Canadiens ont toujours trouvé de l'argent pour financer la construction de leurs églises. Conséquemment, ils ne peuvent invoquer leur pauvreté quand il s'agit de financer la construction d'une prison. En substance, c'est l'argument le plus percutant d'une pétition que les marchands de Montréal ont signée pour contester un projet de loi adopté par la Chambre lors de la dernière session du Parlement.

Ledit projet de loi a été imposé par la majorité canadienne, pour laquelle le financement des nouvelles prisons de Montréal et de Québec sera assuré par des droits additionnels perçus sur les marchandises importées, tels les thés, les vins et liqueurs fortes, la mélasse et le sirop. La minorité anglaise, pour sa part, préconise un financement par la taxe foncière. Les deux positions sont irréconciliables. Ce n'est pas sorcier de comprendre pourquoi! Les Canadiens sont presque tous exclusivement des propriétaires fonciers et les Anglais, des commerçants. Pour contrer les pressions exercées par les marchands à Londres, les députés canadiens, dès leur retour en Chambre, ont aussitôt adressé un mémoire au Roi. *Le Roi ne doit pas désavouer l'Acte des prisons,* dit le mémoire. *L'Assemblée a considéré qu'un impôt sur le commerce en général, et surtout sur des objets de la nature qui sont taxés par le susdit Acte, était le plus juste, le moins senti et le plus également réparti.*

Les plaintes des marchands contre cet impôt sont mal fondées puisque, en dernier lieu, c'est le consommateur qui le paye. Depuis le départ de Milnes, c'est le Président du Conseil exécutif, Thomas Dunn, qui assure l'intérim. Il veut préserver la tranquillité à tout prix, aussi a-t-il accepté de transmettre le mémoire des députés au Secrétaire d'État, même si c'est une procédure parlementaire irrégulière. Ça ne change rien! Londres a déjà fait son lit. Il n'y a aucune raison de désavouer l'Acte des prisons, d'autant plus que sa raison d'être a fini par être complètement évacuée.

Peu importe les moyens de financement, les conditions de détention dans les prisons doivent être corrigées. Ça urge! On a fait enquête et les rapports sont accablants. *Au lieu de garder séparément les différentes classes de prisonniers,* observe le Grand Jury lors de sa visite de la prison de Québec, *il y avait dans 2 des 4 pièces 26 détenus, dont quelques-uns étaient condamnés à la prison commune, d'autres à la maison de correction, tandis que d'autres étaient des prévenus attendant leur procès. Entassés sans distinction, tous étaient assis ou couchés par terre, n'ayant ni banc ni lit; on ne leur fournissait que du pain et de l'eau et une petite allocation de combustible. Dans toutes les pièces, les carreaux des fenêtres étaient brisés et les châssis gondolés laissaient pénétrer le froid d'hiver.*

Dans la première pièce, établit le rapport, *il y avait 4 hommes condamnés à la prison commune pour attroupement, 2 autres pour larcins, 3 hommes condamnés aux travaux forcés dans la maison de correction, 3 Noirs complices d'un meurtre, 1 homme sous accusation de parjure et 1 autre emprisonné faute d'endossement pour sa bonne conduite. Tous étaient sans occupation et la chambre très sale. Dans la deuxième pièce, se trouvaient 4 femmes, dont 3 condamnées à titre de personnes oisives et débauchées. La quatrième était accusée de vagabondage. Leur chambre était propre. Dans la quatrième pièce, se trouvait un homme accusé de meurtre en haute mer et qui prétendait avoir été 14 mois en prison sans avoir pu obtenir son procès. Un autre se plaignait que le geôlier lui avait imposé une cotisation de 1 chelin 3 deniers pour recevoir la visite de son fils. Pour sa part, le geôlier se justifiait,* notent les enquêteurs, *en faisant remarquer que ses appointements n'étaient que de 20 livres par année.*

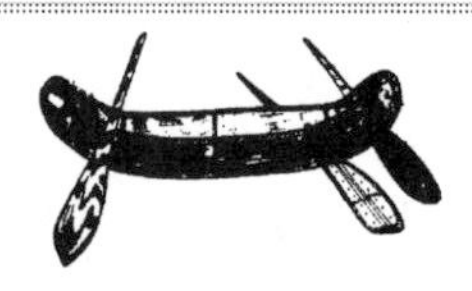

LE PREMIER JOURNAL D'OPPOSITION

Il y a déjà longtemps que des personnes regrettent que le rare trésor que nous possédons dans notre constitution, la liberté de presse, demeure caché, déclare *Le Canadien* dans son premier numéro. *Le despote ne connaît le peuple que par le portrait que lui en font ses courtisans et n'a d'autres conseillers qu'eux.*

Les prisonniers ne subissent d'autres peines que la détention, ainsi, après avoir vécu dans un état de complète oisiveté et en constante compagnie d'autres criminels, conclut le Grand Jury, *il est à craindre qu'ils ne quittent la prison après l'expiration de leur peine plus endurcis dans le vice qu'ils ne l'étaient lorsqu'ils y sont entrés.* C'est une réalité qui ne troublera jamais que ceux qui font enquête sur l'état des prisons et... des prisonniers.

1807

En avril, Lewis et Levant, deux jeunes chefs iroquois du village du Lac-des-Deux-Montagnes, et Charles Noël, le fils du chef huron de Lorette, étaient à Londres. Les jeunes Amérindiens s'y sont rendus pour faire appel au Roi, qu'ils considèrent comme le Père protecteur de leurs tribus, et lui demander la restitution de terres qui auraient appartenu à leurs villages respectifs.

Dans leur requête, qui n'a été entendue officiellement qu'en juillet, les Iroquois et le Huron rappellent à leur Père que leur mode d'existence est la chasse. Il ne doit donc pas s'attendre à ce que ses enfants se transforment *illico* en agriculteurs. *Le premier devoir d'un Père,* leur a répondu le fonctionnaire chargé de l'affaire, *est d'améliorer les mœurs et*

les habitudes de travail de ses enfants. S'il prend plaisir au Roi de concéder des terres aux Indiens, a-t-il ajouté, *par crainte que ces derniers ne les troquent aussitôt pour s'enivrer, le Souverain se verra dans l'obligation de subdiviser ces terres de façon à ce que chaque famille obtienne un lot distinct et incessible pour un certain temps.* Il en serait ainsi, bien sûr, si la solution était du recours de Sa Majesté. Ce n'est pas le cas. Le problème relève entièrement du gouvernement du Bas-Canada. Quittes pour le déplacement, les trois chefs ont dû quitter l'Angleterre sans avoir rencontré leur Père protecteur, ce pauvre George III qui, en plus d'être aveugle, n'a plus toute sa tête. Le fermier George, comme on le surnomme, termine toutes ses phrases par un mot, toujours le même: *Peacock.*

Si elle paraît naïve, la démarche des jeunes Amérindiens n'est pas pour autant innocente. L'entourage du Surintendant général des Affaires indiennes, Sir John Johnson, est d'avis que la Couronne devrait s'approprier les biens des Sulpiciens. Pourquoi les biens de ces Messieurs, comme ce fut le cas de ceux des Jésuites, ne reviendraient-ils pas automatiquement à la Couronne lors de la mort du dernier Sulpicien établi ici au moment de la Défaite? Dans les circonstances, les Indiens de la mission des Sulpiciens au lac des Deux Montagnes n'ont rien à perdre à s'inscrire d'ores et déjà parmi les héritiers éventuels. Il faut admettre que les biens des Sulpiciens sont considérables: ils sont propriétaires de l'île de Montréal.

EN HAÏTI

L'Empereur Jacques Ier a été assassiné à Port-au-Prince. Il y a trois ans, Jean-Jacques Dessalines proclamait l'indépendance d'Haïti. *Pour en dresser l'acte,* précisait-il alors, *il faut pour parchemin la peau d'un Blanc, son crâne pour écritoire, son sang pour encre et pour plume, une baïonnette.*

À cet égard, les ambitions territoriales de Sir John Johnson, qui habite le château de Longueuil, rue Saint-Paul, sont sulpiciennes. Il a une maison à la campagne à Lachine, une autre dans les faubourgs de Montréal, une maison à Kingston, une propriété à Cornwall et de vastes étendues de terre au lac Saint-François, à la rivière Raisin, à Gananoque et à l'île Amherst; plusieurs propriétés plus petites dans diverses régions du Haut et du Bas-Canada; la seigneurie de Monnoir qui s'étend sur près de 84 000 acres et celle d'Argenteuil qui est d'environ 54 000 acres. Si certains se préoccupent de savoir à qui la terre appartient, d'autres se demandent d'où elle vient.

Un article récemment publié dans *Le Canadien* de Pierre-Stanislas Bédard en a surpris plus d'un. On pourrait même dire que, pour la plupart des lecteurs, l'article signé *Un Monsieur à son ami* avait tout d'un canular. *Au temps de la submersion du continent d'Amérique,* écrit le mystérieux correspondant, *les plus hautes montagnes furent couvertes d'eau. Cette supposition ne paraîtra pas gratuite, si l'on considère que l'on a trouvé des substances marines telles que des coquillages de mer sur les montagnes des Katt's Kill, dans l'État de New York. À cette époque mémorable, la montagne que nous habitons n'existait pas encore. Une vaste mer couvrait les campagnes d'alentour.* La montagne dont parle l'apprenti géologue et géographe, c'est la montagne de Québec qui va du confluent de la rivière Saint-Charles et du Saint-Laurent jusqu'à la rivière Cap-Rouge et, en longueur, de la rive nord du fleuve jusqu'à la côte d'Abraham. Initialement, lorsque le territoire était submergé par une mer qui n'a pas de nom, c'était une île.

C'est sûrement le genre d'idée à exciter les membres de la nouvelle société scientifique qu'on a fondée à Londres cette année, la Société de géologie. Une chose est certaine, il y a 199 ans, ce n'est pas cette mer-là que cherchait le fondateur de Québec. La mer de Champlain, c'était la mer de Chine.

1808

Au grand dam des *moutons de Québec*, la qualité de vie est supérieure à Montréal, où on peut se vanter d'avoir des marchés approvisionnés à l'année par les fermiers des *Eastern townships* ou par ceux des États-Unis. En plein hiver, les Montréalais ont le loisir d'acheter de la morue congelée, un luxe en provenance de Boston.

Là où Québec est la mieux pourvue, c'est en neige, 10 à 15 pieds dans certaines rues. *La neige s'y amoncelle,* témoigne Jacques Viger, *tant par le fait du ciel que par celui des propriétaires qui, pour entrer dans leur maison, pellettent la neige des trottoirs jusqu'au niveau de leur porte et la jettent sur le milieu de la rue. Une coutume qui fait que, dans les rues étroites, il y a souvent 7 ou 8 pieds de neige au centre et des cavités d'égale profondeur vis-à-vis de chaque maison.* Rédacteur au journal *Le Canadien*, Viger écrit à sa femme pour lui donner des nouvelles de la capitale. *À Montréal,* observe-t-il, *on ferait charrier la neige sur le fleuve, ce qui éviterait des accidents malheureux comme celui qui vient de se produire cet hiver. Un soldat, qui circulait de nuit dans la Basse-ville, sans doute plus leste d'une extrémité que de l'autre, est tombé dans une entrée de la rue Champlain. On l'a trouvé mort congelé le lendemain matin.* Comme une morue de Boston.

EZEKIEL HART

À Québec, il n'y a pas que les rues qui ont tendance à rétrécir, les esprits et les conflits leur font souvent concurrence. Ezekiel Hart n'est qu'un exemple parmi d'autres de la petite guerre de Chambre qui oppose systématiquement les députés de la majorité canadienne et ceux de la minorité anglaise. Ezekiel est le fils du premier Juif à s'être établi au Canada, Aaron Hart. Arrivé comme pourvoyeur avec les troupes britanniques d'Amherst en 1760, Hart s'est tout de suite installé à Trois-Rivières où il a fait fortune dans la fourrure. À sa mort en 1800, le père Aaron laissait un héritage substantiel à ses fils: la seigneurie de Sainte-Marguerite et celle de Bécancour, le marquisat du Sablé, un magasin rue du Platon à Trois-Rivières et deux terrains dans la même ville. Quant à ses 4 filles, il léguait à chacune d'elles la somme de 1 000 livres. *Pas une paroisse à moins de 50 milles à la ronde de Trois-Rivières,* constatait le notaire qui a établi la liste de ses créances, *ne pouvait se vanter de ne pas avoir au moins un de ses habitants en dette avec Aaron Hart.*

Ezekiel, pour sa part, n'a pas attendu la mort de son père pour voler de ses propres ailes. Du vivant d'Aaron, avec ses deux frères, Moses et Benjamin, il a formé une société dans le but de *construire une brasserie et une malterie, une potasserie, une perlasserie et une boulangerie pour fabriquer du pain et des biscuits.* Les frères Hart n'ont pas que le sens familial des affaires, ils partagent tous trois un goût effréné pour la politique. L'an dernier, lors d'une élection complémentaire aux Trois-Rivières, Ezekiel Hart s'est présenté. Il a été élu haut la main. Un samedi, ce qui n'a pas été sans lui créer un certain embarras puisque c'était le jour du sabbat. Sa victoire, comme on a pu le lire dans *Le Canadien*, en a outragé certains et poussé d'autres à l'exprimer en vers: *Si Caligula, l'empereur / fit son cheval consul de Rome, / ici, notre peuple électeur, / surpasse beaucoup ce grand homme; / il prend par un choix surprenant, / un Juif pour son représentant.* En janvier, prêt *à remplir les devoirs de sa charge au mieux de ses capacités et dans l'intérêt de sa ville natale,* le député Hart s'est présenté à Québec pour la nouvelle session.

Aussitôt que la Chambre a été informée qu'Ezekiel Hart attendait en dehors de la barre pour être admis à siéger, un député s'est enquis de la façon dont le représentant des Trois-Rivières avait été assermenté. La question n'avait rien d'innocent. Elle avait pour but d'engager un débat de procédures. Comme c'est la coutume pour les Juifs dans les cours de justice, Hart avait prêté serment sur la Bible et la tête recouverte. Voilà le hic! Si, dans les cours de justice, un Juif peut prêter serment sur la Bible, en Chambre, le serment se prête seulement sur les Évangiles.

DANS LE MONDE DE LA FOURRURE

John J. Astor est un habitué de Montréal et du Beaver Club depuis des années. Il a fondé l'American Fur Company mais, quand il s'agit de juger de la qualité des fourrures, c'est sa femme l'experte. Un talent qu'elle se fait payer 500 $ de l'heure.

Pour que Ezekiel Hart soit admis à siéger, il fallait donc faire une exception. Un geste que les députés canadiens ne sont pas prêts à poser. Pas question pour eux d'ajouter un député de plus à la minorité anglaise. *Même si Hart était habilité à prêter serment,* argumente Pierre Bédard, le *leader* des Canadiens, *le parlement britannique excluant les Juifs d'office, il ne pourrait pas siéger.* Il aurait pu ajouter qu'en Angleterre les catholiques n'avaient toujours pas le droit de vote, mais il ne l'a pas fait.

Après de longues arguties, on est finalement passé au vote. Vingt et un députés se sont déclarés pour l'exclusion de Hart et cinq pour son admission. Le siège a été déclaré vacant. Lorsque Ezekiel Hart est rentré aux Trois-Rivières, les rues et les portes lui sont sûrement apparues moins étroites qu'à Québec.

1809

Collet drette, le tyranneau de Québec, autrement dit *Son Excellence le Gouverneur du Haut et du Bas-Canada, Sir James Henry Craig, Chevalier de l'ordre du Bain*, a daigné honorer Montréal de sa présence. Le petit roi Craig a fait son entrée en ville dans un phaéton à six chevaux qu'il conduisait lui-même. Les mêmes six beaux chevaux canadiens, gras, à plein cuir et à pelage gris, ornés de rosettes et de ruban jaune, qui tiraient sa carriole lorsqu'il a ouvert le Parlement en avril.

JAMES HENRY CRAIG

Ces jours-ci, *Collet drette* est gonflé à bloc: il vient de dissoudre la Chambre. Dans un mouvement d'humeur, il le lui a annoncé par un coup de canon. *Le triple bruit du fouet du cocher, du canon de la grande artillerie et des éperons de Sir James et de sa suite,* raconte un témoin, *est venu aux oreilles des membres des deux Chambres presque au même instant. Quelques minutes plus tard, le petit roi donnait l'ordre aux députés de se rendre à la salle du Conseil législatif où il les attendait assis sur son trône. Une fois nos représentants en sa présence,* poursuit Jacques Viger, *Craig leur a chanté une gamme et monté une garde à les faire écumer de rage ou à les faire sourire de pitié, l'un ou l'autre.* Résultat: le

Bas-Canada devra retourner aux urnes, un an seulement après les élections. C'est d'ailleurs la raison de la visite du petit roi à Montréal. Craig veut s'assurer l'appui des barons de la fourrure. McGill, Richardson, Frobisher, Henry, Chaboillez, McCord et Durocher se sont empressés de le fêter et de lui faire visiter la place du Nouveau-Marché, où sera érigée la statue de Nelson. Elle est arrivée de Londres avec ses bas-reliefs et attend dans ses 17 caisses. Le maçon a été choisi, c'est un loyaliste tout crin, et la première pierre sera posée en août.

Du haut de sa colonne, Nelson ne sera pas complètement dépaysé. Il pourra contempler un spectacle auquel ses années dans la marine de guerre britannique l'ont habitué. Le pilori sera transporté au pied du monument et dorénavant on y administrera le fouet. Une médecine qu'on sert aux auteurs de menus larcins et aux déserteurs. Le *Mutiny Act* précise que, dans le cas des déserteurs, le maximum est fixé à 999 coups. Pour les crimes graves, comme le vol d'une vache, d'un cheval ou d'un mouton, la punition est la pendaison. Le pilori, c'est un peu l'ancêtre du théâtre de participation. *Le patient,* nous relate Aubert de Gaspé qui a été Shérif, *avait la tête et les mains assujetties dans un carcan, ce qui lui laissait peu de chances d'éviter les œufs pourris ou les autres projectiles que la canaille lui lançait.*

À l'occasion, lorsqu'un criminel était exposé pour un crime odieux, comme ce fut le

cas à Québec il y a deux ans, la participation du public pouvait prendre une allure plus musclée. Les perturbateurs, poursuit De Gaspé, *se ruèrent d'abord sur les voitures des habitants, alors sur le marché, et s'emparèrent de vive force de tout ce qu'ils trouvaient dans les charrettes: œufs, légumes, têtes, pattes, fraises et fressures de veau, malgré les cris des femmes cherchant à protéger leurs denrées. Après avoir assailli le criminel, ils attaquèrent le bourreau qu'ils poursuivirent sous les charrettes des habitants où il s'était réfugié. Le malheureux nègre, souple comme un serpent, avait beau se glisser sous les voitures, se réfugier sous les pieds mêmes des chevaux, il n'en était pas moins maltraité tant par la populace que par les habitants mêmes dont les effets étaient en pillage.*

Ensuite, rapporte l'ancien Shérif, *la rage des perturbateurs se tourna contre les connétables qui voulaient maintenir la paix. Assaillis de toutes parts, les uns se réfugiaient dans la cathédrale ou dans le Séminaire, tandis que les autres fuyaient par la côte de Léry d'où ils furent poursuivis jusque au-delà de la porte Hope. Avant que les connétables, revenus de leur panique, aient repris leur poste,* raconte toujours De Gaspé, *un matelot, tenant d'une main deux perdrix, monta sur le pilori, une plate-forme qui est élevée à environ huit pieds de terre, et se mit à haranguer la foule. Tandis que, d'une main, il ébouriffait les cheveux du criminel déjà assez en désordre, de l'autre, il lui frottait le visage avec les perdrix.*

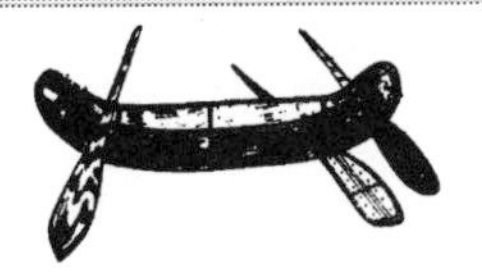

La question de la langue

Je suis toujours surpris de voir revenir sur les rangs ces déclarations de collège sur la langue et l'éducation de ce pays, s'étonne Denis-Benjamin Viger dans une brochure politique, *comme si on pouvait changer la langue et les mœurs d'un peuple comme on change ses habits et ses modes.*

Les pendaisons, qui ont lieu à Montréal face au Champ de Mars, ne provoquent pas de tels désordres, sans doute parce que le public est composé en majorité de femmes et d'enfants.

1810

JOHN MOLSON

Depuis l'an dernier, Montréal est entrée dans l'ère du bateau à vapeur. Elle le doit à l'initiative du brasseur de bière John Molson. *Samedi matin, à huit heures,* pouvait-on lire dans le *Quebec Mercury* du 4 novembre 1809, *le bateau à vapeur* Accommodation *arrivait de Montréal avec 10 passagers à bord. C'est le premier bateau de ce genre qui soit jamais apparu dans notre port.*

*L'*Accommodation *a accompli le trajet en 66 heures,* précise le journal, *dont 30 à l'ancre. Il est venu aux Trois-Rivières en 24 heures. On y trouve présentement des lits pour 20 passagers. Pour remonter le fleuve, le prix du passage est de 9 $, de 8 $ pour le descendre et le bateau fournit les provisions de bouche.* D'une longueur de 75 pieds de quille et de 85 pieds de pont, le navire est propulsé par 2 roues à aubes actionnées par la vapeur produite dans une chaudière à l'intérieur dudit navire. Il faut admettre que la performance de l'*Accommodation* n'est pas encore au-dessus de tout reproche. Personne, toutefois, ne regrette la navigation à voiles, qui nécessitait 3 ou 4 jours pour descendre à Québec et souvent 15 jours, lorsque le vent était contraire, pour monter à Montréal.

Cette année, le bateau de Monsieur Molson a accompli une douzaine de voyages aller-retour et accueilli 175 voyageurs qui ont payé un aller simple. Jusqu'à maintenant, l'affaire n'est pas rentable. Construction comprise, les dépenses s'élèvent à près de 16 000 $ pour 1809-1810 et les revenus à environ 2 000 $. Un déficit qui ne semble pas inquiéter John Molson outre mesure. L'homme d'affaires ne s'est pas lancé dans la navigation sur un coup de tête. L'*Accommodation* est non seulement le premier bateau à vapeur au Canada mais également le premier à être entièrement construit hors de Grande-Bretagne et le troisième à être exploité commercialement au monde. Pour conserver sa longueur d'avance sur ses concurrents, Molson s'est rendu à New York pour y rencontrer le doyen de la navigation à vapeur, Robert Fulton. Ce dernier lui a proposé de dessiner les plans d'un bateau qui pourrait loger de 50 à 70 passagers et naviguer, en eaux calmes, à 5 milles à l'heure. En échange de ses services, l'inventeur américain exige 10 % des profits d'exploitation du bateau qu'il aura conçu et de tous les bateaux futurs de John Molson. Des conditions que le brasseur montréalais a refusées. Néanmoins, sa décision est prise: il fera construire un frère à l'*Accommodation*, selon ses propres plans.

Assuré que sa requête pour obtenir l'exclusivité de la navigation à vapeur sur le Saint-Laurent sera soutenue par Joseph Papineau à la Chambre et par Jonathan Sewell au Conseil législatif, John Molson a quitté Montréal pour l'Angleterre. Il a l'intention d'y commander à un inventeur britannique, James Watt, deux machines à vapeur pour son prochain bateau, déjà baptisé *Swiftsure*. Il devrait naviguer sur le fleuve au plus tard d'ici deux ans. Pure coïncidence, John Molson s'est embarqué pour Londres sur l'*Everetta*, le même navire qui l'avait ramené à Montréal, en 1786, l'année où il a fondé sa brasserie.

Question pression et vapeur, la chaudière du Parlement a explosé encore une fois. Le petit roi Craig a ordonné une nouvelle disso-

UNE QUESTION D'ÉTIQUETTE

Lors d'une rencontre officielle, un officier américain invite le Chef Tecumseh à s'asseoir sur une chaise. *Ton Père, le Général Harrison,* lui dit-il, *t'offre un siège. – Mon Père?* rétorque le Chef algonquin. *Le Soleil est mon Père, et ma Mère est la Terre qui me porte sur son sein.* Ignorant la chaise avec superbe, Tecumseh s'étend alors de tout son long sur le sol.

lution de la Chambre. Invoquant le vieux spectre de l'insurrection appréhendée, il a fait arrêter et emprisonner Pierre Bédard, le chef du Parti canadien, ainsi qu'une vingtaine de personnes liées au journal *Le Canadien. Collet drette* ne peut plus tolérer l'existence de la majorité canadienne, qui fait de l'Assemblée, selon ses propres mots, *l'Assemblée la plus indépendante qui existe dans n'importe lequel gouvernement connu au monde.* Le petit roi n'arrive pas à établir les relations personnelles indispensables à l'exercice de son influence. Il va de soi qu'un Chevalier de l'ordre du Bain ne peut établir de rapports sociaux avec des forgerons, des meuniers et des boutiquiers. *Quant aux avocats et aux notaires qui forment une portion considérable de la Chambre,* avoue Craig au Secrétaire des colonies, *je ne les rencontre que durant les sessions au Parlement, alors que j'ai réservé un jour de la semaine expressément pour inviter une partie considérable de représentants à dîner.*

Si elle ne mettait pas les gens en prison, la paranoïa du petit roi serait pathétique, voire touchante. Un rien blesse ce vieux Craig. *J'ai envoyé à tous les curés copie de mon discours de dissolution du Parlement,* soupire-t-il avec dépit, *et je dois avouer que pas un seul de ces derniers n'a jugé à-propos de me faire parvenir un accusé de réception.*

1811

Montréal a plutôt la fibre économique que politique. Les Montréalais s'en soucient peu mais Pierre Bédard est toujours en prison en attente d'un procès pour trahison qui ne viendra vraisemblablement jamais. Craig a libéré tous ceux qu'il avait emprisonnés pour *sédition appréhendée*, sauf le *leader* du Parti canadien.

Collet drette en a fait une affaire personnelle. Bédard est à la source de tous ses problèmes. Londres n'apprécie pas les sautes d'humeur du petit roi. *Évitez la dissolution de l'Assemblée*, lui a-t-on signifié, *et n'utilisez la prorogation qu'en cas extrême; tenir la province dans un état d'agitation continuelle par des élections annuelles n'est pas désirable.* La population, quant à elle, est *craigophobe*. Seuls 9 députés anglais ont été élus lors des élections et 32 membres canadiens de l'ancien Parlement dissous ont retrouvé leurs sièges, dont les députés emprisonnés, qui n'ont pas pu faire campagne.

PIERRE BÉDARD

Pierre Bédard doit reprendre sa place au Parlement: c'est le premier message que la Chambre a adressé au Gouverneur dès l'ouverture de la session. La réponse du petit roi a été sans équivoque. Faut pas ambitionner sur le pain béni. *Aucune considération ne m'incitera à consentir à la mise en liberté de Monsieur Bédard à la demande de la Chambre d'assemblée soit comme question de droit ou de faveur*, a-t-il précisé au représentant des parlementaires, le député Joseph Papineau, *et je ne consentirai pas à ce que Monsieur Bédard soit élargi à aucune condition durant la présente session.* Craig n'est pas dupe. *Je sais*, convient-il, *que les propos tenus par les membres ont eu pour effet de faire croire partout que la Chambre devait faire libérer Monsieur Bédard, et que cette opinion s'est répandue au point d'être universelle dans la province.* Pour le Gouverneur, ce n'est pas une question de justice mais d'autorité. *Je sens que le moment est venu,* juge-t-il, *où la sécurité et la dignité du gouvernement du Roi requièrent impérieusement que le peuple comprenne quels sont vraiment les droits respectifs des diverses branches du gouvernement et qu'il n'appartient pas à la Chambre d'assemblée de gouverner le pays.*

Collet drette est vaniteux mais il n'est pas sot. Il a identifié que Bédard n'est pas uniquement un ennemi personnel mais l'ennemi de son pouvoir. *Le ministère doit nécessairement avoir la majorité dans la Chambre des communes,* soutient Pierre Bédard. *Lorsque le Roi, ou le Gouverneur, désire savoir lequel des deux systèmes, de celui du ministère ou de celui d'une opposition, la nation veut adopter, il dissout le Parlement. Alors,* rappelle-t-il, *la nation exerce son jugement en élisant ceux dont elle approuve le système et la conduite. C'est d'après le sentiment du peuple manifesté par le choix des personnes dont il adopte le système que le nouveau ministère est établi. Ce ministère est sûr d'être soutenu par la Chambre des communes et le peuple,* ajoute-t-il avec pertinence dans les circonstances, *tant qu'il ne déviera pas de ses principes.* Pierre Bédard est le premier dans l'Empire britannique à formuler d'une façon cohérente la théorie de la responsabilité ministérielle.

Pour élargir Bédard sans perdre la face, Craig a attendu que les députés aient regagné leur foyer. Début avril donc, le gardien de prison est entré dans la cellule du chef du Parti canadien pour lui annoncer sa libération après un an de détention préventive. Quelle ne fut pas la surprise du geôlier de découvrir que Bédard n'en voulait pas. D'abord, l'homme politique exigeait un procès pour faire la preuve qu'il était innocent. Ensuite, pour occuper son temps en prison, Bédard s'employait à déchiffrer des énigmes mathématiques et il était engagé dans la résolution d'une importante question algébrique. *Le geôlier Reid,* raconte Aubert de Gaspé, *patienta jusqu'au lendemain mais, s'apercevant que son prisonnier ne faisait aucun préparatif de départ, il lui signifia que, s'il n'évacuait pas les lieux de bonne volonté, il allait, avec l'aide de ses porte-clés, le mettre à la porte. Monsieur Bédard, s'aper-*

cevant à son tour que l'on prenait les choses au sérieux et que contre la force il n'y a pas de résistance, dit au gardien: Au moins, Monsieur, laissez-moi terminer mon problème. *Reid, qui était bon bougre, lui accorda sa demande et, à l'expiration d'une heure, Monsieur Bédard, satisfait de la solution de son problème algébrique, s'achemina à pas lents vers sa demeure.* À pas lents parce qu'il n'était pas heureux en ménage. Son foyer était un enfer.

Bédard, relate toujours De Gaspé, *reprochait à sa femme d'être désordonnée, mondaine et dépensière au point qu'il la rendait seule responsable de leur endettement chronique.* En somme, Bédard reprochait à son épouse de ne pas accepter son *état de femme. Je ne lui reproche qu'un tort,* écrivait-il, *c'est d'être rebelle à mes volontés et le grand tort que j'ai, c'est de n'être plus capable de la gouverner.* Un sentiment que nul ne pouvait mieux comprendre que son pire ennemi, le petit roi Craig. À quoi sert un Gouverneur, s'il est incapable de gouverner?

À PARIS

Lors d'une réception plutôt ennuyeuse, Napoléon s'est avisé d'interroger ceux qui l'entouraient sur ce qu'on dirait de lui après sa mort. Tous les courtisans, bien sûr, y sont allés d'un compliment. L'Empereur, lui, s'est contenté d'un constat lucide: *On dira ouf!*

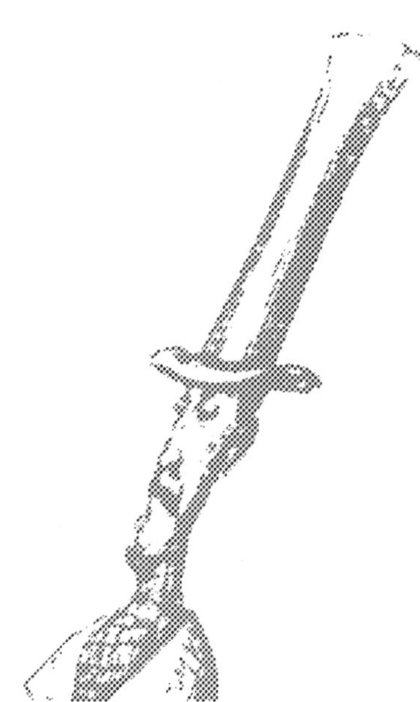

1812

Montréal est en alerte! La menace américaine qu'on appréhendait depuis la déclaration de guerre en juin s'est enfin matérialisée! Le Général américain Dearborn s'avancerait sur Montréal par la voie du lac Champlain, avec 11 000 hommes.

En novembre, le Colonel Deschambault a réveillé Monsieur Roux, le supérieur du Séminaire, en pleine nuit, et l'a invité à rédiger sur-le-champ une lettre circulaire à l'intention des paroisses pour convoquer les milices. Roux s'exécute. C'est de la prose de nuit. *Vous êtes les enfants de ces héros qui ont tant de fois marché à la victoire,* écrit le Sulpicien d'une plume martiale. *Comme eux, vous avez vos biens à défendre, votre honneur et peut-être l'honneur de vos épouses et de vos filles, et surtout l'honneur de votre religion. Le champ de bataille où vous perdriez la vie ne serait que l'escabeau qui ferait monter au ciel le soldat qui mourrait pour son Dieu, sa patrie et son Roi.* Ça fait un peu chiche à côté du Napoléon d'Austerlitz: *Soldats!* leur a-t-il promis après la victoire, *lorsque tout ce qui est nécessaire pour assurer le bonheur et la prospérité de notre patrie sera accompli, je vous ramènerai en France. Mon peuple vous recevra avec joie et il vous suffira de dire:* J'étais à la bataille d'Austerlitz! *pour qu'on vous réponde:* Voilà un brave!

Évidemment, la bataille qui s'annonce à Montréal n'a rien à voir avec celle de la Moskova, en septembre, où les Français ont perdu 30 000 hommes et les Russes 50 000. Le 17 novembre, 800 hommes d'infanterie et 300 de cavalerie, sous les ordres des Colonels américains Pyke et Clarke, franchissent la frontière et marchent vers Odelltown. Au camp Saint-Philippe, les Voltigeurs et les miliciens se préparent au combat qui s'annonce. *Le soir de la veille de l'attaque,* rapporte un des participants, *un habitant près de la frontière vint informer*

le Capitaine du corps des Voyageurs qu'un officier américain lui avait offert 50 piastres pour le guider au premier poste anglais. C'est donc confirmé, l'invasion a débuté.

Le matin du 20 novembre, les Américains avancent sur le chemin d'Odelltown, vers la rivière Lacolle. La cavalerie traverse la digue du moulin et se regroupe dans la plaine située en face de la maison d'un nommé Smith. *Le Capitaine McKay était parti pour placer ses sentinelles,* raconte le Capitaine des Voltigeurs, Jacques Viger. *Comme il allait poser celles sur le bord de la rivière, il entend le bruit des chiens de fusil de tout le demi-cercle qu'avait formé l'armée américaine. McKay fait le cri de retraite à ses sauvages, qui y répondent par les leurs, déchargent leurs fusils et viennent avertir le Capitaine Panet, sans bruit, de déloger sans trompette. Panet ne fut pas lent à déguerpir, comme de raison, et ne prit même pas le temps d'attacher ses souliers. Les Américains,* poursuit le Capitaine Viger, *s'avancent alors vers les cabanes construites par les Amérindiens et tirent presque sans arrêt. Comme la formation est en demi-cercle, plusieurs assaillants sont blessés par les balles de leurs compatriotes.*

Les cris des Amérindiens font croire qu'ils sont au moins 400 ou 500. Les Américains prennent peur, continue Viger, *et traversent à gué la rivière dans le plus grand désordre pour se sauver à Champlain, le plus proche village où ils ont enterré depuis un Capitaine blessé dans cet engagement. Dans leur fuite, les Américains ont abandonné une partie de leur armement. Les fusils américains, dont on a trouvé plusieurs,* observe l'apprenti militaire, *sont forts et ont le canon lié à la monture par trois larges anneaux de fer. Leurs baïonnettes, faites comme les nôtres, sont plus courtes et plus fortes. On a aussi trouvé de leurs lances, dont le bois est fort long et dont le fer est recourbé et affilé.* Le 28 novembre, le Gouverneur Prevost, le successeur du petit roi Craig, écrit à Londres que les troupes ennemies ont battu en retraite sur Plattsburgh, Burlington et Albany. D'après les informations parvenues ici, c'est là que les Américains vont prendre leurs quartiers d'hiver.

SI LA PAYE VOUS INTÉRESSE

Oui, mes amis, claironne le Capitaine Perrault à Montréal dans la *Gazette*, *Son Excellence le Gouverneur, en vous demandant à ce moment vos services volontaires, vous en dispense immédiatement le prix. Quatre-vingt-seize livres sont offertes pour récompense à tout milicien canadien qui viendra volontairement s'enrôler dans un corps que Son Excellence a bien voulu nommer de votre nom,* les Voltigeurs canadiens.

La veille, la Grande Armée de Napoléon est parvenue à franchir la rivière Bérézina à moitié gelée. Depuis leur départ de Moscou, les troupes françaises en retraite combattent les Cosaques du général Koutouzov et un froid de –35 °C. *C'est le début de la fin,* a prophétisé Talleyrand à Paris. La veuve Berthelot, pour sa part, ne voit pas les choses d'un œil aussi tragique. *Eh bien! on s'est familiarisé à entendre parler de guerre,* écrit-elle à sa fille, *à voir aller et venir à tous moments des soldats dans Montréal, des miliciens, des gens de corvées, à apprendre même quelques alertes qui ont donné, il faut l'avouer, quelques petits frissons pour l'instant. Dieu veuille que nous soyons quittes à aussi bon marché pour l'année prochaine.* Des 700 000 hommes que comptait la Grande Armée, il n'en survivra que 20 000 après la retraite de Russie. Autres pays, autres guerres!

1813

Montréal n'a pas encore beaucoup souffert de la guerre, contrairement à York, la future Toronto, qui, en plus d'être occupée par les Américains, a vu son Parlement incendié. Depuis le début du conflit avec les États-Unis, à Montréal, c'est plutôt *business as usual.* En fait, *better than usual.*

Le Parlement a autorisé l'émission de 250 000 livres d'*Army bills* pour défrayer la solde et payer tout ce qui est nécessaire à l'entretien et au ravitaillement des troupes régulières et des milices. Pour les habitants, les marchands, les négociants et les hôteliers, c'est une véritable manne, d'autant plus que le remboursement de cette nouvelle *monnaie de carte* est assuré par l'Angleterre.

Pour John Molson, la Providence c'est le Département du quartier-maître général. L'exploitation du premier bateau à vapeur de l'homme d'affaires, l'*Accommodation*, était déficitaire. Celle de son deuxième est déjà rentable grâce au transport des troupes. En 2 ans, le *Swiftsure* a effectué 58 voyages aller-retour, Montréal-Québec, au coût de 250 livres, soit 1 000 $ le voyage. C'est amplement suffisant pour défrayer les coûts de construction d'un navire qu'on décrit, avec son pont de 140 pieds et sa quille de 130, comme *l'orgueil du Saint-Laurent.* Néanmoins, la valeur stratégique du bateau de Molson est indéniable: le *Swiftsure* met 22 heures pour parcourir la distance entre Québec et Montréal, soit 14 heures de moins que l'*Accommodation.*

Drôle de guerre tout de même que cette guerre de 1812. *Les habitudes commerciales sont plus difficiles à rompre qu'on ne pense,* avait noté Talleyrand lors de son séjour aux États-Unis. On ne saurait mieux dire. Le cas d'Horatio Gates en est le plus bel exemple. Horatio Gates est un marchand qui a pignon sur rue à Montréal. Il tient magasin rue Saint-Paul depuis 1807. Citoyen américain, l'état de guerre avec son pays d'origine devrait l'obliger à mettre fin à ses activités commerciales. Ce n'est pas le cas. Le commissariat de l'armée britannique n'arrive pas à dégoter tous les vivres dont l'armée a besoin.

Or, il se trouve que Gates peut assurer la subsistance des troupes avec des denrées, principalement de la viande, en provenance du Vermont et de l'État de New York. On a donc choisi de lui accorder un permis de séjour pour poursuivre ses activités commerciales et de fermer les yeux sur ses activités de contrebande. Grâce à son réseau d'associés américains qui, pour leur part, ne crachent pas sur l'argent anglais, Gates n'a aucune difficulté à remplir ses commandes. La guerre a des raisons que le commerce ne reconnaît pas.

La guerre vit d'héroïsme, c'est connu. Sinon dans les actions, du moins dans leur narration. Le 21 octobre, on apprend que le Général américain Hampton et une partie de son armée ont franchi la frontière. *La trompette a sonné; l'éclair luit, l'airain gronde,* écrit le poète Joseph Mermet, *Salaberry paraît; la valeur le seconde, / Et trois cents Canadiens qui marchent sur ses pas, / Comme lui d'un air gai, vont braver le trépas.* En fait, ils ont abattu des ponts, fait de l'abattis et ils se cachent derrière les arbres.

Salaberry

Huit mille Américains s'avancent d'un air sombre; / Hampton leur chef en vain veut compter sur leur nombre. / C'est un nuage affreux qui paraît s'épaissir, / Mais que le 1er de mars voit bientôt s'éclaircir. Le poète n'a pas le sens des chiffres, ou des dates, c'est arrivé le 26 octobre et les Américains étaient 3 000.

Le Héros canadien, calme quand l'airain tonne, / Vaillant quand il combat, prudent quand il ordonne, / A placé ses guerriers, observé son rival; / Il a saisi l'instant, et donné le signal. Hampton commande sur la rive gauche de la rivière Châteauguay pendant que sur la rive droite l'avant-garde américaine se pointe devant l'abattis. Salaberry tire le premier. Sonne la trompette. Tire en haut. Tire en bas. Crie *Hourra!* à droite, *Hourra!* à gauche, *Hourra!* au centre. Les Américains finissent par s'arrêter de tirer tellement ils sont mêlés.

Salaberry qui voit que son rival hésite, / Dans la horde nombreuse a lancé son élite. / Le nuage s'entrouvre; il en sort mille éclairs; / La foudre et ses éclats se perdent dans les airs. Monté sur une branche d'arbre, Salaberry observe la situation avec sa longue-vue et donne ses ordres en

français au Capitaine Daly pour que les Américains ne les comprennent pas. Sur le terrain, il y a des Canadiens qui crient aux Américains: *Tirez pas sur les capots d'étoffe! tirez sur les habits rouges!*

Du pâle Américain la honte se déploie; / Les Canadiens vainqueurs jettent des cris de joie: / Leur intrépide chef entraîne le succès; / Et tout l'espoir d'Hampton s'enfuit dans les forêts. Après 4 heures de confusion, Hampton, qui avait reçu l'ordre le matin de retourner aux États-Unis, ordonne la retraite. Le nombre de tués ou de blessés américains ne dépasse pas 70. Du côté canadien, on déplore 5 pertes de vie, 15 blessés et 4 disparus.

LE PRIX DE LA COLLABORATION

Le gouvernement a quintuplé les appointements de Monseigneur Plessis. *Il est bon que cette gratification ne soit venue qu'après que le clergé a montré sa loyauté,* lui a fait remarquer son Coadjuteur, Bernard-Claude Panet. *Si elle était venue avant, le peuple aurait pu croire que l'Église avait vendu son zèle.*

Et le poète de conclure: *Passant admire-les... Ces rivages tranquilles / Ont été défendus comme des Thermopyles; / Ici Léonidas et ses trois cents guerriers / Revinrent parmi nous cueillir d'autres lauriers!* En fait, les Canadiens étaient 1 700 et leur Léonidas portait un nom à coucher dehors, Charles-Michel d'Irumberry de Salaberry.

1814

Châteauguay a consacré la bravoure du Lieutenant-Colonel De Salaberry, c'est maintenant au tour de Vaudreuil de célébrer la vaillance de son Capitaine de milice, Jean-Baptiste Lefebvre dit la Cerisaie. Le 27 septembre dernier, à l'âge de 67 ans, il convolait en justes noces pour la sixième occasion dans sa vie, cette fois avec une veuve, Marguerite Charlebois.

Le Capitaine Lefebvre porte ses veuvages et les noms de ses 5 épouses précédentes avec la même fierté que les grognards arborent les galons des campagnes et des batailles auxquelles ils ont participé avec l'Empereur. La Cerisaie s'est marié pour la première fois en 1778, à Rosalie Dicaire, âgée de 19 ans. Elle lui donne 3 enfants. En 1785, après un veuvage de 20 mois, il épouse Archange Daout. Sept ans plus tard, notre Jean-Baptiste est à nouveau veuf pour 15 mois. Son troisième mariage, à Eugénie Gauthier, dure 4 ans. Un an plus tard, en 1799, il se remarie avec Ursule Sabourin. Six mois plus tard, il est à nouveau seul. En 1800, il convole avec la veuve Amable Génus. Leur union matrimoniale dure 11 ans. Au moment de passer l'anneau au doigt de sa sixième épouse, Jean-Baptiste

Lefebvre était veuf depuis 3 ans, sa plus longue période d'inactivité maritale depuis son premier mariage à l'âge de 31 ans. *Quand une femme se remarie, c'est qu'elle détestait son premier mari*, professe un adage irlandais, *et quand un homme se remarie, c'est qu'il adorait sa première femme*. Si le proverbe dit vrai, jamais femme n'a été plus aimée que Rosalie Dicaire.

À Paris, c'est un homme qui aimait les femmes d'une façon plus que particulière qui vient de mourir. Il s'agit du Marquis de Sade. Il s'est éteint à l'asile de Charenton où il était détenu depuis 1803. Les censeurs napoléoniens l'avaient déclaré fou dangereux, théoriquement pour son roman érotique *Justine*, en réalité pour un pamphlet qui brocardait Napoléon et Joséphine.

C'est la Révolution qui a libéré Sade de la Bastille où il a été emprisonné, pendant 12 ans et demi, pour sadisme. Pendant la Terreur, le citoyen Sade, promu Juge, s'avéra incapable d'exiger la peine de mort pour sa mère, ci-devant Marquise. Aussitôt dénoncé comme modéré, il échappe de justesse à la guillotine et se tourne vers le théâtre. Sade s'était épris d'une jeune actrice, Marie-Constance Renelle. Il s'installe en ménage avec elle à Versailles, s'occupe de son petit garçon et se trouve un emploi de régisseur de théâtre.

Lorsque Sade est interné par la censure napoléonienne, Marie-Constance le suit à Charenton où, avec la complicité du Directeur, elle se fait passer pour sa fille légitime. Sade écrit d'elle, *cette femme est un ange qui m'est envoyé du ciel*. Un ange d'ouverture d'esprit car Marie-Constance n'en veut pas à ce vieil homme de 72 ans obèse, rhumatisant et presque aveugle qui égaye ses 2 dernières années en séduisant une jeune et jolie lingère de l'asile. Madeleine Leclerc a 15 ans lorsqu'elle devient la maîtresse de Sade. Sa mère espérait que Sade en ferait une actrice. À Charenton, le *divin Marquis* était détenu dans des conditions confortables, il avait le loisir d'organiser des représentations théâtrales et, au moment de sa mort, il écrivait l'*Histoire secrète d'Isabelle de Bavière, Reine de France*.

Talleyrand

La mort de Sade n'est pas l'événement qui a marqué Paris cette année. C'est l'abdication de Napoléon suivie de la rentrée du nouveau Roi de France. Une rentrée historique qui a fort embêté un proche collaborateur de Talleyrand. Promu Chef du gouvernement provisoire, ce dernier avait chargé le Comte Jacques Claude Beugnot de rédiger le compte rendu de l'arrivée de Louis XVIII. Ému, le Roi restauré n'avait su répondre à l'adresse de Talleyrand qu'un succinct: *Je suis très heureux!* C'est un peu court pour un compte rendu dans *Le Moniteur. Dans ce cas-là,* dit Talleyrand à Beugnot, *si ce qu'il a dit ne vous convient pas, faites-lui une réponse. Mais comment,* s'étonne Beugnot, *un discours que le Roi n'a pas tenu? Faites-le bon,* lui rétorque Talleyrand, *convenable à la personne et au moment, et je vous promets que Monsieur l'acceptera et si bien qu'au bout de deux jours il croira l'avoir fait et il l'aura fait.*

Beugnot écrit plusieurs versions et finalement il en présente une dont il est plus satisfait à Talleyrand. Dans celle-là, il fait dire à Louis XVIII: *Plus de divisions: la paix et la France. Je la revois enfin. Et rien n'y est changé, si ce n'est qu'il s'y trouve un Français de plus. Cette fois,* reconnaît Talleyrand, *je me rends. C'est bien là le discours de Monsieur et je vous réponds que c'est lui qui l'a fait.*

À Washington

L'incendie de la capitale des États-Unis par les Britanniques a rasé le palais présidentiel, la bibliothèque du Congrès et la Chambre des représentants. Au moment de la conflagration, c'est l'épouse du Président James Madison, Dolley, qui est parvenue à sauver le portrait de Washington et le texte original de la *Déclaration d'indépendance.*

1815

Quelle est la ville en Amérique dont la montagne est un jardin? *Montréal!* répond Joseph Bouchette dans la *Description topographique du Bas-Canada* qu'il publie à Londres. *Une suite de jardins au bas du mont Royal,* précise l'Arpenteur général, *qui produisent des légumes de toute espèce et d'une excellente qualité.*

JOSEPH BOUCHETTE

En plus des légumes qui fournissent abondamment à la consommation de la ville, constate Bouchette, *on peut y recueillir tous les fruits des jardins ordinaires comme des groseilles, des groseilles vertes, des fraises, des framboises, des pêches, des abricots et des prunes. On peut dire qu'ils sont aussi parfaits, et même plus, que dans bien des climats méridionaux. Les fruits sont parfaits,* s'enthousiasme le botaniste, *mais les vergers montréalais sont incomparables. Ils produisent des pommes telles qu'on n'en voit nulle part de meilleures: la* pomme de neige *est remarquable par sa grande blancheur et son goût exquis; la* fameuse, *la* pomme grise *et la* bourassa *sont excellentes pour la table et les espèces propres pour le cidre sont en si grande abondance qu'on en fait tous les ans une grande quantité, d'aussi excellent qu'on en puisse trouver ailleurs.*

Si on produit du cidre en abondance, on en boit tout autant, car ce qui est encore plus florissant que les flancs de la montagne à Montréal, c'est le commerce des auberges. Deux d'entre elles sont devenues des points d'attraction. L'*Exchange Coffee House*, à l'angle de la rue Saint-Pierre et de la rue Saint-Paul, est le lieu par excellence où les marchands se rencontrent pour traiter de leurs affaires. Quant à l'*Auberge des Trois Rois*, Place du Vieux-Marché, ancienne Place Royale, les badauds s'y arrêtent toujours pour regarder trois automates, les *Trois Rois*, qui frappent les heures de la grande horloge placée sur la façade de l'établissement de Thomas Delvecchio.

Le Surintendant général des Affaires indiennes, John Johnson, a eu la panse plus grande que le gousset. Il s'était fait construire une somptueuse demeure entre la rue Saint-Paul et la rue des Commissaires. Il a dû la mettre en vente. John Molson l'a achetée et transformée en un hôtel de luxe, le *Mansion House*, qui est devenu le rendez-vous des élégances. Le Beaver Club y tient ses assises. Une fois complètement terminé, l'hôtel pourra se vanter de posséder une salle de bal de 140 pieds de long, des salles à manger, des salles de jeu, un bureau de poste, des pavillons, des jardins et un salon occupé par les 7 000 volumes de la Montreal Library; sans parler des écuries qui pourront accueillir 70 chevaux, du quai où accosteront les bateaux à vapeur de la famille Molson et d'une longue terrasse où on flânera en contemplant le Saint-Laurent. C'est rue Saint-Laurent que la clientèle plus populaire trouve ses auberges et ses cabarets, tenus la plupart par des Allemands. Chaque auberge possède sa cour, ses remises et ses écuries. Une fois en ville, les cultivateurs y établissent leurs quartiers et les négociants viennent y marchander leurs achats de porc, de beurre ou de divers produits de la ferme.

Quant aux produits de l'esprit, ils sont toujours aussi rares. Toutefois, il y a lieu d'espérer. Hector Bossange, le fils du libraire parisien Martin Bossange, vient d'ouvrir une librairie rue Notre-

Dame. C'est une succursale des Galeries Bossange de Paris, l'une des plus importantes maisons d'affaires françaises dans le domaine de la librairie. Tout comme son siège social parisien, la librairie Bossange offre à sa clientèle, en sus des livres, un assortiment d'objets divers tels que des bonbons, des pommades, des chaussures, des dentelles et des corsets.

Les livres français sont une denrée rare. Cette année plus que de coutume. *Comme on le sait, les librairies sont la plupart du temps dépourvues de livres français et si, par hasard, il en arrive quelques-uns, ils sont enlevés à des prix exorbitants avant que la dixième partie des amateurs en aient eu connaissance*, pouvait-on lire à Montréal dans la *Gazette* du 18 septembre. *On doit donc regarder comme un accident funeste pour ce pays le malheur qui est arrivé dernièrement à Monsieur Augustin Germain de Québec. On sait que ce Monsieur avait mis presque tout ce qu'il possédait en une spéculation sur des livres français; qu'il était passé en France à cet effet l'an dernier; qu'il avait fait dans ce pays une grande emplette de livres et que ces livres, à peine débarqués à Québec, ont été consumés dans l'incendie qui y a eu lieu le 4 de ce mois. Une grande partie de ces livres avaient été demandés et étaient retenus, et les autres, au nombre de plusieurs milliers de volumes, auraient été répandus sous peu dans la province.*

VIVE LA DIFFÉRENCE!

Enfin je connais l'Amérique, / Et j'ai vu les deux Canadas; raconte une chanson sur l'air de *La Pipe de tabac. Je dis, sans crainte qu'on réplique, / Qu'au haut je préfère le bas. / D'un côté la noire tristesse / Offre l'image du trépas / De l'autre la pure allégresse / Fait du haut distinguer le bas.*

Ce qui doit faire regretter davantage la perte qu'a soufferte Monsieur Germain, s'émeut le journal, *c'est que le grand profit qu'il aurait retiré de la vente de ses livres l'aurait sûrement engagé à continuer le même commerce pendant plusieurs années. Le pays ne se trouve donc pas seulement privé de 6 000 ou 7 000 volumes mais très probablement d'un beaucoup plus grand nombre encore qui auraient été importés par la suite.* Autrement dit, les livres français sont rares mais les Augustin Germain encore plus. C'est flatteur!

1816

C'est le monde à l'envers et l'année sans été! Il aura fallu attendre décembre pour connaître une température douce. Il a gelé en avril et en mai; il a neigé en juin; gelé à nouveau en juillet et, en août, les champs ont été, selon les régions, soit dévastés par la grêle, soit recouverts d'une épaisse couche de neige ou d'un demi-pouce de glace.

Gordon Drummond

On ne sait trop si c'est en raison des variations de température, mais Gordon Drummond, qui assure l'intérim depuis le départ du Gouverneur Georges Prevost, a pris l'épouvante. À peine un mois après l'ouverture de la session, il a annoncé sa décision à la Chambre de dissoudre le Parlement et de faire à nouveau appel au peuple. Sa bête noire, c'est le Président de l'Assemblée, Louis-Joseph Papineau, le fils de Joseph. Drummond en fait une maladie. *Je dois dire,* écrit-il à Londres, *que la conduite de Monsieur Papineau est répréhensible au point que je serai forcé de le destituer de sa charge de Commissaire de la milice qu'il tient du gouvernement. En toute occasion,* poursuit Drummond, *ce Monsieur a manifesté un mépris marqué pour le gouvernement et il s'est servi du prestige attaché à la présidence de la Chambre, non seulement pour appuyer, mais pour encourager ceux qui cherchent à ruiner les intérêts et l'autorité de ce dernier.*

Les accusations de Drummond sont, même pour une oreille londonienne, le fruit de sa paranoïa. *Monsieur Papineau a poussé son mépris jusqu'à omettre de présenter les hommages qu'il était de son devoir de rendre au représentant de Sa Majesté, alors qu'il lui était ordonné de se rendre à la salle du Conseil législatif avec la Chambre,* ajoute-t-il, outré. Papineau ignore Drummond et ce dernier s'en plaint, non pas dans une lettre intime, mais dans une missive officielle. *Monsieur Papineau se retire d'une manière brusque et insolente sans faire le moindre salut devant le trône,* note le Gouverneur par intérim en proie au délire de la persécution, *et son visage est empreint d'une triviale expression de dérision difficile à décrire, mais visible pour tous, et nul doute que les vulgaires n'estiment cette contenance courageuse.* Heureusement, l'intérim ne restera pas assez longtemps pour donner libre cours à sa bile. C'est un vindicatif. Dans le Haut-Canada, il n'a pas hésité à faire exécuter 8 personnes et à en condamner 12 autres à l'exil pour avoir *sympathisé avec l'ennemi américain.* Cette fois, c'est toute une population qui sympathise avec l'ennemi. Quelques semaines avant le départ de Drummond pour l'Angleterre, les électeurs ont réélu, à quelques députés près, le même Parlement que le précédent.

Louis-Joseph Papineau

Louis-Joseph Papineau a remplacé Pierre Bédard à la tête du Parti canadien. *C'est une fonction qu'il est né pour assumer,* estime Aubert de Gaspé, le mémorialiste qui a fait ses études avec le fils de Joseph Papineau au Séminaire de Québec. *À l'époque,* se souvient-il, *tout à notre désir d'imiter les adultes, nous avions demandé et obtenu des autorités le droit de constituer notre propre salle d'Assemblée. Nous avions dû former des partis pour l'élection des députés et le Parti conservateur, qui tremblait pour l'élection de son candidat, proposa de faire voter les ecclésiastiques du Grand Séminaire. Le Parti de l'opposition, dont Papineau était le Chef, combattit de toutes ses forces l'introduction de cette clause dans notre charte. Mais rien n'y fit, les* tories *triomphèrent.*

Le grand jour de l'élection arrivé, raconte toujours De Gaspé, *les deux candidats font les discours d'usage et promettent, comme on le fait de nos jours, plus de pain que de beurre aux sots qui ajoutaient foi à leurs discours. J'étais probablement du nombre,* commente l'ancien confrère du jeune Papineau. *L'âge d'or allait renaître pour les écoliers. Plus de pensums, plus de férules, mais des confitures à tous nos repas. Rien de plus aisé à obtenir; il ne s'agissait que de présenter au Supérieur une requête appuyée par un corps aussi auguste que notre Parlement.*

Papineau, alors âgé de 13 à 14 ans, monta sur les hustings, relate le futur auteur des *Anciens Canadiens, et dans un discours qui dura près d'une demi-heure foudroya notre malheureux candidat. Je l'ai souvent entendu depuis tonner dans notre Parlement provincial contre les abus, la corruption, l'oligarchie, mais je puis certifier qu'il ne fut jamais plus éloquent qu'il le fut ce jour-là! Les prêtres du Séminaire s'écriaient à qui mieux mieux:* C'est son père! C'est son père tout craché! Quel champion pour soutenir les droits des Canadiens lorsqu'il aura étudié les lois qui nous régissent!

UNE QUESTION DE TEMPS

Inventé par Sir Home Riggs Popham en 1800, le sémaphore a mis 16 ans avant d'être adopté cette année par l'Amirauté britannique. Dans son jardin londonien, Francis Ronalds a mis au point une invention qui ne suscite absolument aucun intérêt: le télégraphe électrique.

Papineau est né avec un toupet et du toupet. Il a tout du grand Pitt et rien du *Tipite* que le Conseil législatif et l'entourage canadophobe du Gouverneur s'obstinent à voir en lui.

1817

Après le cirque, les cirques. Maintenant que la guerre avec les Américains est finie, les saltimbanques s'arrêtent de nouveau à Montréal, pour la plus grande joie de la populace. Cette année, les badauds se sont laissés émerveiller par une collection d'animaux vivants en provenance de Philadelphie. Au dire de la publicité, c'est la plus belle, la plus riche et la plus rare collection jamais présentée en Amérique: *un lion rouge*, *un chameau du Pérou*, *un tigre royal d'Asie* et *quatre singes*.

Un peu plus tôt dans la saison, les amateurs de curiosités avaient pu converser avec un homme de 49 ans aux cheveux et à la barbe gris. Habillé d'une manière comique, il n'avait pas plus de 3 pieds et 2 pouces de hauteur. C'est un millésime faste pour le divertissement. Néanmoins, les Montréalais sont inquiets. Quand ils ne mesurent pas leur intelligence à celle d'un nain, ils s'interrogent sur leur avenir. La paix retrouvée avec l'exil définitif de Napoléon à Sainte-Hélène marquera-t-elle le début d'un temps nouveau ou la fin des *bonnes années*? Depuis l'entrée en guerre de l'Angleterre jusqu'à la fin des hostilités, il y a 2 ans, le malheur des uns a fait le bonheur des autres.

De 1793 à 1805, l'année où la victoire navale de Trafalgar redonne la maîtrise des mers aux Britanniques, la marine française a empêché l'Angleterre de s'approvisionner en bois de construction sur les côtes de la Norvège, de la Suède et de la Finlande, tout en donnant simultanément la chasse à tous les navires anglais qui transportaient du blé, de l'avoine, du chanvre et tous les autres produits de l'agriculture. La priorité de l'Amirauté britannique était alors de maintenir une ligne de croiseurs et de vaisseaux armés, de l'Irlande à la Nouvelle-Écosse, pour conserver la voie du Canada ouverte à sa marine marchande. Tout ce que le Canada pouvait exporter a pris désormais le chemin du golfe Saint-Laurent. En 1811, sur 661 navires qui quittent le port de Québec, au moins 500 sont remplis de pin blanc. La laine, le chanvre, le beurre, le poisson, l'avoine, le seigle, le blé, l'orge, le foin, le goudron, tout ce qu'on produit ici se vend à des prix avantageux. Bon an, mal an, on construit jusqu'à 50 navires qui partent pour ne pas revenir. Ils ont été vendus d'avance avec leur cargaison. Bref, ce sont les *bonnes années.*

Il n'y a jamais eu autant d'argent en circulation au pays. Les pièces proviennent tantôt des États-Unis, tantôt de Grande-Bretagne, de France, d'Espagne ou du Mexique. Pour faciliter les opérations de change, le vieux projet de John Richardson refait surface et les négociants anglais et écossais de Montréal se rangent à son avis. Le moment est propice pour créer une Banque du Bas-Canada. Le seul qui s'y oppose, c'est John Molson, et son opposition équivaut presque à une mise au rancart du projet. Le brasseur est devenu l'homme d'affaires le plus important des deux Canada et il nourrit des doutes sur le crédit que la population accorde à la monnaie de papier.

À PARIS

Tout ce qu'on entend, l'on voit ou l'on respire, écrit Alphonse de Lamartine, *tout dit: Ils ont aimé!* Les goûts du Roi sont plus prosaïques que ceux du poète du *Lac.* Louis XVIII adore priser son tabac sur la cuisse de sa maîtresse. Ce qui en fait, dit-on de Madame de Cayla, *la femme la plus prisée de la cour.*

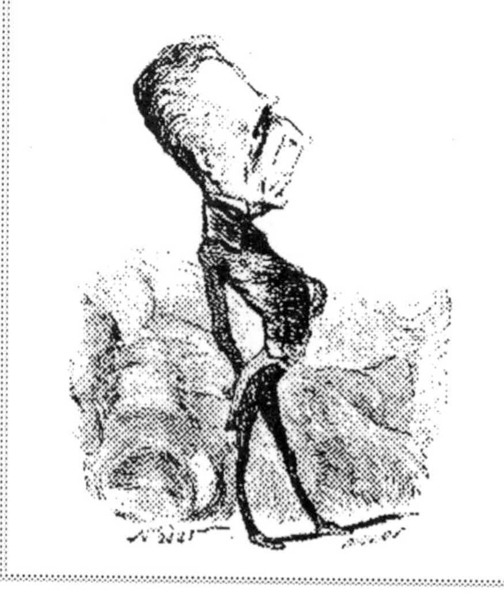

C'est le marchand d'origine américaine Horatio Gates qui va permettre au projet de voir le jour. Gates est l'obligé de John Richardson. Pendant la guerre de 1812, c'est Richardson qui a fait la fortune de son homologue américain en lui décrochant le *privilège légal* de faire de la contrebande avec le Vermont. Depuis, Gates est devenu l'agent montréalais d'une banque new-yorkaise elle-même correspondante de Baring Brothers de Londres. C'est lui qui va dégoter à Boston, à New York et dans le Connecticut les souscripteurs nécessaires pour compléter le capital requis pour fonder la banque dont rêve Richardson. Sous la houlette de Gates, 121 Américains vont souscrire près de la moitié des actions, soit 2 360 contre les 2 518 de 135 Canadiens.

Sans attendre d'avoir obtenu sa charte, la Bank of Montreal a établi

La Bank of Montreal

son pignon rue Saint-Paul, entre la rue Saint-Nicolas et la rue Saint-François-Xavier. Ouverte tous les jours de la semaine de 10 heures du matin à 3 heures de l'après-midi, sauf le dimanche et les jours de fête, la nouvelle banque émet des billets payables sur son fonds social exclusivement. Même s'il en demeure l'âme dirigeante, John Richardson ne fait pas partie du premier conseil d'administration de la Bank of Montreal, qui ne compte parmi ses membres qu'un seul Canadien, Augustin Cuvillier, dit Austin. Ce n'est pas un hasard. Richardson est l'ennemi juré des Canadiens en général et encore plus du Parti canadien, dont Cuvillier est l'une des étoiles montantes. D'où son utilité au sein du conseil d'administration de la banque.

Richardson a été député lors du premier Parlement, où il a combattu pour que seul le texte anglais des lois soit reconnu juridiquement. Il a appuyé le régime de terreur de Craig, fait emprisonner Pierre Bédard, et il considère son successeur, Louis-Joseph Papineau, comme un homme déloyal. *Essayer de faire changer d'avis les Canadiens,* croit-il, *c'est comme s'adresser aux vagues de la mer.* À son avis, la majorité canadienne est un non-sens. *Comment peut-elle prétendre m'imposer de devenir étranger sur une terre britannique,* estime-t-il, *alors que c'est aux étrangers,* c'est-à-dire aux Canadiens, *de devenir britanniques?* Dans l'esprit de ses fondateurs, le but avoué de la Bank of Montreal est de servir les intérêts anglais. La Banque de Montréal, ce n'est pas demain la veille!

1818

Installés à leurs frais par les marchands il y a 3 ans, les 22 lampadaires à l'huile de la rue Saint-Paul ont fait des petits. Répartis au centre de la ville, 100 lampadaires éclairent maintenant la nuit montréalaise d'une lumière plutôt pâlotte. Ils consomment néanmoins 500 gallons d'huile de baleine par année.

Dorénavant, pour assurer la sécurité des citoyens, un corps de guet, composé d'un contremaître, de son adjoint et de 24 *watchmen*, patrouille les principales rues, de 7 heures du soir à 5 heures du matin. Dès sa nomination, le contremaître D'Auberville, qui est l'équivalent d'un chef de police, a embauché 4 Noirs comme allumeurs de flambeaux. Les *watchmen* font le guet, armés d'un bâton bleu long de 5 pieds, portent un fanal à leur ceinture de cuir et, dans la main gauche, une crécelle qu'ils agitent pour appeler leurs confrères à leur secours. La nuit, les *watchmen* ont également pour fonction de crier les heures et les demi-heures. Si tout est normal, ils lancent d'une voix forte dans le silence: *All is well!* Ce qui les a fait surnommer les *bazouelles*!

SURPÊCHE À LA MORUE

Environ 800 vaisseaux américains se trouvent présentement dans la région du détroit de Belle-Isle et sur les côtes du Labrador. Si le gouvernement ne prend pas immédiatement les mesures nécessaires, la surpêche américaine ruinera complètement les pêcheries établies à Halifax.

Quel sentiment de bien-être, de confort, de sécurité, on éprouve, se félicite Aubert de Gaspé, *lorsque ces gardiens annoncent les heures de la nuit sous nos fenêtres. Lorsqu'on les entend chanter:* Past one o'clock, and a star light morning! All is well! Ce sentiment n'est pas partagé par tous. *Il est vraiment extraordinaire*, fait remarquer un voyageur, *que les malfaiteurs ne soient pas plus communs, car c'est une pitié de voir que, dans une ville d'une trentaine de mille âmes, tous les chevaliers défenseurs des opprimés et réparateurs des injustices se bornent à quelques hommes répandus dans les différents quartiers et qui même, quelquefois, sont prêts à conniver avec l'agresseur.*

Quant à l'éclairage nocturne, le même voyageur en a une fort piètre opinion. *Pendant la nuit,* râle-t-il, *toute l'illumination de la ville se résume à des fanaux mal faits dont le dessus et les angles obstruent toute la lumière. Encore,* précise-t-il, *ne les allume-t-on, je crois, que quand il fait clair de lune.*

Il y a autant d'opinions qu'il y a de voyageurs. L'an dernier, un touriste américain, Joseph Samson, visitait le Bas-Canada dans le but d'*évaluer les sentiments du peuple canadien ainsi que l'état et les perspectives de ce pays. Nous ne savons,* s'inquiétait-il, *si les Français du Canada doivent être redoutés comme des ennemis ou conciliés comme des amis.* À peine arrivé à Montréal, Samson se met aussitôt en route pour Québec. Après 24 heures de séjour, le *quaker* américain est en mesure, nul doute avec l'aide complaisante et les préjugés d'un compagnon de bateau, de décrire la vie des habitants des huttes qui s'échelonnent le long du fleuve et qu'il n'a aperçues que du bastingage. *On trouve souvent dans ces huttes deux ou trois générations de Canadiens vivant ensemble comme des pourceaux,* décrète-t-il, *préférant leurs aises et la compagnie de leurs parents à l'indépendance et à l'effort.* Pas plus que les Canadiens, Québec ne trouve grâce à ses yeux. *La ville basse,* juge Samson, *est un lugubre amas de hideuses bâtisses s'élevant entre la falaise et le fleuve au milieu de toutes sortes d'ordures.*

Edward Allen Talbot, pour sa part, semble avoir visité un tout autre pays. Lui, au moins, il y est débarqué. Le 20 juillet, son bateau, en provenance d'Irlande, le *Brunswick*, touche l'île d'Orléans. Pendant la traversée de l'Atlantique, plusieurs des passagers sont morts. Pour la plupart, c'étaient des immigrants irlandais catholiques dont la foi exige une sépulture en terre lorsqu'elle est accessible. *Pour solliciter la permission d'enterrer sur l'île l'un de ces jeunes enfants que nous avions le malheur de perdre journellement, nous nous sommes rendus à la maison d'un pilote,* raconte Talbot, *dont la porte nous fut aussitôt ouverte par une femme élégamment vêtue de soie noire. Si nous l'avions jugée d'après les apparences,* observe le futur colon, *nous aurions pu la prendre pour une Comtesse européenne et non pour la femme d'un pilote canadien.* Après en avoir obtenu la permission, les Irlandais procèdent à l'inhumation. *Lorsque nous sommes revenus des funérailles,* poursuit Talbot, *nous avons été introduits dans un appartement qui aurait fait honneur à la plus belle maison en Europe. Nous y avons trouvé une boisson délicieuse qui avait été préparée pour nous et composée avec du rhum de la Jamaïque, du lait frais et du sucre d'érable.*

Nous avons pris avec le plus grand plaisir notre part d'un régal si peu attendu, se souvient le voyageur avec nostalgie, *et, après avoir passé environ une heure dans cet asile hospitalier, nous sommes retournés au vaisseau, emportant la plus haute idée de l'hospitalité canadienne.* Les voyages empirent les sots et améliorent les sages.

1819

C'est une année marquée au sceau de la démesure et de la tragédie, une année sombre. La série noire s'est poursuivie sans interruption depuis avril. Le 8 novembre, de gros nuages, noirs comme de l'encre, couvrent entièrement le mont Royal. Vers trois heures de l'après-midi, lorsque l'obscurité causée par de grands incendies de forêt dans l'Ouest canadien est quasi complète, les Montréalais sont saisis de panique. C'est la montagne elle-même en quelque sorte qui a pris le voile du deuil.

La série noire a débuté en avril par un duel, causé ironiquement par un projet d'hôpital, celui du Montreal General Hospital. En réponse à un discours saupoudré de sel et d'humour irlandais du député O'Sullivan devant l'Assemblée, le *Daily Courant*, un journal anglais de Montréal, publie un article qui prend violemment le député à partie et accuse O'Sullivan d'avoir enterré le projet du Montreal General en le ridiculisant, ce qui est vrai, et d'être un lâche, ce qui est faux. Insulté, O'Sullivan somme l'éditeur de lui livrer le nom de l'auteur de l'article

anonyme. Lorsqu'il apprend qu'il s'agit du Docteur William Caldwell, un des directeurs de l'hôpital, le député outré le provoque en duel. La rencontre a lieu dans les formes, un dimanche matin à six heures, et les deux adversaires échangent cinq balles dont trois atteignent O'Sullivan et deux Caldwell qui s'en tire avec un bras fracassé. Le député irlandais, pour sa part, demeure pendant plusieurs jours entre la vie et la mort. Mal lui a pris de s'attaquer à un hôpital: la médecine sait se défendre.

En mai, c'est la tragédie. Le 14, un vendredi, un bateau qui était venu de Laprairie le matin avec une soixantaine de personnes originaires de Saint-Constant et de Saint-Philippe repart de Pointe-Saint-Charles, dans l'après-midi assez tard, avec entre 40 et 50 passagers, tant hommes que femmes. Lorsque le bateau arrive vis-à-vis de l'île Saint-Paul, l'île des Sœurs depuis, un vent extrêmement fort fait tourner le bateau. Tous ses occupants tombent à l'eau et, loin de tout secours, tous se noient, à l'exception de 2 hommes et 1 femme qui parviennent à se hisser sur le pont du bateau. On ne les retrouve que vers 9 heures le soir, la barque ayant dérivé jusqu'à la hauteur de la ville. L'événement est si terrible qu'on l'exorcise aussitôt par une chanson: *Écoutez chrétiens / La triste complainte / Que tous cœurs humains / Soient saisis de crainte, / Car c'est un arrêt porté, / Que par la divinité! / Par un vendredi / Selon qu'on raisonne / Il s'est englouti / Quarante-six personnes / Dans le fleuve Saint-Laurent / Qui sera leur monument. / L'époux s'écriait: / Oh! ma chère épouse, / Quel malheur affreux / Nous y sommes tous / C'est aujourd'hui notre fin / L'orphelin est sans soutien / L'orphelin est sans soutien!*

Début août, la série noire se poursuit avec un défi d'ivrogne. Un habitant du faubourg Saint-Laurent, Benjamin Castonguay, un pilier de cabaret, prend un verre avec des copains ouvriers qui travaillent avec lui dans le faubourg des Récollets. *Les gars,* leur lance Benjamin, *j'gage que j'peux boire sept demiards de rhum, un après l'autre, sans m'arrêter!* Castonguay s'exécute. En sortant de l'auberge, il s'écroule inconscient, pour expirer quelques instants plus tard. Non pas *victime de la maudite boisson*, comme on le dira dans les journaux, mais de sa passion pour les paris.

Fin août, tout le gratin anglais de Montréal est réuni dans la salle de bal du *Mansion House* pour accueillir le nouveau Gouverneur. Le Duc de Richmond revient d'un voyage dans le Haut-Canada et des arcs de triomphe jalonnent tout le chemin, de Lachine à l'hôtel de John Molson. Comme le Gouverneur se fait attendre indûment, on dépêche un officier à sa rencontre. La calèche qu'il croise transporte le cadavre du Duc. Richmond est mort dans des circonstances atroces et foudroyantes. Pendant tout son séjour dans le Haut- Canada, le Gouverneur général a offert l'image d'un quinquagénaire fort, en pleine forme, resplendissant de santé et capable de parcourir plus de 40 kilomètres à cheval par jour. Il a mangé, bu, ri et s'est amusé comme un jeune homme. Le 19 août, alors qu'il est à table, il prononce une phrase étrange: *Je ne sais pas ce qui m'arrive, mais je ne déguste pas mon vin comme d'habitude. Je me sens comme un chien enragé qu'on va abattre.* En mars, Richmond s'était fait une coupure au menton en se rasant. Il avait fait lécher la blessure par son chien favori qui l'a mordu légèrement.

Le 25 août, le Duc avoue à son serviteur qu'il est secoué de spasmes à la vue de l'eau. Le Gouverneur est atteint d'hydrophobie, le nom qu'on donne à la rage. Le 27, il est alité et passe de la raison à la démence. Le 28, la salive qui s'est amassée en quantité dans sa gorge et sa bouche produit une sorte d'écume et, quelques minutes après 8 heures du matin, il expire. Le règne du Duc de Richmond a duré 13 mois.

À PARIS

Depuis un an, les jeunes Parisiennes sont l'objet d'attentats répétés par des hommes qui éperonnent le postérieur des femmes avec des instruments effilés. Malgré tous ses efforts, la police n'est parvenue à épingler aucun piqueur, ce qui n'a laissé d'autre solution aux Parisiennes que de se munir de *cuirasses fessières.*

1820

Louis-Joseph Papineau

Le Président du Conseil législatif, James Monk, administre le Bas-Canada dans l'attente du nouveau Gouverneur général, Lord Dalhousie. Il a déclenché des élections en plein hiver, ce qui ne fait l'affaire de personne. Monk est persuadé que la saison ne changera rien au résultat. Il a parfaitement raison. La majorité canadienne sera toujours aussi majoritaire et elle reviendra en Chambre pour revendiquer son droit de contrôler les dépenses du gouvernement et de voter les subsides, non pas en bloc, mais point par point.

EN FRANCE

Louis XVIII se retrouve, encore une fois, avec une Chambre d'assemblée plus royaliste que le Roi. *Nous voilà dans la situation de ce cavalier qui n'avait pas assez d'élasticité pour monter sur son cheval,* a-t-il commenté. *Il pria saint Georges avec tant de ferveur que le saint lui en donna plus qu'il ne fallait et qu'il tomba de l'autre côté.*

Le Juge en chef Jonathan Sewell a beau prétendre que c'est une procédure inconstitutionnelle, rien n'y fait. Lors de la session précédente, il a soutenu sans grand effet que c'est une manière de procéder *qui est de nature à détourner l'affection des fonctionnaires qui, au lieu de regarder le Roi George comme leur maître, seront portés vers la Chambre comme la source d'où viennent leurs émoluments.* Les arguments de Sewell sont tombés à plat. *La liste civile appartient maintenant à la province,* lui a rétorqué Augustin Cuvillier, *et ne peut lui être retirée. Ce sont des motifs d'économie qui ont induit la mère patrie à l'en charger et la Chambre examinera ce catalogue avec la plus grande exactitude pour en rayer toutes les pensions et sinécures qui sont le fruit de la corruption dans la métropole et qui, dans une colonie, doivent être considérées comme des abus scandaleux.* C'est la position du Parti canadien et il n'est pas question d'y changer un iota. Pour ajouter un peu de piquant aux nouvelles élections, Ludger Duvernay a publié un *Petit Catéchisme électoral* dans sa *Gazette de Trois-Rivières.* Tout au long de l'ouvrage, on utilise la formule demande-réponse:

D– Qu'est-ce que la constitution du Canada?

R– C'est une émanation de la constitution de l'Angleterre.

D– Qu'entendez-vous par émanation?

R– On appelle émanation ce qui dérive d'une chose; mais on ne peut pas dire que ce qui dérive de cette chose soit cette chose elle-même. Donc, la constitution du Canada diffère de la constitution anglaise.

D– Quelle différence y a-t-il entre ces deux constitutions?

R– La même différence qu'il y a entre une mère et sa fille: si la jeune demoiselle parle trop haut, la vieille maman peut lui imposer le silence.

D– Mais si la jeune demoiselle se moque de sa maman?

R– La maman se moquerait encore plus de la jeune demoiselle; celle-ci n'est pas majeure et elle ne le sera pas de longtemps. La vieille maman tient les deniers, a de l'expérience et est comme toutes les autres vieilles mamans, passablement obstinée.

D– Qu'est-ce qu'une élection?

R– C'est souvent un effort inutile.

D– Qu'entendez-vous par ces paroles?

R– J'entends que les électeurs se trompent souvent et réciproquement.

D– Y a-t-il des gens honnêtes qu'on ne doit point élire?

R– Oui, et en grand nombre.

D– Qui sont-ils?

R– Un notaire ne doit point être élu, à moins qu'il ne soit à Québec; parce que les électeurs ne pourraient pas avoir leurs papiers durant la session. Un avocat, à plus forte raison. Un terme passé peut faire passer le suivant... Ces Messieurs, d'ailleurs, parlent tant et si bien qu'ils empêchent les autres de parler.

À peine élu, le Parlement est à nouveau dissous, cette fois en raison de la mort du Roi George III et de l'accession au trône de son fils, George IV. Le *Petit Catéchisme* de Duvernay reprend du service. C'est le moment qu'a choisi le nouveau Gouverneur pour débarquer à Québec. Dalhousie n'est pas un modèle de souplesse ou de diplomatie. La Nouvelle-Écosse l'a appris à ses dépens. Pour souligner le départ de Dalhousie et sa nomination à la tête du Canada, son Parlement a pris l'initiative de voter une somme assez importante dans le but de présenter à son ancien Gouverneur une épée et une étoile *en témoignage d'estime et d'adieu.* Lord Dalhousie et la Chambre d'assemblée de la

GEORGE IV

Nouvelle-Écosse étaient à couteaux tirés mais la résolution des députés se voulait courtoise et sincère. Dalhousie refusa brutalement d'accepter l'hommage. Il fit même plus: il se fendit d'une lettre offensante pour toute la députation. *Quand je vois les principales mesures de mon administration rejetées et supprimées d'une manière si peu respectueuse pour le poste élevé que j'occupe, et au moment même où l'on m'offre ces dons approbatifs*, écrit-il pour motiver son refus, *mon devoir envers mon Roi et envers la province, et surtout le devoir sacré de veiller à mon honneur, me défendent d'accepter la somme votée.*

Dès l'ouverture de la nouvelle session du Parlement, Lord Dalhousie a prévenu la Chambre qu'il lui soumettra une liste civile de 45 000 livres. La Chambre lui a répondu dans le même souffle que voter la liste civile en bloc *pour la vie durant du Souverain* est irrecevable. L'Assemblée ne la votera que pour un an. Ni le Gouverneur ni la Chambre n'ont l'intention de se faire ou de s'échanger des cadeaux.

1821

Le 21 janvier, l'abbé Jean-Jacques Lartigue est sacré Évêque de Telmesse à l'église Notre-Dame par Monseigneur Plessis. *Lartigue a du talent et une très grande opinion de lui-même,* commente un ancien collègue du nouveau prélat. *Il reste encore à ce bigot à apprendre qu'il existe en ce bas monde des hommes dont l'intelligence et la compréhension dépassent les siennes.*

Le jour de son sacre, relate le sulpicien Rousseau, *Lartigue partit de l'autel pour donner la bénédiction avec un air et une démarche qui auraient mieux convenu à un Général vainqueur sur le champ de bataille qu'à un ministre d'un Dieu de paix.* Depuis son retour d'Angleterre, Lartigue ne porte plus à terre. Il parle d'autorité comme s'il avait plusieurs années d'épiscopat derrière lui. *Ceux qui l'ont connu avant,* fait observer Rousseau, *ne le reconnaissent plus.* C'est une superbe que le nouvel Évêque n'a pas l'intention d'abandonner. Dans son premier sermon, il a adopté un ton à faire croire qu'il était titulaire de Montréal. Or, tout le problème est là, Monseigneur Lartigue n'est pas Évêque de Montréal mais Évêque à Montréal. Il s'attendait à ce que sa nomination soit au moins celle d'un Vicaire apostolique, indépendant de l'évêché de Québec. Ce n'est pas le cas. Le gouvernement britannique n'a consenti qu'à la nomination d'un Grand Vicaire de caractère épiscopal et soumis à l'autorité de l'Évêque de Québec.

Lartigue a beau plastronner, sans cathédrale et sans palais épiscopal, il n'en mène pas large. Pour sa part, Monseigneur Plessis n'aurait pas d'objection à ce que l'Évêque de Telmesse loge au Séminaire. Les Sulpiciens, eux, y voient une foule d'inconvénients. *Depuis que Votre Grandeur a quitté Montréal, j'ai sondé le terrain pour constater si l'on agréerait mon séjour dans le Séminaire avec le caractère épiscopal,* confie Lartigue à l'Évêque de Québec, *et je me suis aperçu qu'il ne fallait plus penser à une pareille proposition: enfin, on m'a signalé officiellement que la chose n'était pas faisable.*

Les Sulpiciens ne sont pas que les seigneurs de Montréal, ils en ont aussi le comportement et l'allure. Sous la soutane, ils conservent

l'usage des culottes courtes, portent des souliers à boucles, des chapeaux bas à large bord et, en hiver, ils se coiffent d'un casque de loutre ou de martre. Le Séminaire emploie une douzaine de domestiques et les voitures, utilisées pour conduire ces Messieurs dans leurs courses ou chez les malades, arborent les couleurs du Séminaire. La caisse est peinte en vert foncé; les brancards, les roues et le travail, en rouge sang. Les Sulpiciens ne s'en laissent pas imposer facilement. Ils ont une longue tradition d'indépendance. Tous les cinq ans, le supérieur de ces Messieurs est élu par eux sans ingérence de l'Évêque et, une fois en poste, dispose de tous les pouvoirs.

Pour les Sulpiciens, Monseigneur Lartigue est devenu *persona non grata*. Son élévation à l'épiscopat a eu pour effet de rompre le lien qui l'unissait à ses anciens compagnons. À peine trois semaines après le sacre de Lartigue, le supérieur du Séminaire ne se gêne pas pour le lui signifier sans ménagement. Profitant d'une absence momentanée de l'Évêque, Monsieur Roux fait transporter les meubles de Lartigue, du Séminaire à l'Hôtel-Dieu, et enlever le dais et le trône épiscopal du sanctuaire de l'église Notre-Dame. Qu'on se le tienne pour dit! L'église paroissiale de Montréal n'est pas la cathédrale. Les marguilliers approuvent le geste des Sulpiciens, mais la population et le clergé sont divisés. On se demande non sans raison si l'origine canadienne de Lartigue, né à Montréal, ne joue pas un rôle prédominant dans le conflit qui l'oppose à des prêtres qui sont pour la plupart originaires de France.

Placé devant le fait accompli, Monseigneur Lartigue n'a d'autre choix que de transformer la chapelle de l'Hôtel-Dieu en cathédrale. De l'avis même de l'Évêque de Boston qui est de passage à Montréal, c'est une solution bancale. *De la manière dont les marguilliers sont montés,* écrit-il à Plessis, *je doute qu'on accorde Bonsecours à Lartigue. S'il se retirait dans une cure de campagne et qu'il y fit ses visites, par votre autorité et uniquement comme votre Grand Vicaire, tout s'arrangerait ça me semble.* Qu'advient-il d'un Évêque sans évêché et d'un pasteur sans brebis? Tout le monde y perd son latin. Même le cousin de Lartigue, Louis-Joseph Papineau. *Quand tu m'écriras,* indique-t-il à sa femme, *donne-moi des détails de ce que l'on dit à Montréal de la singulière situation dans laquelle on laisse languir Monseigneur Lartigue à l'Hôtel-Dieu. Ne dis à personne que je désire avoir des renseignements sur ce point. Les citoyens,* s'interroge Papineau, *ne croient-ils pas que ce serait bon, très bon, pour augmenter le poids du clergé canadien, de voir un homme en robe violette se promener fréquemment dans nos rues?*

C'est d'ailleurs la famille Papineau qui va résoudre le dilemme. Suivant les volontés de sa mère qui vient de mourir, Denis-Benjamin Viger, le cousin de Louis-Joseph, donne un terrain à Monseigneur Lartigue, également son cousin, pour y faire construire l'église Saint-Jacques, à l'angle de la rue Sainte-Catherine. Joseph Papineau, le père de Louis-Joseph, complète le geste de Viger en donnant un terrain de l'autre côté de la rue à son neveu Lartigue. Il servira de place publique en face de l'église. *Je puis vous assurer que j'ai projeté sincèrement de me retirer à la campagne,* rappelle Lartigue dans une lettre qu'il adresse à Monsieur Roux, *jusqu'à ce que j'aie été convaincu que votre avis venait d'un esprit antiépiscopal et que le seul parti à prendre était de rester à mon poste.*

IL FAUT CENSURER LA CENSURE

Talleyrand s'est prononcé contre le maintien de la censure. *De nos jours, il n'est pas facile de tromper longtemps,* a-t-il déclaré dans un discours. *Il y a quelqu'un qui a plus d'esprit que Voltaire, plus d'esprit que Bonaparte, plus d'esprit que chacun des ministres passés, présents et à venir: c'est tout le monde.*

1822

On n'avait pas vu un tel dégât de tourtes à Montréal depuis 7 ans. Une profusion à vous dégoûter de manger de la tourtière pour toute une vie. Au marché, le prix d'une douzaine de ces oiseaux, qu'on attrape avec d'immenses filets, variait entre 1 chelin et 20 sous. La surabondance de ces pigeons sauvages aurait pu annoncer une bonne nouvelle, comme la reprise économique. Il semble que non! Le commerce est toujours en chute libre.

Depuis un an, les exportations de bois et de grains ont diminué de 255 000 livres, les importations de 432 000 livres et, par voie de conséquence, le revenu provincial, qui dépend des droits sur les importations, s'est vu réduit de 25 000 livres. C'est une véritable catastrophe! La raison de cette déconfiture économique? Elle est toute simple. L'Angleterre n'est plus en guerre avec Napoléon et ne le sera plus. L'Empereur est mort l'an dernier. La mère patrie s'est donc empressée de rétablir ses liens privilégiés avec les pays scandinaves pour ses achats de bois, et, pour sa consommation intérieure, d'exclure les grains du Canada au même titre que les grains étrangers. Dans les circonstances, la marge de manœuvre du Bas-Canada est inexistante.

D'après les statuts britanniques, on ne peut exporter vers d'autres pays ni importer des articles manufacturés ailleurs que dans la métropole. L'Angleterre achète nos denrées, nous importons ses produits manufacturés: c'est la loi du système colonial. Si l'Angleterre cesse d'acheter nos produits, comme c'est le cas présentement, avec quel argent pouvons-nous importer les siens? Ajoutez à cela quelques législations récentes du parlement britannique qui nous sont également défavorables: celles qui rétablissent des impôts sur le rhum, le thé, les boissons fortes, le vin et la mélasse, en provenance des États-Unis; qui accordent au gouvernement du Haut-Canada un cinquième des droits levés au port de Québec; et celles qui permettent à nouveau le commerce entre les ports américains et les ports antillais. De toute évidence, on n'est pas sortis de l'auberge.

Ces jours-ci, un meunier de Lachine a une autre bonne raison d'avoir la face longue. William Fleming vient de perdre un procès que lui ont intenté les Sulpiciens. Ces derniers sont seigneurs de l'île de Montréal, un titre qui leur confère le droit d'en tirer des revenus multiples. D'abord, il y a celui des *cens et rentes*, un loyer modique qui soulève peu d'objections. Ensuite, celui des *lods et ventes* qui sont des droits, un douzième de la valeur de la propriété, payables à chaque changement de propriétaire. En pratique, les Sulpiciens ne sont pas voraces, ils ne réclament que le seizième ou le vingtième. Mais voraces ou pas, peu importe, c'est un irritant. Les marchands anglais, on s'en doute, répugnent à payer des lods et ventes, *primo*, à des prêtres, et *secundo*, à des prêtres français. Une réticence qui, une fois dépassés les préjugés religieux et ethniques, n'est pas sans fondement. *Lorsqu'on fait l'acquisition d'un terrain*, argumentent les acheteurs anglais, *il est habituellement inculte et bon marché. S'il prend éventuellement de la valeur, c'est parce qu'on y a construit des magasins, des entrepôts ou des maisons.* Une valeur ajoutée dont les propriétaires sont les seuls responsables et dont les Sulpiciens, par le biais des lods et ventes, sont indûment récompensés à chaque revente.

MIEUX VAUT TARD QUE JAMAIS

Cent quatre-vingt-dix ans après leur publication, *Les Dialogues sur les deux grands systèmes du monde* de Galilée ne sont plus à l'index. L'Église admet enfin que la Terre tourne autour du Soleil. Quand on demandait à Galilée: *À quoi sert la géométrie?* il répondait: *À peser les ignorants, à mesurer les sots et à compter les uns et les autres.*

Le troisième droit seigneurial dont jouissent les Sulpiciens est celui de *la banalité*, un droit qui oblige les censitaires, c'est-à-dire les habitants de Montréal, à moudre leur grain au moulin seigneurial et qui interdit la construction de tout autre moulin sur la seigneurie.

Faisant fi de ce droit, William Fleming a construit un moulin à Lachine. Conséquemment, les censitaires qui y font moudre leur grain ont déserté le *moulin banal* des Sulpiciens. Il y a trois ans, les Messieurs de Saint-Sulpice ont intenté un procès au meunier pour l'obliger à interrompre ses activités. Le premier à prendre parti ouvertement pour Fleming a été le Procureur général Jonathan Sewell. Selon lui, les Sulpiciens de Montréal ne sont pas les propriétaires de la seigneurie, ils ne sont que les gestionnaires du Séminaire de Paris et, en s'appuyant sur cette interprétation juridique, leurs biens sont susceptibles d'être récupérés par le gouvernement comme ceux des Jésuites. En juin, à la grande surprise de tous, les Juges Reid, Foucher et Pyke ont rendu leur jugement et donné gain de cause aux Sulpiciens. Fleming a même été condamné à démolir son moulin de façon à l'empêcher de moudre le grain. Inutile de dire qu'il a immédiatement porté sa cause en appel. Il sera défendu par l'ancien chef du Parti canadien, James Stuart, qui a viré capot depuis pour devenir le grand défenseur des bureaucrates.

Le procès de Fleming devra néanmoins attendre. Stuart a été choisi par le Comité unionaire de Montréal pour aller instruire une cause beaucoup plus importante à Londres: celle de l'union du Haut et du Bas-Canada. Les autres membres du Comité sont John Richardson, John Molson, George Moffat et Peter McGill, tous ardents défenseurs de l'Union. *Une forme de gouvernement,* a déclaré Stuart lors d'une assemblée du Comité à Montréal, *où enfin tous les avantages seront du côté des Anglais.*

1823

Le 15 septembre, une foule de Montréalais se pressent sur les rives du fleuve pour observer les ébats d'une baleine aux environs de l'île Sainte-Hélène. La baleine, qui est loin de son profit, batifole. Elle est partout et nulle part. Les premiers à entrevoir le cétacé ont été les passagers du tout dernier bateau de la flotte Molson, le *Lady Sherbrooke.*

Le 17, un mercredi, le mammifère échappe aux dards de quelques harponneurs amateurs. Quelques jours plus tard, on l'aperçoit au Pied-du-Courant. Le 21, c'est une véritable expédition qu'on met sur pied. Les Montréalais disposent de tout leur temps, c'est dimanche. *Vers 9 ou 10 heures,* rapporte un témoin, *le bateau à vapeur* Laprairie *épouvanta le monstre, ce qui lui fit monter la rivière parmi plusieurs chaloupes, puis la redescendre.* C'est à ce moment qu'un de ses poursuivants, un dénommé Young, plante un harpon dans le corps du cétacé, derrière la première nageoire. La baleine fait immédiatement plusieurs tours sur elle-même, descend le courant avec grande rapidité, se frappe à plusieurs reprises contre les rochers devant Montréal et repart en direction de Laprairie *où elle se serait*

probablement rendue, estime un reporter qui suit la chasse, *si elle n'eut été arrêtée par le peu d'eau.*

Épuisé et incapable de résister au courant, le pauvre animal reprend alors la direction du Pied-du-Courant jusqu'aux îles de Boucherville où on l'achève dans 3 brasses d'eau. Pendant toutes les tentatives que la baleine a faites pour se libérer du harpon, les gens de la chaloupe qu'elle traînait derrière elle n'ont cessé de la cribler de lances. Le dimanche, les amusements des Montréalais sont parfois cruels. C'est un autre bateau de la flotte Molson, le *New Swiftsure,* qui, le lendemain matin, s'est chargé de traîner la carcasse jusqu'au port où elle a été exposée dans un bâtiment construit à cet effet. Le mammifère a 42 pieds 8 pouces de long, 6 pieds de large sur le dos et 7 pieds d'épaisseur du dos au ventre. Les loustics laissent entendre qu'il a été attiré dans nos eaux par l'odeur d'huile de baleine qui s'échappe des lampadaires qui illuminent la nuit montréalaise.

Pendant que ses concitoyens s'amusent à jouer les chasseurs de baleine, Louis-Joseph Papineau, lui, s'apprête à chasser Londres de son esprit. Il y séjourne depuis janvier en compagnie d'un Anglais patriote, John Neilson, l'imprimeur-éditeur de *La Gazette de Québec.* Les deux hommes se sont rendus en Angleterre pour y combattre sur place le projet d'union des deux Canadas dont est saisi le parlement britannique. Porteurs d'une pétition de 60 642 signataires qui s'opposent à l'union, Papineau et Neilson ont eu la surprise d'apprendre dès leur arrivée à Londres que le projet avait été abandonné. Néanmoins, ils ont décidé de demeurer sur place, question de s'assurer qu'à la prochaine session du Parlement on ne présenterait pas le projet de loi de nouveau. *Il est étonnant combien peu l'on s'occupe des intérêts des colonies dans ce pays,* écrit Papineau à sa femme. *J'ai vu des membres de la Chambre des communes qui ignoraient que le* bill *pour l'union avait été agité l'an dernier au Parlement. Lorsqu'ils nous ont entendus, ils nous disent que les Canadiens ont raison de s'opposer à ces injustes changements. De tous les Anglais que nous avons vus,* note-t-il, *nous avons éprouvé une réception qui me paraît franche, ouverte et amicale.*

JOHN NEILSON

Tout comme James Stuart, également à Londres pour militer dans son cas en faveur de l'union, Neilson et Papineau multiplient les rencontres politiques. James McKintosh est un membre influent de l'opposition. Il a déjà lutté contre le projet à la Chambre des communes. *Il nous a dit que le jour viendrait où la province serait mûre pour se séparer de l'Angleterre,* confie Papineau à sa femme, *mais qu'une mauvaise administration hâterait cette époque pour le malheur de l'un et l'autre. Si les colonies étaient gouvernées avec modération, croit-il, lorsque le temps en serait venu, la séparation pourrait avoir lieu sans que des sentiments de haine nuisissent aux liaisons de commerce qui subsisteraient plus tard.* Pour le député britannique, les distinctions de Canadiens anglais et français introduites dans la requête des partisans de l'union sont déplorables. *Quand c'est la minorité qui, en la faisant, s'expose à la haine du plus grand nombre,* estime McKintosh, *c'est un acte de folie.* Papineau et Neilson sont d'habiles propagandistes. Ils rappellent à tous leurs interlocuteurs qu'il n'y a *probablement pas 10 membres de l'actuelle Assemblée du Bas-Canada qui ne comprennent pas l'anglais et plusieurs le parlent couramment.*

Après deux mois d'un lobby intense auprès de la classe politique britannique, Papineau établit le bilan de son voyage. *Par rapport à son objet principal, il n'aura pas été inutile,* estime-t-il, *mais, sous tout autre rapport, il sera peu utile ou, du moins, moins utile que je n'aurais espéré. L'on ne veut pas s'occuper du Canada et rien de plus.* À preuve, la session du parlement britannique se termine sans qu'il soit question de l'union des deux Canadas. Papineau quitte l'Angleterre pour la France. Il était temps. *J'étais passablement bon sujet au Canada, sincère admirateur des Anglais et de leur gouvernement,* confesse-t-il à sa femme, *mais depuis que je séjourne en Angleterre, j'y remarque tous les jours de si insupportables abus que j'y deviens mauvais sujet.*

LE DON DES LANGUES

L'inculture canadienne agace l'Orateur de la Chambre, Joseph-Rémi Vallières de Saint-Réal. Un jour, pour se payer la tête d'un député, il l'interpelle en lui servant des textes espagnols, latins et grecs. Imperturbable, le député Picotte se lève de son siège et réplique à De Saint-Réal en esquimau, en cri, en algonquin et en français.

Les abus ne sont pas le propre de la mère patrie, c'est un privilège qui s'exporte. Papineau est à peine débarqué que le Gouverneur Dalhousie annonce à la Chambre que la caisse du Receveur général est vide. John Caldwell, qui est le dépositaire de tous les fonds du gouvernement, a emprunté 96 000 livres sans permission et il est incapable de remettre la somme. C'est plus que le budget annuel de toute la colonie.

1824

Montréal possède son premier musée de curiosités naturelles, le Museo Italiano. Thomas Delvecchio, le propriétaire de l'*Auberge des Trois Rois*, en est le promoteur. L'aubergiste n'a qu'un but, ramener vers son établissement la clientèle qui déserte de plus en plus la Place du Vieux-Marché pour la Place Jacques-Cartier.

Pour créer son Museo Italiano, Delvecchio a mis, comme il le dit lui-même, *beaucoup de soins, de voyages et de dépenses.* Désormais, les visiteurs peuvent y admirer une collection de spécimens d'histoire naturelle qui comprend des quadrupèdes, des amphibiens, des reptiles, des oiseaux et des poissons. Et ce n'est pas tout. On peut également y

voir des figures de cire qui représentent tout aussi bien des beautés de Philadelphie ou de Montréal qu'une famille indienne... de l'Amérique du Sud. Auxquelles merveilles, il faut ajouter plusieurs autres curiosités, dont *un agneau à huit pattes, un cochon à deux corps par le bas et une tête de bélier à quatre cornes.*

Le local du musée n'est pas très grand mais il est bien aménagé et les visites se font avec un accompagnement de musique. C'est un *museo* pour la *familia*. D'ailleurs, *Thomas l'Italien* a tenu à préciser dans sa publicité qu'on ne trouvera rien dans son établissement qui serait *contraire aux bonnes mœurs ou à la décence.* Les personnes religieuses peuvent être rassurées, elles pourront satisfaire leur curiosité des curiosités sans aucun scrupule. Sur les lieux de la *salle d'exhibition, il n'est pas permis de fumer et on n'y souffrira ni propos ni comportement indécent...* l'un et l'autre possiblement inspirés par le cochon à deux corps par le bas.

Au même moment, à Québec, on s'intéresse à une autre curiosité de la nature, le Receveur général John Caldwell. À la suite de la révélation de sa malversation par le Gouverneur Dalhousie, la Chambre a créé un comité spécial pour enquêter sur *l'emprunt sans permission* de 96 000 livres que le Receveur général s'est octroyé sur la caisse de l'État. Caldwell, qui compte des amis et des sympathisants dans les hautes sphères de l'administration, n'est pas un concussionnaire repentant. *Pouvez-vous dire quel moyen vous avez de liquider la balance que vous déclarez devoir au gouvernement de Sa Majesté?* lui a demandé le comité.

Voici la proposition de Caldwell: *D'abord, aussitôt qu'on pourra en trouver un prix raisonnable, de vendre ma maison qui est de grande valeur, y compris l'emplacement et le quai, situé vers la rue Saint-Pierre, dans la Basse-ville de Québec; les seigneuries de Gaspé, Saint-Étienne, environ 50 acres dans la banlieue de Québec; le droit de recevoir 4 000 louis, dus sur le prix de la seigneurie de Foucault ou Caldwell Manor, et la propriété de réclamations hypothécaires sur 38 000 ou 40 000 acres qui peuvent avoir été vendues dans les lieux où se trouvent ces lots.* Après avoir précisé au comité que l'imposante seigneurie de Lauzon ne lui appartient plus, ayant été substituée à son fils, Caldwell conclut son offre de remboursement en proposant de verser tous les ans dans le Trésor provincial, pendant sa vie ou jusqu'à ce que le montant du reste soit payé, la somme de 1 500 livres. Et comble d'impudence, il termine en sollicitant la permission de réintégrer immédiatement son poste de Receveur général.

DALHOUSIE

Le rapport du comité spécial, présidé par Austin Cuvillier, s'attaque au cœur du problème. *Les argents prélevés sur les habitants de cette colonie, déposés entre les mains d'un officier de ce gouvernement, conformément à des instructions royales, et d'accord avec elles, ont été détournés à d'autres usages, sans qu'il fût possible au peuple de cette colonie de prévenir le mal*, y confirme-t-on. *En conséquence, le comité recommande de réclamer au gouvernement britannique le remboursement de la somme détournée. Le comité croit également qu'il est indispensable, pour éviter le danger de voir se renouveler des malheurs comme ceux qui ont fixé son attention, qu'il soit introduit un* bill *pour régler le bureau du Receveur général et aussi l'audition des comptes publics provinciaux.* Si jamais on a pu douter de la nécessité pour la Chambre de contrôler les dépenses du gouvernement, la malversation de Caldwell en souligne la pertinence, l'évidence et l'urgence.

À LA COUR DU ROI DE FRANCE

Louis XVIII souffre de la goutte. Il n'en a pas pour autant l'esprit podagre. Le Roi n'a pas beaucoup d'estime pour l'intelligence de son éventuel successeur, son frère Charles. *Vous vous plaignez d'un Roi sans jambes*, s'amuse-t-il à dire, *vous verrez ce que c'est qu'un Roi sans tête!*

Papineau tient le Gouverneur Dalhousie personnellement responsable des sommes dépensées sans l'autorisation de la Chambre. Dans la foulée du rapport Cuvillier, le chef du Parti canadien propose une série de mesures où il précise, entre autres, que: *vu le déficit qui se trouve dans les coffres publics par la faillite du Receveur général, il est d'étroite justice envers le peuple de réduire durant la présente année les dépenses au lieu de projeter de les accroître.* En conséquence, Papineau exige que tous les salaires des fonctionnaires soient réduits de 25 %, y compris celui du Gouverneur, dont on peut prévoir la réponse sans peine: *Ludicrous!*

1825

À chacun son théâtre. John Molson inaugure le sien rue Saint-Paul et Monseigneur Lartigue, rue Sainte-Catherine. Il y a deux ans, alors qu'il avait invité tout le clergé et tous les notables, Lartigue a béni la pierre angulaire de son église devant cinq curés, un vicaire et peu de notables. Cette année, le 22 septembre, il a consacré sa cathédrale encore une fois dans une relative indifférence.

Montréal n'aime pas le cousin de Papineau. C'est un mal aimé. Il n'avait pas enlevé la chasuble de sa première messe à Saint-Jacques qu'on lui prêtait déjà l'intention de transformer cette église épiscopale en une église paroissiale et de la doter d'un cimetière. Les marguilliers de Notre-Dame ont aussitôt enfourché la plume pour adresser un mémoire à Monseigneur Plessis et un autre au Gouverneur Dalhousie. Il y a évidemment du Sulpicien là-dessous. *La création d'une nouvelle paroisse et la construction de la nouvelle église Notre-Dame sont incompatibles*, argumentent les marguilliers, visiblement inspirés par le supérieur du Séminaire, Monsieur Roux.

Plessis a tranché. Les fidèles pourront suivre les offices du dimanche à la cathédrale Saint-Jacques, mais les mariages, baptêmes et sépultures, ainsi que la communion pascale, devront se faire à Notre-Dame. *Je crains, mon cher Seigneur, que vous n'ayez encore bien des déboires à essuyer*, écrit-il à Lartigue, *et ce n'est qu'avec une peine extrême que j'ai aperçu dans ces marguilliers et dans une partie considérable des prêtres de votre district une opposition personnelle qui ne peut conduire à rien que de fâcheux. Rendez-vous aimable, glissant, coulant,* lui recommande-t-il, *et ne laissez aucun prétexte à la malveillance de dire que vous ne vous montrez qu'en mitre et en crosse.*

Alors que Monseigneur Lartigue ne connaît que des déboires, John Molson, lui, n'accumule que des succès. L'homme d'affaires est non seulement brasseur, armateur et hôtelier, il est maintenant banquier. Avec ses fils, John, Thomas et William, il a pris le contrôle des actions de la Bank of Montreal. En novembre, il élargit le champ de ses

activités et inaugure le premier théâtre à Montréal, le *Theatre Royal*. Construit en pierre, c'est un bâtiment d'envergure, de 60 pieds de large et de 110 pieds de profond, et la salle de spectacle compte 1 000 sièges. L'architecte, Gordon Forbes, a conçu deux entrées: celle des loges rue Saint-Paul et celle du parterre, en arrière. *De cette façon, on évitera la cohue à l'entrée du théâtre*, note le *Canadian Courant, et surtout le mélange, même momentané, de 2 catégories de spectateurs à la bourse et au rang social différents.* À l'intérieur, la salle se compose d'un parterre, de 3 rangées de loges étagées et d'un paradis pour les domestiques. Le salon se trouve avec le bar, au niveau de la deuxième rangée des loges. On a également aménagé d'autres pièces, comme le foyer des acteurs et un vestiaire pour les spectatrices qui voudront se débarrasser de leur manteau, de leur bonnet et de leur écharpe.

La décoration intérieure du *Theatre Royal* est très riche. John Molson a voulu en faire un des théâtres les plus prestigieux en Amérique du Nord. C'est réussi. *Au-dessus de la loge du directeur trônent les armoiries royales,* se félicite *The Montreal Herald, et sur le devant bleu clair des loges se détachent les emblèmes de la rose, du chardon et du trèfle.* Au-dessus du rideau et de chaque côté d'un buste de Shakespeare sont peintes des figurations de la comédie et de la tragédie *avec, au-dessous du buste,* note le *Montreal Herald*, *la réflexion d'Hamlet sur le théâtre:* To hold the mirror up to nature (Il faut tendre un miroir à la nature). Quant à l'éclairage, il est assuré par des lampes grecques et un chandelier au plafond. Peu importe où on pose l'œil, on ne trouve dans tout le *Theatre Royal* aucun symbole qui puisse indiquer ou rappeler aux spectateurs qu'ils ne sont pas en Angleterre. Dans le même esprit, on ne retrouve aucun Canadien dans le comité des actionnaires qui assume la direction du théâtre.

FREDERICK BROWN

Tout comme John Molson, la bourgeoisie marchande de Montréal est britannophile et c'est à un acteur anglais, Frederick Brown, qu'on a confié la tâche de recruter une troupe professionnelle, composée d'une vingtaine d'acteurs britanniques et américains dont cinq femmes. C'est là une incontestable nouveauté! Jusqu'à maintenant au théâtre, les rôles féminins ont été tenus la plupart du temps par de jeunes garçons. *Les amateurs se souviendront sans doute du temps au Canada,* ironise un touriste britannique, *où la seule actrice sur scène qui n'était pas un garçon était une vieille grue surannée qui transportait d'admiration les spectateurs avec ses* Desdémone *et ses* Isabelle *entre deux vins. Sa prestation la plus remarquable fut dans* La Mégère apprivoisée *devenue avec elle* La Mégère enivrée. *Le public montréalais,* s'indigne le critique, *se tordait devant la vulgarité et les bévues d'une actrice complètement saoule qui parcourait la scène en titubant.*

L'ANNÉE DE LA FEMME

En France, c'est la femme qui occupe l'avant-scène. Marceline Desbordes-Valmore a publié ses *Élégies*, Sophie Germain a résolu le dernier théorème de Fermat, Auguste Comte a épousé une prostituée, Paul-Louis Courier a été assassiné par sa femme et le Docteur Rosier a publié *Des habitudes secrètes ou des maladies produites par l'onanisme chez les femmes.*

Avec le *Theatre Royal* de John Molson, cette époque est révolue. Maintenant, c'est la bière qui finance les représentations, ce n'est plus elle qui se donne en spectacle.

1826

O*n devient plus facilement indien que français*, soutenait jadis Marie de l'Incarnation. Si ce fut jamais vrai, ça ne l'est plus. Une jeune Canadienne qui voulait à tout prix épouser un Iroquois de la réserve du lac des Deux Montagnes s'en est vu refuser la permission par le père Jean-Baptiste Roupe.

La jeune femme n'a pas froid aux yeux. Elle a fait appel de sa cause auprès de l'Évêque de Québec et du Gouverneur, Lord Dalhousie, qui n'y a pas donné suite mais s'est tout de même rendu à la mission pour demander des explications au missionnaire intransigeant. En 13 ans, c'est la cinquième fois que le père Roupe s'oppose à un mariage mixte entre Français et Indiens. C'est une approche intolérante que ne partagent pas nécessairement tous les missionnaires. *Je n'ai pas voulu bénir l'union, d'abord parce que, après bien des recherches, je n'ai pu trouver, au lac, aucun exemple d'une Canadienne mariée à un Indien,* a expliqué Roupe à Dalhousie. *Dans les circonstances, favoriser le mariage projeté serait, de notre part, introduire une nouveauté dans une mission sauvage surtout et nous fait raisonnablement craindre plus d'inconvénients qu'on ne saurait prévoir.*

Secundo, ajoute le Sulpicien en abordant la question sur le plan pratique, *ce mariage est et ne peut être plus mal assorti, la Canadienne ne sait pas un mot d'iroquois et l'Indien n'est guère plus avancé dans le français. Sans oublier que la Canadienne ne connaît ni la nature ni l'étendue des engagements qu'elle contracte dans une tribu indienne. Tertio,* poursuit Roupe en affichant son racisme, *le mélange des Blancs avec les Sauvages a, de tout temps, été regardé comme préjudiciable à ces derniers. Si nous travaillons à introduire et à favoriser entre eux des communications aussi rapprochées et intimes que celles qu'entraîne le mariage, ne serait-ce pas là ouvrir toutes les voies à un mélange aussi redouté qu'il est à craindre? Et, finalement,* conclut le missionnaire jaloux de son autorité, *nous avons remarqué que ceux des Blancs qui convoitent ces sortes d'alliances sont parmi les hommes des esprits inquiets, ambitieux, de caractère à troubler plutôt qu'à cimenter la paix dans un village. Parmi les personnes du sexe, nous avons également remarqué que ce sont des jeunes filles sans retenue, sans instruction, fort équivoques du côté des mœurs, pour ne rien dire de plus; des jeunes filles qui ont encouru, par leur inconduite et leur indocilité, l'animadversion de leurs parents.*

L'*animadversion* qu'a connue récemment Edmund Kean est celle des Bostonais. Le plus grand acteur britannique de l'heure joue présentement au *Theatre Royal.* Lors de sa tournée précédente en Amérique, Kean avait offensé le public de Boston en refusant de jouer parce qu'il n'y avait pas assez de spectateurs dans la salle. Contre toute attente, la réaction a été fulgurante et démesurée. Le lendemain, les journalistes bostonais se déchaînent. *Qu'on traîne ce prétentieux insolent devant le rideau par le nez,* exigent-ils, *et qu'on l'oblige à présenter ses excuses.* De Boston, l'indignation chauvine gagne toute la presse américaine. Dans tous les éditoriaux, il n'est plus question que d'interdire à l'acteur britannique de jouer devant un public. Kean n'a pas eu d'autre choix que de faire ses valises et de retourner à Londres.

EDMUND KEAN

Cinq ans plus tard, on aurait pu estimer que l'affaire était oubliée et que le chauvinisme américain avait eu le temps de se refroidir. Du moins, Edmund Kean le croit lorsqu'il se présente à Boston, dans le cadre de sa nouvelle tournée. Les Bostonais n'ont pas le pardon facile. Quand le rideau se lève sur la première représentation prévue, celle de *Richard III*, force est de constater qu'il n'y a pas une femme dans la salle, uniquement des hommes. Dès son entrée, Kean est accueilli par des cris de *Off! Off!* et mitraillé de noix, de bouteilles et de morceaux de gâteau. Kean se met à couvert en coulisses et dépêche un émissaire sur scène pour présenter au public les fameuses excuses qu'on exige de lui.

Après avoir lu sur un placard: *Monsieur Kean vous offre ses plus sincères regrets*, les spectateurs semblent se calmer. La trêve ne dure pas. Sitôt que Kean réapparaît, il est à nouveau chassé de scène et la foule accueille avec un immense éclat de rire le placard qui lui annonce, cette fois, que *Monsieur Kean ne jouera pas*. La pièce se poursuit avec un substitut mais, sans son souffre-douleur, le public s'ennuie. Les spectateurs chahutent et réclament le retour de Kean. Lorsque la foule apprend qu'il a quitté le théâtre, elle explose, saute sur scène et casse tout sur son passage. Quand elle joint ses forces à celles de la foule qui attend dehors, c'est l'émeute. Kean a quitté la ville en catastrophe. Heureusement pour lui, sinon il aurait été lynché.

Pour l'acteur shakespearien qui vient de connaître le pire moment de sa vie, son séjour à Montréal a eu l'effet d'un baume. Kean est adulé par ses hôtes britannophiles. *Vous m'avez redonné le rang d'un gentleman*, leur déclare-t-il lors d'un banquet en son honneur. Néanmoins, le temps fort de son voyage demeure sa visite au village huron de Lorette. Impressionné par les Amérindiens, Kean leur offre un banquet au cours duquel 10 ou 12 Chefs hurons lui décernent le titre de Chef huron et un nom de guerre, *Alaniemouidet*.

AUX ÉTATS-UNIS

Le 4 juillet, 50 ans jour pour jour après avoir signé côte à côte la *Déclaration d'indépendance*, 2 anciens Présidents des États-Unis, Thomas Jefferson et John Adams, se sont éteints de concert, à quelques heures d'intervalle.

Kean prend cette distinction honorifique au pied de la lettre. Il fait peindre son portrait, vêtu de son costume de Chef huron et, de retour à New York, fait imprimer des cartes de visite avec Edmund Kean d'un côté et *Alaniemouidet* de l'autre. C'est assurément plus facile de devenir huron que de plaire aux gens de Boston.

1827

Montréal a débuté l'année sous la neige. Du premier au 4 janvier, il en est tombé 4 pieds. Avec le vent qui soufflait en rafales, les bancs de neige s'élevaient à une hauteur de 10 à 12 pieds. Toutes les voies de communication étaient bloquées. Aussi hermétiquement, pourrait-on dire, qu'elles le sont désormais entre la Chambre d'assemblée et celui que Papineau a surnommé *Le Fripon*, Lord Dalhousie.

Le 7 mars, après seulement 30 jours de travaux, Son Excellence le Gouverneur a prorogé le Parlement avec fracas. *Je suis venu mettre fin à cette session convaincu qu'il n'y a plus d'espoir d'en attendre rien d'avantageux aux intérêts publics*, jette Dalhousie à la figure des députés. *Les résultats de vos procédures dans cette session ont été le refus des subsides nécessaires pour les dépenses ordinaires du gouvernement, la perte du* Bill des milices, *le manque absolu de toute provision pour le maintien des détenus dans les prisons ou les maisons de correction, pour le maintien des personnes dérangées dans leur esprit ainsi que des enfants trouvés, pour les établissements d'éducation et de charité, bref une obstruction totale à toute amélioration locale et publique. Dans cet état de choses*, estime le Gouverneur, *il ne m'est plus permis de conserver l'espoir d'un retour à une meilleure raison; mais il est encore de mon devoir de vous interpeller comme hommes publics et d'en appeler au pays.*

Dalhousie a oublié de mentionner qu'il avait accordé la sanction royale à 21 projets de loi. Quant à ceux qui comportaient des déboursés, la plupart avaient été bloqués par le Conseil législatif, sauf un. Le matin même de la prorogation, un acte permettant l'appropriation d'une somme d'argent pour l'achat d'actions de la Compagnie du canal Welland, dans le Haut-Canada, a été adopté à toute vapeur. La mercuriale de Dalhousie a soulevé un tollé de protestations et provoqué des réactions jusqu'à New York. Dans *The Albion*, on pose carrément la question: *Les habitants du Canada sont-ils à la veille d'une révolution?*

Pendant que le petit monarque de Québec écrit à Londres pour expliquer son geste fripon, deux autres Monarque, des frères, attendent en prison la conclusion de leur friponnerie. Jean-Baptiste et Michel Monarque sont des voleurs. Avec l'aide de complices, ils ont pillé le presbytère de Pointe-Lévy et raflé plus de 16 000 livres au curé Masse. C'était en septembre. Quelques jours plus tard, la bande était sous les verrous. À la suite de la dénonciation d'un des complices, le procès s'avéra des plus expéditifs. Le 21 avril, 3 des voleurs, Ross, Ellis et Johnson, sont exécutés devant la prison de Québec. Le Juge a réservé la pendaison des Monarque pour l'exemple. Ils doivent être pendus sur le lieu de leur forfait, à Pointe-Lévy.

Le 2 mai, au matin, les soldats se rendent à la prison pour escorter les deux frères jusqu'au lieu de leur supplice. *Les criminels, la corde au cou,* a écrit un témoin, *marchaient derrière leurs cercueils placés sur deux charrettes. Ils montèrent la rue Sainte-Anne de cette manière, tous deux parfaitement composés et sans la moindre contrainte, traversèrent le marché de la Haute-ville, descendirent la rue de la Montagne et s'embarquèrent sur le bateau à vapeur* Le Chambly *au quai de Hunt. Après avoir traversé le fleuve,* enchaîne le témoin qui suit le cortège, *les frères Monarque continuèrent leur route à pied jusqu'au lieu de l'exécution, qui en était éloigné de plus de deux milles. Arrivés à l'échafaud, ils y montèrent d'un pas ferme, confessèrent leurs crimes et firent leurs derniers exercices de piété, assistés de Messieurs Aubry et Viau. Le plus jeune, Michel, apprit alors son pardon; il fit ses adieux à son frère, l'exhorta à mourir en homme et resta spectateur de son exécution.*

SANS ARGENT OU SANS LE SOU?

Récemment, les Montréalais étaient invités à la représentation d'une comédie en trois actes par une troupe de théâtre française. La pièce s'intitulait *Le Comédien sans argent.* Et pour cause. Quelques jours auparavant, Scevola Victor, le Directeur, s'était enfui avec la caisse, en laissant derrière lui sept comédiens sans le sou.

Le bourreau avait mal attaché le nœud qui a manqué, rapporte le journaliste montréalais de la *Gazette. Lacéré par la corde, Jean-Baptiste est tombé à terre.* J'ai gagné mon pardon! *aurait-il crié à ce moment-là. Mais comme personne ne pouvait lui accorder ce pardon auquel il croyait avoir droit, il dut remonter sur l'échafaud,* confirme le journaliste, en poursuivant sa description de l'ineptie du bourreau. *La corde se trouva encore mal placée,* note-t-il, *le nœud était sous le menton du condamné qui lutta longtemps contre la mort. Le bourreau prit le supplicié par les pieds et tira de toutes ses forces, tandis que son aide tournait la corde au cou de Jean-Baptiste.* Jusqu'à ce que mort s'ensuive comme le prévoit la loi.

La cruauté de l'exécution du pendu, dépendu et rependu, n'a laissé personne indifférent. *Après avoir été témoin de cette scène, son frère Michel revint à pied dans un état voisin du délire,* relate le correspondant du *Montreal Gazette*, *et il traversa encore la ville en reprochant au ciel de lui avoir conservé la vie.*

1828

En France, on s'émerveille d'une fillette de trois ans qui a *Napoléon Empereur* imprimé autour de l'iris. Lord Dalhousie verrait *Papineau* écrit dans les yeux de tous les enfants au Bas-Canada qu'on ne serait pas surpris outre mesure. Papineau obsède le Gouverneur.

Lorsque le nouveau Parlement a élu le Chef du Parti patriote comme Président de la Chambre, Dalhousie a refusé d'entériner la nomination. La Chambre a insisté. Le petit monarque a prorogé et la session n'a duré que 2 jours. Le diable est aux vaches. Denis-Benjamin Viger, Augustin Cuvillier et John Neilson, 2 Montréalais et 1 Québécois, ont aussitôt été dépêchés à Londres pour y déposer une pétition au Roi contre l'administration du papineauphobe. Collées les unes aux autres, les feuilles de la pétition présentent une longueur impressionnante où s'additionnent 87 486 signatures, soit 46 465 pour le district de Montréal, 10 665 pour celui de Trois-Rivières et 30 356 pour celui de Québec.

DENIS-BENJAMIN VIGER

Le *Quebec Mercury* a salué le départ des trois délégués canadiens avec pompe et ironie de circonstance. Depuis sa fondation en 1805, ridiculiser l'opposition est sa marque de commerce. *Il paraît qu'ils sont arrivés à New York et qu'ils se sont immédiatement embarqués à bord de l'*Atlantic, précise le *Mercury* à propos des trois délégués patriotes. *Pour un passage d'hiver, ledit* Atlantic *ne passe pas pour tout à fait sûr,* s'inquiète faussement le journal du gouvernement, *cependant, si nous avions quelque vaisseau richement chargé à envoyer à l'ancien hémisphère, nous ne demanderions pas de meilleur talisman pour sa sûreté que celui d'avoir à bord nos trois grands diplomates; car, sans croire à la doctrine de la fatalité, nous ne laissons pas d'ajouter quelque foi au vieil adage.* Ne doit pas craindre l'eau qui est né pour l'échafaud.

La pétition que Neilson, Viger et Cuvillier apportent dans leurs bagages vaut déjà aux Canadiens un surnom peu flatteur, celui de *Chevaliers de la Croix.* À la place des signatures, lesdites listes comprennent 77 000 croix. On peut raisonnablement soutenir que les collecteurs de signatures présumant de l'appui de telle ou telle personne ont fait une croix sur la liste et invité quelqu'un à y inscrire le nom de cette personne. Il n'en demeure pas moins qu'on a sûrement ambitionné sur la croix de Saint-André. Avec leur maigre récolte de 10 000 signatures pro-Dalhousie, les partisans du Gouverneur ont immédiatement dénoncé la méthode utilisée pour comptabiliser les appuis patriotes. *Comme j'entrais de la rue Notre-Dame dans la rue Saint-Gabriel,* a déclaré sous serment Thomas Porteous, un des Juges de paix de Montréal, *j'ai vu un grand nombre de petites filles de l'école tenue par les sœurs de la Congrégation entrer dans la maison du Docteur Robert Nelson, dans le même ordre qu'elles sont conduites ou ramenées de l'église par les sœurs. La colonne s'étendait à travers la rue Saint-Gabriel jusqu'à la rue Saint-Jacques et les petites filles, qui avaient entre 8 et 12 ans, se pressaient beaucoup pour avancer.*

LE NOIR ET LE ROUGE

L'an dernier, c'était le premier journal conçu par des Noirs, le *Freedom's Journal* de New York, qu'il fallait additionner aux 840 journaux déjà publiés aux États-Unis; cette année, c'est le premier journal amérindien, le *Cherokee Phoenix*, publié à Echota en Georgie.

Ma première idée, témoigne Porteous, *fut qu'elles étaient là pour assister à quelque opération chirurgicale mais, après y avoir réfléchi et sachant que ceux qui supportent Monsieur Papineau et sa faction n'hésitaient pas d'adopter tout moyen, quelque répréhensible qu'il put être, pour venir à bout de leurs projets, j'ai soupçonné que ces enfants avaient été amenées chez le Docteur pour les faire signer les pétitions. Après avoir pris quelques informations,* atteste le Juge de paix anti-patriote, *je suis en état d'affirmer qu'elles ont non seulement signé mais qu'elles avaient reçu des instructions de ne pas signer leur nom de baptême en plein, mais seulement les initiales, afin que leur sexe ne put être reconnu.*

Londres ne voit pas les croix du même œil. *Peu importe l'âge ou le sexe,* commente le Ministre des Colonies, *si sur autant de signatures, seulement 9 000 paraissent écrites par les parties, c'est la preuve évidente que le Bas-Canada n'a pas été gouverné par la meilleure des législatures.* La Chambre des communes britannique prend la pétition au sérieux et forme un comité *ad hoc* qui entend le témoignage des 3 délégués patriotes. Neilson dénonce le cumul des charges au Conseil législatif et exécutif; Viger rappelle que seulement 3 juges sur 11 sont de langue française alors que les Canadiens forment 83 % de la population du Bas-Canada; et Cuvillier conclut en inculpant d'irrégularité constitutionnelle tout Gouverneur qui puise dans les fonds publics sans l'assentiment de l'Assemblée. Dans son rapport aux Communes, le Comité ménage la chèvre et le chou. D'une part, il recommande que les Juges ne siègent plus au Conseil exécutif et, d'autre part, qu'on augmente le nombre de députés anglais. Bref, il ne faut pas changer l'administration, mais la bonifier.

Le succès de votre mission va au-delà de nos plus vastes espérances, écrit Papineau à Neilson, *mais il est loin d'être complet puisque la mise en œuvre des recommandations est confiée aux autorités locales, c'est-à-dire les mêmes hommes immoraux dont les intrigues seront incessantes pour les rendre illusoires.* Les jours de Dalhousie sont cependant comptés. Le Gouverneur en est réduit à demander au Secrétaire d'État aux Colonies de ne pas brusquer son rappel. *Mon honneur et ma bonne réputation,* lui écrit-il, *ne me permettent pas un départ hâtif.* Le déplaisir de la présence du *Fripon* a donc duré jusqu'à l'automne.

1829

Harcelés de revendications et de procès, les Sulpiciens ont entrepris de négocier une entente à l'amiable avec le gouvernement de Londres. Pour sauver les meubles, Monsieur Roux est prêt à renoncer à la seigneurie si, en échange d'une cession de ses droits seigneuriaux sur l'île de Montréal, le Séminaire obtient enfin une charte qui reconnaît son existence juridique.

Dans le compromis envisagé, les Sulpiciens conservent le Séminaire, le Collège et reçoivent, en indemnité, une pension annuelle et perpétuelle. Ils se voient également accorder l'autorisation de recruter des Sulpiciens en France. C'est une perspective qui a le don de hérisser le poil épiscopal canadien. Monseigneur Panet et Monseigneur Lartigue ne veulent plus de *maudits Français! Voilà le véritable motif,* explique Roux à Rome, *pour lequel le clergé canadien s'oppose à l'arrangement qu'a fait le Séminaire avec le gouvernement anglais.* Une opposition en bonne et due forme de l'Évêque de Québec qui n'a pas été sans effet à Rome et surtout à Londres. Les autorités britanniques hésitent maintenant à achever la transaction telle que négociée entre Roux et les ministres de Sa Majesté. *Les Sulpiciens,* tranche Monseigneur Panet, *ne sont que les administrateurs des biens qui leur ont été concédés pour l'avantage et pour l'instruction des habitants, non pour perpétuer et étendre l'illustre congrégation de Saint-Sulpice.*

Pendant qu'à Londres et à Rome l'Évêque de Québec et les Sulpiciens s'affrontent par délégués interposés, le laissé-pour-compte dans toute cette affaire, c'est Lartigue. Il n'est toujours pas reconnu officiellement comme Évêque de Montréal. Ses cousins, Viger et Papineau, *le compromettent,* selon lui, *auprès de l'Administration.* Il compte peu d'amis et possède des ennemis jurés, ces Messieurs de Saint-Sulpice. Depuis que la nouvelle église Notre-Dame est achevée, Lartigue s'attend, un peu naïvement, à recevoir l'invitation du Séminaire à la bénir. *Ce serait pour moi l'occasion la plus décente et la plus favorable,* confie-t-il à Panet, *de rentrer dans leur église paroissiale et de ramener la paix et la joie dans toute la paroisse, qui gémit de cet air de schisme.* Un gémissement qu'il est bien le seul à entendre! Ni Roux ni

les marguilliers de Notre-Dame n'ont l'intention de lui faire la fleur d'une invitation qui pourrait être subséquemment interprétée comme une reconnaissance de juridiction.

Pour les marguilliers, n'importe qui serait mieux que Lartigue pour consacrer Notre-Dame. Ils invitent donc tout d'abord l'Évêque de Québec. Panet se récuse en mettant les points sur les *i*. *C'est une responsabilité,* rappelle-t-il, *qui incombe à Lartigue*. Le Séminaire et les marguilliers font la sourde oreille et se tournent vers Monseigneur Signay. Quand ce dernier se récuse à son tour, il reste encore l'Évêque de New York, Monseigneur Du Bois. Informé, Lartigue a pu le prévenir, Du Bois décline l'invitation. Qu'à cela ne tienne! Le supérieur des Sulpiciens procédera lui-même à titre de Grand Vicaire. Le 7 juin, Monsieur Roux quitte son lit de malade et se rend de grand matin à Notre-Dame pour bénir la nouvelle église selon les rites. La mesquinerie ecclésiastique est infinie.

La saga protocolaire n'est pas terminée pour autant. La bénédiction n'est pas l'inauguration solennelle à laquelle on a invité le nouveau Gouverneur. Inspiré par Monseigneur Panet, Sir James Kempt a souhaité la présence de Monseigneur Lartigue. Les Sulpiciens doivent baisser pavillon et inviter leur souffre-douleur préféré à chanter la première messe solennelle à l'église Notre-Dame. Lartigue s'exécute avec pompe en présence du Gouverneur et de toutes les notabilités montréalaises. Le temps fort de l'inauguration n'en demeure pas moins le sermon de Monsieur Quiblier, qui prêche avec éloquence et panache. Le Sulpicien s'y fend également d'une profession de foi monarchiste et loyaliste tout à fait de circonstance. Après la cérémonie, Sir James et son entourage sont reçus à la maison de campagne du Séminaire à la montagne. C'est une fête intime où on a également invité Lartigue. L'Évêque sans diocèse a découvert au moins une raison de se réconcilier avec les Sulpiciens. Le sermon de Quiblier lui a plu énormément. Presque autant qu'il déplaira le lendemain à *La Minerve*, le journal qui défend la cause patriote.

LA DERNIÈRE DES BEOTHUKS

Grande et majestueuse, douce et docile, fière et réservée, Shawnadithit, la dernière survivante de la tribu des Beothuks, est morte de consomption à Saint John's, sur l'île de Terre-Neuve. Elle avait 28 ans. On lui doit tout ce qu'on sait aujourd'hui des coutumes, de la langue et des derniers jours de son peuple, appelé aussi *Peaux-Rouges*.

Lartigue n'est parent de Papineau et de Viger que par le sang. Par la pensée, il se situe aux antipodes du Parti patriote. Illégitime comme Évêque de Montréal, il ne rêve que d'autorité légitime. *On voudrait nous engager dans les querelles de l'Administration avec la Chambre d'assemblée. Or, il est important que dans cette crise le clergé montre une conduite uniforme et se mêle le moins possible aux discussions,* professe-t-il dans une lettre à son homologue Panet. *D'une part, l'Administration comprendra que c'est le meilleur moyen de garder sur nos fidèles une influence qui pourra lui être nécessaire un jour. D'autre part,* estime l'Évêque mal aimé, *le peuple comprendra qu'il ne nous servirait à rien de blesser le gouvernement et que les autorités en Angleterre sauront interpréter notre silence comme une approbation de ces plaintes contre l'Administration.*

1830

LUDGER DUVERNAY

Brasseries, distilleries, meuneries, scieries, tanneries, l'industrie du Bas-Canada se concentre à Montréal. Elle est majoritairement anglaise, soutenue par la Bank of Montreal, et s'oppose farouchement à toutes les revendications du Parti patriote. Pour les marchands, ce qui est bon pour eux est bon pour la ville. Ce qui n'est pas toujours faux!

La Commission du Havre, instituée à la requête du Committee of Trade, a fait construire des quais de pierre qui s'étendront de la rue McGill à la rue Berri. C'est une amélioration majeure. Désormais, il ne sera plus nécessaire d'envoyer des charrettes dans l'eau jusqu'aux essieux pour décharger les navires. La plage boueuse de Ville-Marie a vécu. Le bourbier, certes, mais le cloaque, non. Montréal a beau avoir les pieds dans un fleuve, son ravitaillement en eau potable demeure problématique. D'autant plus aléatoire que la Compagnie des propriétaires des eaux de Montréal, présidée par Thomas Porteous, a planté sa nouvelle usine de pompage à vapeur trop près des bouches d'égout. On s'en est rendu compte par après, comme il se doit.

Dans les déclarations officielles, le français est souvent aussi rare que l'eau potable dans les faubourgs ou les quartiers résidentiels qui envahissent les flancs du mont Royal. Ainsi, le 3 septembre, au Palais

de justice, à l'entrée du faubourg Québec, au marché à foin et sur la Place d'Armes, Louis Gugy a lu, en anglais seulement, la proclamation annonçant la mort du roi George IV, *laissant le soin de débiter le texte en français,* rapporte *La Minerve*, *à un jeune écrivain de quelques-uns des bureaux de la Cour. Ce qui n'ajoute pas peu à notre surprise,* souligne le journal patriote, *c'est qu'il est notoirement connu que la langue française est la langue naturelle de Monsieur Gugy.* De là à en tirer la conclusion qui s'impose, il n'y a qu'un pas. De toute évidence, le Shérif Gugy méprise ses concitoyens.

En Angleterre, c'est inversement au défunt Roi qu'on rendait cet honneur. George IV était méprisé par tous. En vieillissant, il s'était laissé envahir par une épaisse torpeur et l'ancien dandy mondain et brillant oscillait dorénavant entre la stupeur et l'hébétude. Alors qu'il avait une montre dans sa poche, il pouvait sonner son page pour lui demander l'heure jusqu'à 40 fois dans la même soirée. Sa paresse était devenue telle qu'il ne tendait même plus le bras pour se prendre un verre d'eau sur sa table de chevet. George IV s'était mis à vivre de plus en plus dans son lit où, comme un cochon dans son auge, il buvait comme un trou et mangeait comme un ogre.
Deux pigeons et trois beefsteaks uniquement pour déjeuner, le tout arrosé des trois quarts d'une bouteille de vin de Moselle, d'un verre de champagne, deux de porto et d'un ballon de brandy, sans oublier le laudanum qu'il prenait en se réveillant et en se couchant. Assez, en somme, pour euphoriser une armée en campagne.

George IV n'a jamais participé à une bataille, de près ou de loin, mais il se targuait d'être un foudre de guerre. Sa seule contribution à la vie militaire a été l'immense bonnet de fourrure des Grenadiers de la garde, un appendice démesuré qui rend l'équilibre des cavaliers instable, particulièrement les jours de grands vents. Le Duc de Wellington en sait quelque chose. Il a piqué du bonnet en bas de son cheval lors d'une revue. George IV en a été ravi, il en a presque oublié de boire et de manger. Le Roi s'était pris de haine pour son Premier Ministre, en raison de l'*Emancipation Act* que ce dernier a

WELLINGTON

soutenu. Désormais, pour le plus grand déplaisir de George, les catholiques britanniques peuvent de nouveau remplir tous les emplois publics. C'est un droit qui leur était interdit depuis l'adoption du *Test Act*, en 1673. Le Roi n'est catholique en rien, surtout dans ses mœurs de table où il aurait gagné à l'être. Du moins, c'est l'avis de Madame Arbuthnot, la meilleure amie du Duc de Wellington. *Un soir, le Roi a bu deux verres de bière chaude, trois verres de vin claret, mangé des fraises et enfilé un ballon de brandy*, a-t-elle noté dans son journal. *Je ne crois pas que le vin lui fasse du mal mais un mélange comme la bière et les fraises, c'est assez pour tuer un cheval.* Ou un cochon.

LA BATAILLE D'ALGER

En juin, l'Amiral Duperré bombardait Alger. Les 37 000 hommes de sa flotte de 350 bateaux avaient pour mission de venger un affront infligé à la France, il y a 3 ans. Le Dey avait alors donné 3 coups de tapette à mouches au Consul français.

Le successeur du goinfre est âgé de 65 ans. C'est son frère, Guillaume, le Duc de Clarence. On a dû le tirer du lit pour lui annoncer qu'il était Roi. Le vieux marin à la tête en forme de poire n'a pas paru ému outre mesure. Il a aussitôt annoncé à son entourage qu'il retournait dans son lit pour jouir, cette fois, *de la nouveauté de dormir avec une Reine.* En l'occurrence, il s'agit d'une princesse allemande qui ne partage sa couche que depuis 12 ans. Pendant 20 ans, Guillaume a eu pour maîtresse une actrice comique au franc et gras parler, Madame Jordan. Elle lui a donné 6 enfants qu'elle a ajoutés aux 3 qu'elle avait déjà. *On ne sait plus si c'est elle qui l'entretient ou si c'est lui*, se demandaient les journaux chaque fois que l'actrice devait remonter sur les planches pour boucler le budget familial.

Sitôt couronné, Guillaume IV s'est empressé de descendre dans la rue. On a dû l'arracher des mains de la foule. Le commentaire du nouveau Roi est à l'image du règne qui s'annonce. *Ne vous en faites pas pour ça!* a-t-il bougonné. *Ils vont s'habituer et, après un certain temps, ils ne me remarqueront plus.*

1831

Le Séminaire se remet tranquillement de ses émotions. Inspirés par la Révolution de juillet, les étudiants du Collège de Montréal se sont révoltés en novembre. Pendant trois jours, à l'instar des *Trois Glorieuses* de Paris qui ont chassé et remplacé l'autocratique Charles X par le démocratique Louis-Philippe, les élèves des Sulpiciens ont brandi le drapeau tricolore et réclamé une charte des droits des étudiants.

C'est Amédée Papineau qui mène la contestation. Le fils de Louis-Joseph et ses partisans réclament des récréations plus longues et des punitions plus rares. *Sans la connivence des parents, canadiens donc patriotes,* estime *La Gazette* qui ne fait pas dans le détail, *cette révolte n'aurait pas eu lieu et surtout elle n'aurait pas duré aussi longtemps.* Pour *La Minerve*, ce n'est pas uniquement la sévérité du recteur qui est en cause mais toute l'approche pédagogique des Sulpiciens. *Les anciens Messieurs ont toujours eu en horreur la liberté de la presse, cette sauvegarde des droits du peuple,* rappelle la feuille patriote. *Les nouveaux pensent de même et croient perdre en mal le temps passé à lire une gazette. De là cette ignorance de nos enfants qui sortent du collège au sujet des institutions les plus chères au pays,* s'indigne à son tour le journal de Duvernay. *Ils sont passablement instruits de l'histoire ancienne, mais ils ne savent rien de ce qui se passe quotidiennement dans leur pays.*

Que se passe-t-il au Bas-Canada? C'est une question dont la réponse est un point d'interrogation. Après un tête-à-tête de trois quarts d'heure avec Lord Aylmer, le nouveau Gouverneur, Papineau est tout de même prêt à accorder la chance au coureur. *Le Gouverneur et sa femme sont de bonnes gens,* confie-t-il à sa femme en janvier. *Ils parlent le français avec la plus grande facilité et élégance. De plus, ils le parlent avec l'accent parisien, le mettant à la mode parmi les messieurs et dames d'outre-mer. Il y a quelque temps, tous l'ignoraient, et maintenant, ils le savent.* Lady Aylmer, pour sa part, s'épanche dans son journal. *Je puis*

JULIE PAPINEAU

dire que je m'entends beaucoup mieux ici avec les Canadiennes françaises qu'avec les femmes de ma propre nationalité, tout comme je le faisais d'ailleurs en France, observe-t-elle. *Je préfère tellement plus la langue française à la nôtre telle qu'on la parle dans les classes populaires, que je suis toute heureuse que la population soit française. En société, on parle généralement anglais, mais plusieurs des dames canadiennes sont bien contentes quand vous causez avec elles en français,* note-t-elle, *et quelques-unes ne parlent pas un mot d'anglais, ce qui prouve bien qu'elles n'ont aucune inclination à s'anglifier.*

La lune de miel entre Papineau et Aylmer a duré à peine un mois. C'est un mariage blanc! En février, le chef patriote a déjà révisé sa position. *Chaque pas du Gouverneur a été une suite de bévues si palpables qu'il n'y a plus d'hésitation à admettre de toutes parts que c'est l'administration Dalhousie qui reprend du service,* peste-t-il dans le compte rendu régulier qu'il adresse à son épouse Julie. *Tous les yeux voient qu'Aylmer est d'une incapacité ridicule et, si personne n'est consulté hors le Parti bureaucrate que guide Stuart dans le Conseil, c'est de peur d'avoir trop de témoins de la nullité des moyens du Gouverneur. Ses amis disaient, il y a quelques jours, que nous l'aurions sept ou huit ans; bien des gens croient que nous l'aurons à peine sept ou huit mois.* Lord Aylmer ne fait pas le poids. *Il est un homme du monde, il a le ton de la bonne société, mais en matière de droit, de constitution, d'administration,* soupire un Papineau excédé... *il est même inutile de lui en parler, il s'étonne et ne comprend pas. Son secrétaire est regardé de toutes parts comme un fou, ce qui appelle naturellement le mépris sur son maître,* conclut-il en désespoir de cause. Le jugement de Papineau est sans appel.

LADY AYLMER

En avril, Lord et Lady Aylmer sont à Montréal. Les Sulpiciens en profitent pour les inviter à leur ferme de la montagne. Militaires, notables et prêtres se prélassent tout un après-midi sous les arbres. C'est le nouveau supérieur du Séminaire, Monsieur Quiblier, qui fait les honneurs. *Un homme intelligent et très agréable,* s'enthousiasme la première dame du Bas-Canada, *il aurait du succès dans n'importe quelle société, car ses manières bienveillantes préviennent en sa faveur.* Pour ne pas demeurer en reste, Monseigneur Lartigue invite les Aylmer à son tour. La réception aura lieu à la maison de campagne des Papineau, sous la présidence d'honneur de ses cousines par alliance, Mesdames Viger et Papineau. *La soirée était dansante et la fête fut brillante,* griffonne aussitôt l'infatigable Lady diariste. On a littéralement mangé du Gouverneur. Ses armoiries en sucre ornaient les petits gâteaux. *Madame Louis-Joseph Papineau m'a bien impressionnée,* s'étonne l'épouse de son pire ennemi. *Il est certainement dans le caractère d'une Française,* philosophe-t-elle, *de montrer beaucoup de tact en société et de se conduire comme s'il était tout naturel pour elle de vivre* en évidence.

La goutte d'eau qui ne fait pas déborder le vase

Il y a fort à parier, pronostique un voyageur français, Alexis de Tocqueville, *que le Bas-Canada finira par devenir un peuple entièrement français. Mais ce ne sera jamais un peuple nombreux. Ce sera une goutte dans l'océan.*

Si Julie Papineau est à l'aise en société, Louis-Joseph l'est beaucoup moins avec la société. Pour le chef du Parti patriote, l'avenir s'annonce sombre. *La génération croissante,* prédit-il, *sera appelée à agir à une époque de crise qui, sans un long avenir, décidera de la force ou du malheur de notre pays.*

1832

Montréal vit de plus en plus à l'heure irlandaise. Le 28 février, une foule considérable s'est réunie au Pied-du-Courant pour fêter la libération de Daniel Tracey, de l'*Irish Vindicator*, et de Ludger Duvernay, de *La Minerve*. Les deux journalistes ont passé 40 jours derrière les barreaux de la prison de Québec pour délit d'opinion. C'est au chant alterné de *La Marseillaise* et du *God save the King* qu'on leur a passé au cou le fruit d'une souscription populaire, une médaille en or avec ces mots en exergue: *La liberté de presse est la sauvegarde du peuple.*

Le cortège de 150 traîneaux a ensuite défilé dans les rues pavoisées de la ville où on a arboré pour la première fois le drapeau canadien, vert, blanc et rouge. On avait également ménagé un arrêt impromptu, rue Bonsecours, devant la maison de Papineau. Le chef patriote est sorti de chez lui sous les vivats pour souhaiter la bienvenue aux deux héros et tancer les responsables de leur emprisonnement, ceux qu'on appelle désormais les *vieillards malfaisants.* Tracey a attiré la vindicte du Conseil législatif en publiant un article dans l'*Irish Vindicator* où ledit Conseil était qualifié d'*incube progressif* et de *nuisance publique.* Quant à Duvernay, il a été arrêté pour un article de même plume dans *La Minerve.* Il y invitait la population à prendre les moyens *pour se débarrasser du Conseil législatif et en demander l'abolition.* Depuis l'arrestation de l'Irlandais et du Canadien, les assemblées de protestation se sont multipliées aussi bien à Québec et à Montréal qu'à L'Assomption, à Berthier, ou à Saint-Constant. Une lettre ouverte, publiée dans *La Minerve*, traduit parfaitement l'esprit qui régnait dans ces réunions explosives dont certaines ont compté jusqu'à 600 personnes. *Le peuple est fatigué des injustices qu'il subit depuis la cession du pays,* proclamait-elle, *il faut la révolution et la séparation de l'Angleterre.*

Médecin et journaliste, Daniel Tracey est un ardent défenseur de la cause patriote. C'est également un admirateur de Papineau, qu'il place sur le même piédestal que Daniel O'Connell, le leader nationaliste irlandais. Pour le rédacteur en chef du *Vindicator*, la cause de l'Irlande et la cause des Canadiens sont des sœurs jumelles. C'est la même lutte contre un gouvernement anglais hostile aux catholiques. Un combat que l'Irlandais va maintenant livrer dans l'arène politique. Le 26 mars, le député de Montréal-Ouest, John Fisher, donne sa démission. Fort de sa popularité journalistique, Daniel Tracey brigue sa succession dans des conditions qui vont prendre des proportions épiques. La loi a prévu que, dans une élection, les bureaux de vote seront ouverts tous les jours, sauf le dimanche, et que la votation doit se poursuivre jusqu'à ce qu'une heure d'horloge se soit écoulée sans qu'aucun vote n'ait été enregistré. À cet égard, l'élection partielle de Montréal-Ouest bat tous les records. Le scrutin va durer 23 jours, du 25 avril au 22 mai.

Dès la première heure, le chef de police Leclère affiche ses couleurs. Il ne reculera devant rien pour maintenir l'ordre du bon côté. Aussitôt qu'un Irlandais catholique est roué de coups par ses compatriotes protestants, il s'empresse d'engager des constables spéciaux. Il va sans dire qu'il les choisit tous parmi les boulés irlandais protestants à la solde de Stanley Bagg, le candidat qui s'oppose à Tracey. De jour en jour, les accrochages sont de plus en plus violents. *Si vous êtes appelés à circuler la nuit*, conseille le *Canadian Currant, il est préférable de se munir d'un pistolet.* Les deux candidats n'en sont pas moins nez à nez. Le 12 mai, un partisan de Tracey échappe à une tentative d'assassinat. Son agresseur est du Parti de Bagg. Le 18, nouvelle tentative. Un Irlandais catholique est jeté au sol par un coup de fusil. Son assaillant est un Irlandais protestant. Néanmoins, le 19 mai, les deux candidats sont toujours sur un pied d'égalité.

Le 21 mai, c'est un lundi, il pleut. Les passions partisanes n'en demeurent pas moins vives. Deux électeurs en viennent aux coups sur la Place d'Armes. La foule se met de la partie. Les constables sont débordés. Le chef Leclère demande l'aide de l'armée. La troupe s'amène au pas de course. L'apparition de 10 grenadiers et d'une cinquantaine de soldats ramène le calme, sauf dans l'esprit agité des autorités civiles. *Profitant d'un moment où tout était dans la plus grande tranquillité*, rapporte un témoin, *le magistrat Robertson a fait rapidement la lecture du* Riot Act, *la loi sur les attroupements.* À la fermeture du bureau de vote, il est 5 heures, Tracey est en avance de 3 voix. Une heure plus tard, les projectiles commencent à voler de toutes parts. Les troupes quittent le parvis de l'église Notre-Dame où elles ont pris position et s'engagent dans la rue Saint-Jacques. Sur ordre de Robertson et de 3 de

ses collègues, le Lieutenant-Colonel MacKintosh commande le feu. Une salve abat 5 hommes, dont 3 sont tués net: Pierre Billette, François Langedoc et Casimir Chauvin, 3 Canadiens.

La brave soldatesque se retire aussitôt à la Place d'Armes, derrière 3 pièces de canon en batterie. Ça pue le coup monté! *Pour récompenser les soldats de leur courage à massacrer des victimes paisibles et sans armes,* confirme *La Minerve, et pour faire oublier leur crime, on leur a donné du rhum en abondance.* Le lendemain matin, les soldats ont décampé et, à l'ouverture du bureau de scrutin, Daniel Tracey est déclaré élu, avec 4 voix de majorité. Cinq mille personnes assistent aux funérailles des 3 victimes à l'église Notre-Dame. *Quelques jours plus tard,* constate Papineau, *les ivrognes me pointaient du doigt en disant aux soldats:* Voilà l'oiseau de malheur. C'est lui que vous auriez dû abattre. *Les enjeux sont clairs.* Montréal sera anglais *or else*!

LES DERNIÈRES PAROLES DE TRACEY

Daniel Tracey n'a pas eu le temps de siéger au Parlement. Deux mois après son élection, il est emporté par le choléra. L'épidémie qui a frappé le Bas-Canada a fait 10 000 victimes. Les dernières paroles du journaliste et docteur irlandais ont été pour sa nouvelle patrie. *Le plaisir le plus doux que j'éprouve en mourant,* a-t-il déclaré, *est d'avoir la consolation d'être aimé des Canadiens.*

1833

C'est chose faite! les Montréalais ont atteint l'âge de raison. Le 3 juin, ils ont élu leur premier Conseil municipal. Une élection moins agitée qu'à l'accoutumée. Sur 16 conseillers, 14 ont été élus par acclamation, soit 7 Canadiens et 9 Anglais dans la mesure où on compte comme tels John Donegani, l'hôtelier italien, Robert Nelson, le bras droit de Papineau, et John McDonnell, le bras droit de Nelson.

Montréal a enfin obtenu son incorporation et une charte qui est en vigueur pour une durée de 4 ans. Dorénavant, la ville se divise en 8 quartiers: Est, Ouest, Sainte-Anne, Saint-Joseph, Saint-Antoine, Saint-Laurent, Saint-Louis et Sainte-Marie. Chacun d'eux est représenté par 2 conseillers. Le 5 juin, sur proposition de Charles-Séraphin Rodier et de Robert Nelson, le premier Maire de Montréal est élu par les 13 conseillers présents lors de la première réunion du Conseil, qui se tient au Palais de justice. Le choix de Jacques Viger est unanime. C'est une figure connue dans tous les quartiers. Depuis 1813, il est Inspecteur des grands chemins, rues, ruelles et ponts de Montréal.

JACQUES VIGER

Jacques Viger appartient au puissant réseau familial des Viger-Papineau-Lartigue-Cherrier. Il est cousin de Denis-Benjamin Viger, de Louis-Joseph Papineau, de Monseigneur Lartigue et de Côme-Séraphin Cherrier. Son élection à la mairie n'est pas le fruit du hasard. L'Inspecteur des grands chemins a conseillé Denis-Benjamin Viger et Louis-Joseph Papineau sur le découpage des quartiers et sur l'importance de maintenir le cens électoral assez bas pour permettre à une majorité de petits propriétaires de voter et s'assurer ainsi que les Canadiens forment la majorité des électeurs. Érudit et collectionneur, Viger a également proposé le sceau pour le cachet d'armes de la corporation municipale. Incidemment, ce dernier, de forme ovale, n'est qu'une modification des armoiries de l'ordre de la Jarretière. Il va de soi que la nouvelle mairie est bilingue. Pour son premier magistrat, l'esprit de bonne entente civique qui doit animer l'administration municipale se résume dans la devise qu'il a choisie pour Montréal: *Concordia salus /* Le salut par le bon accord.

À LONDRES

Il est vrai, a déclaré Lord Stanley aux Communes, *que sur 204 fonctionnaires au Bas-Canada, 47 seulement sont canadiens-français. Si l'on considère que bientôt les 2 Canadas seront réunis,* a-t-il conclu, *cet état de choses est juste.* La réponse du leader irlandais Daniel O'Connell ne s'est pas fait attendre. *Si c'est ainsi que vous entendez la justice, Monsieur,* a-t-il rétorqué au Secrétaire d'État aux colonies, *le Canada n'aura bientôt plus rien à envier à l'Irlande.*

Pour l'administration Viger, les travaux de drainage dans les faubourgs montréalais demeurent la priorité et plus particulièrement au pied de la côte de la rue Sherbrooke, dans la zone marécageuse qui s'étend au nord de la rue Sainte-Catherine. Côté pratique, le Conseil a confié le mandat au peinturier David Laurent de confectionner et de poser des planchettes en bois peint qui permettront d'identifier le nom des rues et des places. Le Conseil tient ses séances à huis clos, rue Notre-Dame, près de la rue Saint-François-Xavier, dans une maison qui appartient à la veuve du Conseiller législatif Saveuse de Beaujeu. Un des premiers gestes du Maire Viger a été de rejeter une demande de la presse. Le journal *The Gazette* souhaitait qu'on admette les journalistes aux délibérations du Conseil. Cela dit, le secret n'est pas exigé des conseillers, ce qui permet à l'information de circuler.

Quant au climat politique de la ville, il est toujours aussi explosif et les affrontements raciaux se multiplient. Mis aux arrêts et accusé formellement de responsabilité criminelle dans la fusillade de la rue Saint-Jacques, devenue depuis *la rue du sang*, le Capitaine Temple et le Lieutenant-Colonel MacKintosh ont néanmoins été libérés et exonérés de tout blâme par un grand jury. En adressant ses félicitations aux deux officiers pour leur courage, le Gouverneur Aylmer a confirmé l'injure par l'insulte et, en prévision des réactions populaires, il expédie deux compagnies de soldats en renfort de la garnison de

Montréal. *Dans la rue Saint-Paul,* note *La Minerve, il n'est pas rare de voir passer des soldats la baïonnette au poing, qui marquent le pas en hurlant*: God damn the Canadians!

La soldatesque se conduit comme une armée d'occupation. Tout devient prétexte à affrontement, même une queue de cochon. Début septembre, lors des courses de chevaux qui se tiennent à la rivière Saint-Pierre, les soldats ont organisé une compétition. On enduit de graisse la queue d'un cochon. Celui qui arrêtera le verrat par l'appendice en tire-bouchon et le chargera sur ses épaules obtiendra l'animal en récompense. *Un homme de Saint-Martin,* rapporte *La Minerve, l'avait déjà chargé deux fois quand quatre soldats, l'arme à la main, s'avancèrent et, en narguant le peuple, emportèrent le cochon de force en jouant l'air* Rule Britannia. Après avoir placé l'animal en trophée dans une charrette, les soldats jouent en son honneur l'hymne national anglais *God Save The King* et obligent tous les spectateurs à retirer leur chapeau en criant: *Hats off, hats off!*

Une heure plus tard, une bataille générale éclate entre soldats et Canadiens. En prévision de l'engagement, un petit nombre d'entre eux se sont munis de bâtons, mais c'est nettement insuffisant. Le combat n'est pas à armes égales et un nommé Barbeau y trouve la mort, le corps traversé d'un coup de baïonnette. *Les Anglais,* commente amèrement Papineau, *sont bien mal élevés et leurs notions de savoir-vivre diffèrent tellement des nôtres que moins on les voit et mieux l'on fait.*

1834

Tout est sens dessus dessous, dans la nature comme dans la politique. En mai, la Chaudière est sortie de son lit. *Notre petite rivière que tu trouvais si agréable, si enchantante était bien loin d'être charmante lundi dans la nuit,* raconte un Beauceron à son correspondant de Québec. *À 10 heures, l'eau était déjà à une si grande hauteur dans les chemins que les chevaux n'y passaient qu'à la nage. Et elle a continué de monter jusque vers 7 heures du matin. Notre rivière, qui n'a guère plus d'un arpent et demi de largeur, couvrait alors une étendue d'environ une demi-lieue. Grand nombre de bâtisses ont été emportées par l'eau, les chemins sont dans un état affreux et 15 000 voyages de pierre ne suffiraient pas pour remplir les cavées qui sont faites dans notre seul village.*

En juin, un cyclone et une nouvelle épidémie de choléra se sont abattus sur Montréal. Cette fois, l'épidémie fera 6 000 victimes au Bas-Canada avant de se résorber. Quand il leur faut combattre le *Colonel Morbus* ou *Nicholas Morbus*, comme on appelle familièrement le choléra, les médecins n'en mènent pas large. En politique, ils sont partisans d'une tout autre médecine. *Nous devrions faire preuve de plus d'énergie,* recommande le Docteur Fortier. *Il faut bûcher, bûcher de toutes nos forces,* surenchérit le Docteur Lacroix, *car l'arbre de la tyrannie doit bientôt tomber. Canadiens,* prescrit le Docteur Davignon, *ne laissez pas rouiller vos plaques de fusil!* Au Bas-Canada, tout est sens dessus dessous depuis que le Parti patriote a déposé une liste exhaustive de ses revendications à l'Assemblée: *92 Résolutions* qui se résument au fond à une seule. *Il faut un changement radical, sans redouter le tableau des dangers frivoles qu'on prétend y voir,* tonne un Papineau déterminé à en finir avec les tergiversations des *vieillards malfaisants. Pour tous ceux qui veulent le bien de la province,* promet-il, *il n'y a rien à craindre.*

Si le sort désignait une race ennemie / Veille sur nous, saint Jean, fais-nous victorieux! chante Jacques Viger, lors du banquet patriotique que Ludger Duvernay a organisé à l'occasion de la fête de la Saint-Jean-Baptiste. La réunion, présidée par le Maire Viger,

regroupe 60 convives. La plupart sont des chefs réformistes, le Docteur Edmund Bailey O'Callaghan qui a remplacé Daniel Tracey à la direction du *Irish Vindicator*, Ovide Perrault, Thomas Storrow Brown, Clément-Charles Sabrevois de Bleury, Édouard-Étienne Rodier et Louis-Hippolyte La Fontaine. *Le dîner*, rapporte *La Minerve*, *était splendide. Les tables étaient placées dans le jardin de l'avocat John McDonnell qui avait eu la politesse de l'offrir pour cette fête champêtre.* Les lumières qui sont suspendues aux arbres, la musique et l'odeur embaumée que répandent les fleurs, la beauté du site, tout concourt au succès du banquet patriote.

Cette fête a pour but de cimenter l'union entre les Canadiens. Elle ne restera pas sans fruit. Dorénavant, on la célébrera annuellement comme fête nationale. *Il y a longtemps qu'on donne au peuple l'appellation de* Jean-Baptiste, *comme on donne à nos voisins celui de* Jonathan, *aux Anglais celui de* John Bull *et aux Irlandais celui de* Patrick, écrit Étienne Parent dans *Le Canadien* en guise d'explication du choix de Duvernay. *Même si nous ignorons ce qui a pu donner lieu à ce surnom familier de Jean-Baptiste*, convient Parent, *nous ne devons pas le répudier, non plus que la patronisation que viennent d'établir nos amis de Montréal.* Le banquet du 24 juin est une manifestation politique. Elle a été arrosée par 38 toasts auxquels se sont ajoutés des discours et des chants. George-Étienne Cartier, un jeune étudiant en droit qui n'a pas encore 20 ans, s'est distingué en interprétant une de ses compositions:

Ô Canada! Mon pays! Mes amours! / Comme le dit un vieil adage / Rien n'est si beau que son pays; / Et de le chanter c'est l'usage; / Le mien je chante à mes amis. / L'étranger voit avec un œil d'envie / Du Saint-Laurent le majestueux cours; / À son aspect le Canadien s'écrie: / Ô Canada! Mon pays! Mes amours! a lancé le jeune patriote qui rêve d'en découdre. *Ô mon pays! De la nature / Vraiment tu fus l'enfant chéri / Mais d'Albion, la main parjure / En ton sein le trouble a nourri / Puissent tous tes enfants enfin se joindre / Et valeureux voler à ton secours! / Car le beau jour déjà commence à poindre / Ô Canada! Mon pays! Mes amours!*

À l'automne, le Parti patriote porte ses *92 Résolutions* devant l'électorat. Sa victoire est écrasante: 77 des 88 sièges de l'Assemblée. Les patriotes ont reçu 483 739 votes et leurs adversaires 28 278. *Il n'y a plus que le peuple qui ait de l'esprit en ce pays*, juge Papineau. *Tout ce qui est commissionné par le gouvernement*, estime le Chef patriote avec justesse, *est frappé de démence.*

DES FUNÉRAILLES POUR GÉANTS

Modeste Mailhot est décédé à l'âge de 68 ans. Le géant mesurait 7 pieds et 4 pouces, pesait 619 livres, et il aura fallu 12 hommes pour porter son cercueil. On n'aurait pu choisir prêtre mieux assorti pour officier à son enterrement: le curé Faucher de Deschaillons mesure 6 pieds et pèse 400 livres.

1835

Pour les marchands montréalais antipatriotes, la Saint-Jean-Baptiste de l'an dernier a eu l'effet d'un révulsif. Depuis que Ludger Duvernay a emprunté le saint patron et le banquet traditionnel des francs-maçons dont le Grand Maître provincial est John Molson, c'est une vraie maladie contagieuse.

Dans les mois qui ont suivi le 24 juin 1834, les Anglais de Montréal, sous la présidence de George Moffat, ont fondé la Saint George's National Society; les Écossais, sous celle de Peter McGill, la Saint Andrew's; les Irlandais, la Saint Patrick's; et, un peu plus tard, les Allemands, présidés par Louis Gugy, la German Society. Conseiller législatif et magistrat, Moffat est l'incarnation du *vieillard malfaisant.* Lors de la fusillade de la rue Saint-Jacques, il n'a pas hésité à commander aux soldats de tirer sur la foule. Également Conseiller législatif et Juge de paix, Grand Officier maçonnique, McGill est Président de la Bank of Montreal. Moffat et McGill méprisent Papineau, qui le leur rend bien. Pour le seigneur de la Petite-Nation, *ils font partie,* comme il l'écrit, *de ces parvenus qui commencent par décrotter des souliers et balayer des comptoirs pour, plus tard, siéger au Conseil législatif.* Gugy, quant à lui, est Shérif de Montréal et son rôle n'a pas été reluisant dans l'affaire de *la rue du sang. La naissance de toutes ces associations ressemble de plus en plus à une mobilisation des forces antagonistes,* juge le chef patriote, *et le ton de l'heure n'est pas à la conciliation.*

Les Anglais de cette province sont restés engourdis trop longtemps, claironne Adam Thom dans le *Montreal Herald* au mois de septembre, *il y a un temps pour le sommeil et il y a un temps pour l'action.* Le journaliste-avocat est ami de Moffat, de McGill et secrétaire du Beefsteak Club, une association qui regroupe les 30 plus importants marchands de Montréal. Les appels aux armes de Thom ne tombent pas dans l'oreille de sourds. Le 7 décembre, 200 personnes paradent dans les rues pour se rendre au *Tattersall's* y entendre des orateurs dénoncer les patriotes. *Si, dans la vie privée, nous refusons de soumettre nos différends à des hommes sans éducation, quel langage doit-on employer quand on veut confier à de tels hommes la conduite de nos libertés?*

déclare l'un d'entre eux. *Elle est telle, cette ignorance,* précise-t-il, *que presque tous les jurés sont incapables de signer leur nom et qu'il s'est vu plusieurs membres de la Chambre dans la même incapacité. Un semblable peuple,* conclut l'orateur sous les applaudissements de la foule, *est incompétent à juger des relations compliquées des sociétés, à décider des punitions que mérite chaque faute, à régler les intérêts du commerce, à comprendre les vœux de cette classe de société, qui est plus instruite et qui se trouve placée plus haut dans l'échelle sociale.*

LA FRANCE ILLETTRÉE

Une enquête récente révèle qu'on trouve à peine 140 000 enfants scolarisés dans toute la France et 14 000 villes ou villages sans école. Plus de 45 % des conscrits signent avec une croix. Quant aux autres, ils pourront toujours chercher la définition d'un mot qui a fait sa première apparition dans un journal parisien: le *prolétariat.*

Deux jours plus tard, le *Montreal Herald* préconise la formation d'un corps paramilitaire. *Il faut une armée aussi bien qu'un Congrès; il faut des piques et des carabines aussi bien que des plumes et des langues; il faut de la valeur aussi bien que de la sagesse,* décrète *la chaudière d'eaux sales* comme l'a surnommé le Docteur O'Callaghan. *Appelons donc un Congrès provincial immédiatement, portons à 800 le British Rifle Corps de Montréal et envoyons des députés pour soulever les sympathies des provinces voisines.* Le message est reçu avec enthousiasme. Le 16 décembre, une réunion se tient pour mettre sur pied un corps de carabiniers volontaires. Les gens se présentent avec leurs armes. Le jour même, à l'hôtel de James Orr, les dirigeants du corps des carabiniers, mué en une société à demi secrète, le Doric Club, tiennent une assemblée. Après avoir levé leurs verres à la santé du Roi et du Gouverneur, les participants portent un toast unanime. *La mort plutôt qu'une domination française!*

À Québec, Papineau s'inquiète des événements qui se déroulent à Montréal. *L'extrême agitation du pays soulève contre moi et les miens une rage bien injuste qui pourrait être accompagnée de quelques risques,* écrit-il à sa femme. *Si c'était le cas, au jugement de tous nos amis de Montréal qui par la proximité des lieux peuvent voir mieux que moi, il faudrait te mettre en lieu de sûreté avec nos chers enfants et te rendre avec eux à Verchères ou ailleurs dans la famille. Une visite à tes parents ou à nos enfants au temps des fêtes n'a rien que de naturel,* conseille-t-il à Julie. Amédée et Lactance étudient à Saint-Hyacinthe. *S'il était possible que des actes de violence soient tentés contre les maisons,* s'inquiète Papineau, *j'aimerais mieux tous les malheurs imaginables pour moi et mes propriétés que de savoir exposés ma femme et mes enfants. D'ici, je ne vois nulle probabilité à de semblables dangers,* ajoute-t-il en cherchant à se faire rassurant, *et j'espère que la violence inconsidérée de ceux qui ont proposé de s'armer détruira leur parti.*

Le 25 décembre, Adam Thom est tout remué. Il a reçu une lettre en français où on lui annonce qu'il va être assassiné. Ce qui prouve au moins une chose: Malgré leur ignorance nationale, certains Canadiens savent écrire. Tout espoir n'est pas perdu!

1836

L'événement de l'année à Montréal, c'est le chemin de fer. En juillet, tout le monde, enfin tout le monde qui est du monde, était présent à l'inauguration de la première ligne canadienne. La nouvelle voie ferrée qui va de Laprairie à Saint-Jean n'est longue que de 14 milles et demi. Ses rails sont de bois mais la mince plaque de fer qui les recouvre est garante du futur. Au propre et au figuré, le Bas-Canada s'apprête à sortir du bois.

Peter McGill n'est qu'un actionnaire minoritaire de la Champlain and Saint Lawrence Railroad, néanmoins c'est à lui qu'est revenu l'honneur de lancer l'invitation à l'inauguration. Ça se comprend, il est partout. Quand il ne conseille pas les dirigeants ultraloyalistes du Doric Club, McGill siège au Conseil législatif, préside l'Association constitutionnelle de Montréal, la Saint Andrew's Society et le conseil d'administration de la Bank of Montreal. Pour le bénéfice de ses associés londoniens de la British American Land Company, il vient de parachever la plus grosse transaction foncière de la colonie à ce jour: l'achat de 147 lots différents dans les *Eastern Townships* où ladite compagnie possède déjà un million d'acres et des poussières. Avec cette acquisition, la British American Land se voit accorder l'hégémonie absolue sur le développement de la région.

Le jour de l'inauguration, le 21 juillet, sur les quais de Montréal, on ne cause pas tant politique que progrès technologique et surtout de l'incontestable avance des Américains dans ce domaine. Les États-Unis possèdent déjà plus de 1 000 milles de voie ferrée. La brochette d'invités est impressionnante: le nouveau Gouverneur, Lord Gosford, ses aides de camp, les Commissaires de l'enquête royale que Londres a commissionnée sur l'état des deux Canadas, le Président de l'Assemblée, Louis-Joseph Papineau, les députés, Monsieur Quiblier, du Séminaire, et tout le gratin montréalais du commerce et de la magistrature, tout le fretin du négoce et tout le picotin du pot-de-vin; bref, tout ce qui compte et se compte en votes ou en livres sterling. Le tableau, il va de soi, était complété par un essaim de belles dames qui ont profité de l'occasion pour étrenner leur nouvelle toilette d'été. C'est la fête coloniale dans toute sa splendeur. C'est donc aux accents militaires de la fanfare du 15e régiment que tout ce beau monde est monté sur le pont du nouveau traversier que la Champlain and Saint Lawrence Railroad met à la disposition de ses futurs voyageurs.

On a baptisé le bateau *Princess Victoria*, du nom de la fille d'un des frères du Roi que plusieurs des invités ont connu du temps où il commandait un régiment d'infanterie stationné au Bas-Canada. Édouard, Duc de Kent, n'a pas laissé un mauvais souvenir derrière lui. Un peu avant 1800, il a séjourné à Québec pendant 2 ans avec sa maîtresse, Madame de Saint-Laurent, qui fut sa compagne bien-aimée pendant 27 ans. À l'époque, les rieurs avaient ajouté à ses titres celui de *découvreur de la Saint-Laurent*. La Princesse Victoria, qui est l'héritière présomptive de la couronne d'Angleterre, n'est évidem-

MADAME DE SAINT-LAURENT

ment pas la fille de la Saint-Laurent, mais d'une obscure princesse allemande. C'est à son plus grand regret que le Duc de Kent avait dû épouser cette dernière en 1817. Le Parlement n'acceptait d'éponger ses dettes qu'à la condition qu'il régularise sa situation maritale. *Vous ne pouvez imaginer comment mon cœur est blessé au plus profond de mon être,* écrivait le Duc à un ami quelques jours avant de quitter à tout jamais la femme de sa vie, *et comment il saigne à chaque marque de tendresse et d'affection que ma bien-aimée me porte.* La future Reine n'est pas le fruit de l'amour mais du respect des conventions.

La traversée des invités de Peter McGill a duré 50 minutes. Naviguer n'est plus une nouveauté mais, une fois à Laprairie, c'est l'émerveillement devant la locomotive. Lors des essais, la merveille importée d'Angleterre en pièces détachées s'est avérée capricieuse et les contremaîtres l'ont surnommée *Kitten/Petite chatte.* Aujourd'hui donc, elle ne traînera que 2 wagons. Pas question de risquer une panne de vapeur un jour d'ouverture. Des chevaux tireront les autres wagons. Toujours en musique, les invités prennent place dans les wagons de première classe avec 2 compartiments de 8 voyageurs et ceux de deuxième classe avec 3 compartiments de 8 voyageurs. Et c'est parti! Une heure plus tard, on débarque à la gare de Saint-Jean. C'est un hangar que la Champlain and Saint Lawrence a transformé en salle de banquet pour ses 500 convives. Le trajet s'est effectué à une vitesse de 14 milles et demi à l'heure. C'est un succès incontestable. McGill prononce une allocution, le Gouverneur lui répond et personne n'écoute parce que le champagne coule à flots. L'orchestre flonflonne et Lord Gosford virevolte autour des belles Canadiennes. Pour l'instant, sa politique en est une de rapprochement. Le retour est encore plus euphorique que l'arrivée. *De ce jour,* écrit le correspondant du *Canadien* de Québec, *date la mise en exploitation d'une des entreprises les plus considérables et les plus utiles que nous ayons encore vues se réaliser chez nous.*

Le réveil appréhendé des Canadiens français

Les Canadiens français, écrit Fred Elliot, qui est le Secrétaire de la Commission Gosford, *ne sauraient guère manquer de s'apercevoir que les Anglais se sont emparés de toutes les richesses ainsi que du pouvoir dans chaque pays où ils ont pu prendre pied.*

Tous ne sont pas de son avis. *Les chemins de fer,* soutient un opposant, *vont ruiner les charretiers et empêcher les vaches d'être de bonnes laitières.* Cela dit, cette année, Montréal est en avance sur Paris. Thiers, le Ministre de l'Intérieur, n'a pas cru bon donner suite à une demande de financement d'une voie ferrée. *Il faudra donner les chemins de fer aux Parisiens comme un jouet,* a-t-il statué, *mais jamais on ne transportera un voyageur ni un bagage.*

1837

Les récoltes sont mauvaises depuis 5 ans d'affilée, mais la floraison journalistique montréalaise n'a jamais été aussi vivace et efficace. L'effet est instantané et l'éruption garantie. Même les petites annonces sont vénéneuses. *Tir à la carabine. Les membres de la Légion bretonne et du Doric Club qui s'estiment bons tireurs sont respectueusement priés de se tenir prêts,* peut-on lire dans le *Montreal Herald* du 7 mai. *Un personnage en plâtre figurant certain grand agitateur tiendra lieu de cible, de bonne heure dans le mois prochain. Un prix sera décerné au tireur qui abattra la tête dudit personnage à 50 verges de distance.*

Le grand agitateur, c'est évidemment Papineau, l'idole des patriotes et la bête noire des ultraloyalistes. Il suffit qu'on prononce son nom sur une estrade pour que, aussitôt, les uns soulèvent leur chapeau et les autres se rendent devant sa maison, rue Bonsecours, pour la bombarder de bouteilles, de roches et de pavés. Le Gouverneur Gosford s'attend au pire. *Les actes de Papineau et de son Parti tendent à la rébellion,* informe-t-il Londres, *mais on n'a pas encore poussé les choses assez loin pour que l'Exécutif intente raisonnablement des poursuites judiciaires.* Début octobre, c'est également l'avis du Commandant en chef des forces armées, Sir John Colborne. Vue de Montréal, l'agitation, selon lui, n'a pour but que *d'intimider le gouvernement de l'Angleterre en lui faisant croire que le pays est sur le point de se révolter.*

John Colborne

Le 23 octobre, à la convention des 6 comtés qui réunit plus de 5 000 personnes à Saint-Charles, le Parti patriote franchit le point de non-retour. Tous les discours, sauf celui de Papineau, se terminent plus ou moins comme celui du Docteur Côté. *Ce n'est plus le temps d'envoyer des requêtes,* lance ce dernier, *mais des balles!* Quelques jours

plus tard, la réaction du *Montreal Herald* est sans équivoque: *Il faut que le sang coule absolument!* Pragmatique, le Gouverneur Gosford tire 2 000 livres sterling de la caisse militaire *afin d'obtenir des renseignements.* L'un ne va pas sans l'autre. L'appel aux armes se complète toujours d'un appel aux délateurs. *Durant la brève période des deux dernières semaines, tout le pays a apparemment changé et penche maintenant du côté de la révolution,* note Lady Colborne, le 13 novembre. *Des arrestations vont enfin avoir lieu. Lord Gosford y a consenti à contrecœur. On peut espérer que bientôt quelques-uns des principaux meneurs seront sous bonne garde.* Monseigneur Lartigue, enfin Évêque de Montréal après 15 ans d'attente, s'en réjouit avec son habituel manque de perspicacité. *L'arrestation de 5 ou 6 chefs d'ici, surtout des étrangers comme Girod, Brown, les deux Nelson, Joshua Bell, O'Callaghan,* confie-t-il à Monseigneur Signay de Québec, *ferait tout rentrer dans le repos, surtout en ville.*

Toujours le 13 novembre, le Conseil exécutif fignole les derniers détails de l'opération antipatriote. *Tant que certains individus resteront dans la magistrature de Montréal,* s'inquiète le Procureur général, *l'ouverture des poursuites comportera des aléas.* Pour rassurer son sens de la justice, le Conseil exécutif raye des listes le nom de 71 Juges de paix de Montréal et en inscrit 27 autres *plus sûrs* sur une nouvelle liste épurée. La justice peut maintenant procéder sans *aléas.* Le 16 no-

WOLFRED NELSON

vembre, 26 mandats d'arrestation sont émis contre les chefs patriotes. Papineau n'est plus à Montréal. Le 13, il a quitté la ville incognito, accompagné de O'Callaghan et de son neveu Louis-Antoine Dessaules. Il s'est rendu à Pointe-aux-Trembles, puis il a traversé le fleuve en direction de Varennes. *Papineau était vêtu d'une capote,* raconte un témoin. *Il était très calme, composé et, bien que rien n'échappât à son regard, il ne laissait paraître le plus léger symptôme d'appréhension.*

Le 15 ou le 16 novembre, les principaux chefs du mouvement patriote se réunissent et décident de former deux comités. Le premier, qui a un caractère civil, porte le nom de Conseil des patriotes et il est composé de Papineau et O'Callaghan. Le second remplit des fonctions militaires et Wolfred Nelson en assume la direction. Quelques jours plus tard, le 19 novembre, Nelson organise son armée. Sa fille aînée, Sophie, assiste à la scène. *Comme je sortais de l'église de Saint-Denis, après la grand-messe, je vis mon père sur un husting, entouré d'une foule considérable,* raconte-t-elle. *Mes enfants, leur disait-il, on viendra m'arrêter; laissez faire et que chacun retourne chez soi. La foule l'interrompit avec des cris: Non, jamais, nous serions des lâches. Hourra pour le Docteur Nelson! – Mais vous n'êtes pas armés,* rétorque le chef patriote. – *Oui, nous le sommes, nous avons des fusils. – Mais ils sont rouillés,* insiste Nelson. – *Nous les fourbirons et nous avons des fourches. – Écoutez,* reprend une dernière fois l'homme le plus écouté de Saint-Denis, *il y aura du sang versé et vous ne pouvez réussir. Restez chacun chez vous. Ils viendront me prendre, m'emmèneront avec eux et je leur expliquerai les raisons de ma conduite.*

L'EMBARGO INTÉGRAL

Dans l'ensemble, l'embargo des produits importés de l'Angleterre instauré par les patriotes a été respecté. À la lettre parfois. À Trois-Rivières, lorsqu'on a découvert que le gagnant d'une course de chevaux était un cheval importé, le premier prix fut accordé au second, qui était un joual né ici.

Mais tous les efforts de mon père pour les convaincre furent inutiles, conclut Sophie Nelson, *et c'est face à une telle détermination qu'il fallut organiser la défense.*

Quatre jours plus tard, le 23 novembre, vers 6 heures du matin, un habitant, hors d'haleine, vient au village de Saint-Denis annoncer l'arrivée d'une troupe considérable de soldats. Aux 500 hommes de Gore, les patriotes ne peuvent opposer que 300 hommes *n'ayant à leur disposition que 119 fusils dont 57 seulement pouvaient servir tant bien que mal.* La bataille débute par une canonnade vers 10 heures. À 3 heures et quart de l'après-midi, le clairon sonne la retraite des Britanniques. Lorsqu'on fait le compte des troupes à Saint-Ours, 116 hommes manquent à l'appel. Une trentaine ont été tués, une soixantaine blessés et 16 faits prisonniers. Du côté patriote, 14 personnes ont perdu la vie. À Saint-Denis, c'est l'euphorie. Les patriotes ne se lassent pas de se féliciter de leur succès et de raconter les incidents de la journée.

Un seul est absent de ces réjouissances. Accompagné de O'Callaghan, Papineau a quitté le village pour Saint-Hyacinthe dès le début de la bataille. Après 30 ans de luttes, il a raté la première victoire des patriotes.

1838

Maintenant qu'il se cache aux États-Unis sous un nom d'emprunt, celui de Jean-Baptiste Fournier, Papineau n'a jamais été aussi présent dans le Bas-Canada. On le voit partout. Quand Monsieur Symes, le chef de police de Québec, ne fête pas le Nouvel An à la tête d'un millier de volontaires loyalistes en liesse, il cherche à trouver la cachette du chef patriote.

Un jour, Symes fouille la maison de ville de la veuve Clouet et, le lendemain, sa maison de campagne; un autre, la personne et la voiture de Madame Panet; la nuit suivante, il enfonce la porte de la demeure de la veuve Marie. Pour des raisons obscures, Symes semble croire que sous les jupes de toutes les Canadiennes se cache un Papineau. Aux alentours de Montréal, on a vu le chef patriote traverser les airs en carrosse, en ballon, en canot, dans un bateau à vapeur et sur une pompe à éteindre le feu des Anglais tirée par 40 chevaux et 15 paires de bœufs. Parfois, Papineau hurlait à pleine tête: *Courage mes amis, j'arrive avec 60 000 Américains!* D'autres fois, c'était avec une troupe de *50 000 nègres avec un œil au milieu du front.*

À Québec, les 5 patriotes arrêtés ont déjà été libérés. À Montréal, plus de la moitié des 501 personnes incarcérées croupissent toujours à la nouvelle prison du Pied-du-Courant et ce, au grand dam d'Adam Thom. *Une commission spéciale devrait être immédiatement nommée pour faire le procès de la fournée des traîtres emprisonnés,* vocifère-t-il dans le *Montreal Herald. Il serait ridicule d'engraisser tous ces gens tout l'hiver pour l'échafaud. Chaque agitateur local, dans chaque paroisse, doit subir son procès et, s'il est trouvé coupable, il doit perdre ses propriétés à vie. La punition des principaux chefs, quelque agréable qu'elle puisse être aux habitants anglais de cette province,* convient-il avec cynisme, *ne ferait pas une impression aussi profonde ni aussi durable sur la grande masse du peuple que la vue d'un cultivateur étranger sur la terre de chaque agitateur local et de l'état de dénuement de sa veuve et de ses orphelins, preuves vivantes de la folie et de la méchanceté de la rébellion.*

Avant de quitter la cellule où il a été emprisonné même s'il n'a pris aucune part au soulèvement, un patriote notoire a laissé un mot écrit sur le mur: *Le gouvernement anglais se souviendra de Robert Nelson.* Le frère de Wolfred Nelson a tenu parole. Les rumeurs d'une invasion en provenance des États-Unis n'étaient pas complètement dénuées de vérité. Le 28 février, quelques centaines de patriotes, commandés par Robert Nelson et le Docteur Côté, traversent le lac Champlain avec une longue suite de traîneaux, 1 500 fusils et baïonnettes, des munitions et 3 pièces de campagne. Une fois sur le territoire du Bas-Canada, ils font halte à Week's House. Robert Nelson, à titre de Président, rend alors publique la *Déclaration d'indépendance*, qui sera reprise, quelques jours plus tard, dans les journaux du Bas-Canada.

NOUS DÉCLARONS SOLENNELLEMENT QU'À COMPTER DE CE JOUR, LE PEUPLE DU BAS-CANADA EST ABSOUS DE TOUTE ALLÉGEANCE À LA GRANDE-BRETAGNE, ET QUE TOUTE CONNEXION POLITIQUE ENTRE CETTE PUISSANCE ET LE BAS-CANADA CESSE DE CE JOUR; QUE LE BAS-CANADA DOIT PRENDRE LA FORME D'UN GOUVERNEMENT RÉPUBLICAIN ET SE DÉCLARE MAINTENANT, DE FAIT, RÉPUBLIQUE; QUE, SOUS LE GOUVERNEMENT LIBRE DU BAS-CANADA, TOUS LES CITOYENS AURONT LES MÊMES DROITS; LES INDIENS CESSERONT D'ÊTRE SUJETS À AUCUNE DISQUALIFICATION CIVILE QUELCONQUE ET JOUIRONT DES MÊMES DROITS QUE LES AUTRES CITOYENS DE L'ÉTAT DU BAS-CANADA; QUE TOUTE UNION ENTRE L'ÉGLISE ET L'ÉTAT EST DÉCLARÉE ABOLIE ET TOUTE PERSONNE A LE DROIT D'EXERCER LIBREMENT LA RELIGION ET LA CROYANCE QUE LUI DICTE SA CONSCIENCE; QUE LA TENURE SEIGNEURIALE EST ABOLIE; QUE L'EMPRISONNEMENT POUR DETTE, SAUF DANS LES CAS DE FRAUDE ÉVIDENTE, N'EXISTERA PLUS; QUE LA PEINE DE MORT NE SERA PRONONCÉE QUE DANS LE CAS DE MEURTRE; QU'IL Y AURA LIBERTÉ DE LA PRESSE PLEINE ET ENTIÈRE; QUE TOUTE ÉLECTION SE FERA PAR LE MOYEN DU SCRUTIN SECRET; QU'ON SE SERVIRA DES LANGUES FRANÇAISE ET ANGLAISE DANS TOUTES LES MATIÈRES PUBLIQUES.

Dans le même souffle, Robert Nelson, à titre cette fois de Commandant en chef de l'armée patriote, fait état d'une deuxième proclamation. *Nous ne déposerons les armes,* déclare-t-il, *que lorsque nous aurons procuré à notre pays l'avantage d'un gouvernement patriote et responsable.* C'est un vœu pieux. Repoussés par les volontaires loyalistes de Missisquoi et par les troupes de la Reine, les patriotes doivent repasser les frontières. Le lendemain, ils rendent leurs armes et munitions au Général Wool, de l'armée américaine. En stricte conformité avec la politique de neutralité des États-Unis dans l'affaire du Canada, Nelson et Côté sont arrêtés et emprisonnés pour la forme.

ROBERT NELSON

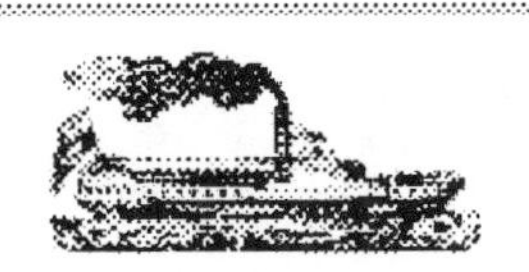

UN AMNISTIÉ RÉCALCITRANT

En juillet, comme tous les prisonniers politiques, Louis-Michel Viger, dit *le beau Viger*, a été amnistié, mais il refuse de quitter sa cellule et exige la tenue d'un procès. Il n'a pas été emprisonné pour ses idées politiques, soutient-il non sans raison, mais parce qu'il était l'un des gérants de la Banque du peuple, un concurrent fort peu prisé par le conseil d'administration de la Bank of Montreal.

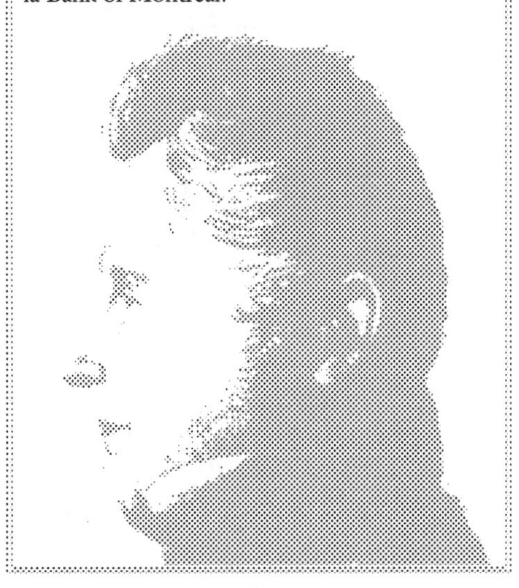

Quelques jours auparavant, à Londres, le nouveau Gouverneur, Lord Durham, définissait l'objet de sa mission. *Radical Jack* est un libéral convaincu, à la sauce britannique. *Je désire assurer à tous une égale justice, une égale protection,* professe-t-il, *mais je les regarderai tous d'un même œil comme sujets de Sa Majesté et je ne reconnaîtrai ni parti français, ni parti breton, ni parti canadien. Mon devoir, comme je le comprends, est d'établir en première instance la suprématie du gouvernement de Sa Majesté.*

1839

Montréal est une immense prison où croupissent 800 prisonniers politiques entassés dans 3 geôles: celle du Pied-du-Courant, la vieille prison et un hangar de la Pointe-à-Callière transformé en lieu de détention. En novembre dernier, les Frères chasseurs, une organisation secrète qui, selon certains, comptait 10 000 membres et 200 000 selon Colborne, a tenté un deuxième soulèvement. Menée à nouveau par Robert Nelson et le Docteur Côté, l'invasion des patriotes a lamentablement échoué devant Odelltown.

Dimanche soir, se réjouissait Adam Thom quelques jours après la débandade des patriotes, *tout le pays en arrière de Laprairie présentait l'affreux spectacle d'une vaste nappe de flammes vives, et l'on rapporte que pas une seule maison rebelle n'a été laissée debout. Il est triste de réfléchir sur les terribles conséquences de la rébellion, de la ruine irréparable d'un si grand nombre d'êtres humains, qu'ils soient innocents ou coupables,* s'émeut hypocritement le boute-feu. *Néanmoins, il faut que la suprématie des lois soit maintenue inviolable, l'intégrité de l'Empire respectée, la paix et la prospérité assurées aux sujets britanniques, même aux dépens de la nation canadienne entière.*

La Cour martiale, présidée par le Major général John Clitherow et composée de 14 membres des forces armées et de la garnison, n'a pas chômé. Le 21 décembre dernier, elle pendait ses 2 premiers patriotes, le Notaire Cardinal et son jeune Clerc Duquet, tous deux capturés par les Iroquois de Sault-Saint-Louis. La veille, ces derniers avaient présenté une pétition à Colborne qui est demeurée sans réponse. *Nous supplions notre Père d'épargner la vie de ces hommes infortunés. Ils ne nous ont fait aucun mal,* rappellent les Iroquois. *Ils n'ont pas trempé leurs mains dans le sang de leurs frères. Pourquoi répandre le leur?*

Les conditions de détention des prisonniers sont pénibles: nous demeurâmes 33 jours dans les cachots sans sortir ni jour ni nuit, relate le patriote Léandre Ducharme. *Nous couchions sur le plancher, n'ayant qu'une simple couverte pour lit et couverture dans cette saison où le frimas tapissait tout l'intérieur de nos cellules. Au bout de 33 jours, après beaucoup d'insistance de notre part, l'on nous permit d'ouvrir les portes de nos cellules 6 heures par jour, c'est-à-dire de 10 à 4; plus tard, nous avons obtenu quelques heures de plus.*

Le 18 janvier, à 9 heures du matin, Decoigne, Robert, Hamelin et les deux Sanguinet montent sur l'échafaud. Ils venaient de la région de Laprairie. *Le Capitaine Robert,* note *L'Ami du peuple, a 28 frères ou sœurs vivants, et les 29, à eux tous, ont 146 enfants. Pendant les procès, quelques-uns de nos juges s'amusaient, durant les séances, à dessiner des bonshommes pendus à des gibets,* témoigne un des accusés, François-Xavier Prieur, *et ces grossières caricatures, qu'ils se passaient sous nos yeux, paraissaient les amuser beaucoup.*

Le 15 février, à 9 heures, c'est au tour de Narbonne, Daunais, Nicolas, Charles Hindenlang et Chevalier de Lorimier de monter à l'échafaud. L'avant-veille de la pendaison, le Docteur Brien, le compagnon de chambre de De Lorimier, a demandé qu'on le change de cellule. C'est un peu compréhensible. Brien est un délateur dont les dénonciations ont contribué à faire condamner De Lorimier, ce que

DE LORIMIER

ce dernier ignore. Brien est condamné à mort, mais il sait qu'il ne sera pas pendu. *La veille de la pendaison, nous avions pris des arrangements pour donner à nos deux amis un souper d'adieu,* raconte Prieur. *À quatre heures, on se mit à table; Hindenlang présidait au banquet. De Lorimier n'occupa pas le siège qui lui était réservé, mais il vint prendre avec nous un verre de vin. Pendant le repas, il se promenait dans le corridor avec Madame de Lorimier au bras.* À 10 heures du soir, les prisonniers doivent regagner leur cellule.

De Lorimier embrasse sa femme et, une fois seul, rédige son testament politique. *Je meurs sans remords, je ne désirais que le bien de mon pays dans l'insurrection et l'indépendance; mes vues et mes actions étaient sincères et n'ont été entachées d'aucun des crimes qui déshonorent l'humanité et qui ne sont que trop communs dans l'effervescence des passions déchaînées,* écrit le notaire patriote. *Depuis 17 à 18 ans, j'ai pris une part active dans presque toutes les mesures populaires et toujours avec conviction et sincérité. Mes efforts ont été pour l'indépendance de mes compatriotes. Nous avons été malheureux jusqu'à ce jour,* constate-t-il sans perdre espoir pour autant. *Malgré tant d'infortunes, mon cœur entretient encore du courage et des espérances pour l'avenir: mes amis et mes enfants verront de meilleurs jours, ils seront libres, un pressentiment certain, ma conscience tranquille me l'assurent. Je laisse des enfants qui n'ont pour héritage que le souvenir de mes malheurs. Le crime de votre père est dans l'irréussite. Si le succès eut accompagné ses tentatives, on eut honoré ses actions d'une mention honorable,* juge-t-il bon de leur rappeler ainsi qu'à tous ceux qui doutent maintenant du bien-fondé de la

UNE DÉPORTATION À LA DIABLE

Le 25 septembre, à 3 heures de l'après-midi, 58 des patriotes condamnés à mort apprennent que leur sentence est commuée en sentence de déportation en Australie et que leur départ est fixé au lendemain matin sans qu'ils puissent dire adieu à leur famille.

cause. *Je n'ai plus que quelques heures à vivre, et j'ai voulu partager ce temps entre mes devoirs précieux et ceux dus à mes compatriotes; pour eux, je meurs sur le gibet et de la mort infâme du meurtrier; pour eux, je me sépare de mes jeunes enfants et de mon épouse sans autre appui; et, pour eux, je meurs en m'écriant:* Vive la liberté! Vive l'indépendance!

1840

François-Xavier Garneau

Montréal a retrouvé sa chartre, perdue en 1836. Le Conseil spécial qui administre toujours le Bas-Canada l'a accordée en ajoutant un quartier (la ville en possède maintenant 9) et en supprimant un irritant pour les partisans de Peter McGill, l'élection des Conseillers par le peuple. Monsieur McGill, qui incidemment fait également partie du Conseil spécial, n'a jamais été élu à aucun des postes qu'il occupe. Il a toujours été nommé d'office.

Une pratique que le nouveau Gouverneur, Charles Edward Poulett Thomson, serait le dernier à condamner. Dès la remise en vigueur de la nouvelle chartre, il s'est empressé de nommer *our dear Peter* au poste de *Mayor of Montreal* ainsi que 18 *Councillors* dont seulement 6 sont canadiens. Le 26 août, les loyalistes et les hommes d'affaires choisis par McGill se sont réunis dans le bureau de ce dernier, rue Saint-Paul, pour prêter le serment d'office. D'abord et avant tout pragmatique, le Conseil municipal s'est organisé en comités pour expédier les affaires courantes. Or, contre toute attente, McGill et ses amis sont tombés sous le charme d'un ventriloque, philanthrope et promoteur d'échanges culturels, Nicolas-Marie-Alexandre Vattemare.

VATTEMARE

Monsieur Alexandre est l'apôtre des échanges entre les cités, les États, les bibliothèques, les musées, les croyances et les partis politiques. Publiciste né, il attire tout d'abord les foules comme ventriloque pour ensuite céder la parole à l'apôtre. Il s'est arrêté à Montréal dans le cadre d'une tournée américaine qu'il effectue avec l'appui du Congrès des États-Unis. Son hôte canadien est le chef patriote Denis-Benjamin Viger, aujourd'hui âgé de 66 ans. Jeté en prison en novembre 1838, le cousin de Papineau a traîné dans son cachot jusqu'en mai dernier. Par pure mesquinerie, on lui avait même interdit de jouer du flageolet, son seul amusement, et refusé l'exercice dans la cour de la prison. Dénoncé par le *Montreal Herald* comme propriétaire de journaux séditieux, Viger a vécu 18 mois dans le plus grand isolement, sans plume pour écrire, ni papier, ni journaux.

L'amitié de Viger pour Vattemare ne pouvait de toute évidence servir de recommandation auprès de ceux qui ont maintenu le patriote sexagénaire en prison. C'est le projet du philanthrope qui a séduit McGill et ses amis, un projet grandiose, celui d'un Institut regroupant sous un même toit les 3 principales sociétés montréalaises, la Société d'histoire naturelle, l'Institut des artisans et la Bibliothèque de Montréal, un toit qui abriterait également l'Hôtel de ville, la Bourse et le Bureau de poste. Par le truchement de McGill qui siège aux deux, le Conseil de ville n'a pas hésité à demander au Conseil spécial la permission d'emprunter 50 000 livres pour construire ce qu'on peut définir comme *une maison de la culture*. En attendant que l'affaire soit conclue, l'apôtre des échanges demeure fidèle à sa manière. *Monsieur Alexandre* présente ses spectacles de ventriloque et Monsieur Vattemare anime des réunions où il prêche le rapprochement entre les croyances et les credo politiques. Utopiste, Vattemare n'est pas pour autant un illuminé. Il tient ses réunions devant des publics séparés, anglais ou canadiens.

VIGER

Pendant que le Conseil de ville de Montréal est sous le charme d'un ventriloque utopiste français, la ville est sous l'emprise d'un prédicateur qui est également français, Monseigneur Forbin-Janson. Fortement lié au régime de Charles X, le prélat a dû s'exiler de France après la Révolution de 1830. Depuis son arrivée au Bas-Canada, l'orateur sacré fait un malheur partout où il prêche. La tournée de Forbin-Janson a débuté à Québec où la retraite, prévue pour une semaine, s'est étendue sur plus de 20 jours et a été suivie régulièrement par 6 000 personnes. L'Évêque de Nancy est une superstar de la chaire dont le charisme est comparable à celui des *preachers* qui sillonnent les États-Unis. Dans un climat de prostration politique, l'éloquence de Forbin-Janson tombe à point. Elle suscite un accueil frénétique qui s'apparente au délire et provoque un réveil religieux sans précédent.

C'est cet hiver, à Montréal, et dans 20 villages de ce diocèse, et aux Trois-Rivières, qu'il fallait voir les vrais prodiges de la Grâce divine dans la conversion de milliers et de milliers d'âmes, relate le prédicateur. *Quinze à 20 confesseurs au moins et quelquefois 36, travaillant jour et nuit et des semaines entières; chaque jour, 800 à 900 communions et des larmes abondantes que la terre en était, exactement parlant, mouillée en dessous de la tête des pénitents. Il n'y avait plus de place dans les petites villes ou bourgades pour loger les hommes et les chevaux,* fanfaronne le champion du repentir en exagérant à peine, *on couvrait les bêtes de peaux pour les garantir d'un froid de 20 à 28 degrés de Réaumur. Sept cents à 800 et quelquefois 1 000 à 2 000 personnes qui ne pouvaient plus rester dans les églises entendaient les instructions en dehors, la porte ouverte, ou bien perchées sur des tas de neige, 30 à 60 à chacune des fenêtres et cela par un froid si rigoureux. Quelquefois, 100 à 120 petites voitures me suivaient ou venaient à ma rencontre en glissant sur la neige.*

À Montréal, presque tous les notables et quasiment toute la ville suivent la retraite prêchée par Forbin-Janson. Pour ceux qui n'y participent pas, la cloche des trois principales églises fait entendre, pendant un quart d'heure tous les soirs, un son plaintif qui symbolise l'agonie du pécheur. Tous les fidèles, où qu'ils se trouvent, doivent alors réciter trois *pater* et trois *ave* pour supplier la Providence de fléchir les récalcitrants. Monseigneur Forbin-Janson fait appel sans vergogne à l'émotion mais le moment dramatique le plus intense de la retraite, on le doit au nouvel Évêque de Montréal.

FORBIN-JANSON

Après un sermon du crac de la Propagation de la Foi, Monseigneur Bourget s'est dépouillé de tous les insignes de son rang et, dans l'attitude du pénitent humilié, un flambeau à son côté, l'hériter spirituel de Monseigneur Lartigue a prononcé la formule d'amende honorable au nom de l'assistance prosternée. Ce n'est pas la dernière fois qu'il parlera au nom de ceux que Forbin-Janson décrit comme *ces chers Canadiens aux cœurs d'or et aux clochers d'argent.*

LE PÈRE DE L'ANARCHISME

Qu'est-ce que la propriété? demande Proudhon dans son dernier ouvrage et il répond sans hésiter: *C'est le vol! Qu'est-ce que l'esclavage? C'est l'assassinat! Le pouvoir d'ôter à un homme la pensée, la volonté, la personnalité, est un pouvoir de vie et de mort,* enseigne le philosophe socialiste, *et faire un homme esclave, c'est l'assassiner.*

1841

Montréal a troqué sa mèche rebelle pour une tonsure. Dorénavant, on se bouscule à la sainte table, on se donne rendez-vous aux vêpres, les Sociétés de tempérance foisonnent et les confessionnaux débordent. Les sermons ont remplacé les discours politiques, les neuvaines, les pétitions et les prie-Dieu, les hustings. Dans la bouche des émules de Forbin-Janson, les *92 Résolutions* se résument désormais à 3 articles: le repentir, l'obéissance et la soumission.

Je suis, sous le rapport religieux et politique, ce que vous m'avez connu en 1837, écrit un patriote à Ludger Duvernay qui est toujours en exil à Burlington aux États-Unis, *mais il s'est opéré ici une telle révolution morale que je crois pouvoir vous dire, sans vous offenser, que vous ignorez entièrement le pays tel qu'il est aujourd'hui.* Il y a 4 ans, 4 religieux coiffés d'un tricorne débarquaient à Montréal au beau milieu des échauffourées entre les Fils de la Liberté et le Doric Club. *On a fait venir d'Europe,* écrivait Duvernay dans *La Minerve*, *4 frères ignorantins, dits de la doctrine chrétienne, pour donner des leçons d'obéissance passive à la jeunesse canadienne.* Aujourd'hui, on s'en félicite. La nouvelle école en pierre de taille que les frères des Écoles chrétiennes ont inaugurée rue Vitré ne répond déjà plus à la demande. Répartis en 8 classes, dont 4 de langue anglaise, 860 élèves fréquentent l'école Saint-Laurent pour y recevoir des leçons d'obéissance.

La répression de 1837 et de 1838 est un souvenir qu'on préfère oublier. Ce n'est pas l'avis du libraire Fabre. Il a fait exhumer le corps de son beau-frère, Ovide Perrault, tué à Saint-Denis. Lorsqu'il a voulu lui élever un monument pour que la tombe soit visible du chemin, on lui a objecté que ce n'était pas l'usage. *Se faire tuer pour son pays non plus,* a rétorqué le libraire patriote. Édouard-Raymond n'est pas qu'un homme d'affaires, c'est un homme de cœur et de conviction. Son admiration et son amitié pour Papineau demeurent indéfectibles et il fait l'impossible autant pour récupérer les sommes d'argent dues à Duvernay que pour sauver les biens confisqués, pillés ou perdus des patriotes.

Papineau s'est exilé à Paris avec sa femme, Julie, et son fils, Lactance, qui étudie la médecine. Il sort peu et vit en famille. Parmi les rares personnes invitées à dîner chez les Papineau, rue de Courcelles, il faut compter, bien sûr, Sophie Fabre, la sœur aînée d'Édouard-Raymond. Elle a épousé Hector Bossange, l'ancien associé de son frère. Bossange est maintenant propriétaire d'une des plus importantes librairies parisiennes. *Le Paris littéraire, savant et artistique m'enchante,* écrit Louis-Joseph à son fils Amédée qui réside à New York, *tout le reste me dégoûte. Après un mois de mars d'été, nous avons un mois d'avril d'hiver; maman en est un peu incommodée. Néanmoins, ce n'est qu'un rhume qui sera bientôt guéri. Les longs offices de la Semaine sainte y ont peut-être contribué. Ta maman a été enchantée de l'éloquence des prédicateurs et de la beauté de la musique,* rapporte Papineau qui ne partage ni la foi ni les goûts de sa femme. *La déclamation des prédicateurs me paraît un peu forcée et théâtrale. On voit que ce sont des hommes qui savent que leur auditoire est passionné pour les théâtres, où il éprouve habituellement de fortes émotions. Ainsi, dans ces occasions rares où le public vient encombrer les églises, désertes hors ces jours de grande solennité, si on ne l'attache par des sensations analogues à celles du théâtre, on risque fort de le perdre.*

AMÉDÉE PAPINEAU

Une passion de trois heures a été prêchée par deux prédicateurs, poursuit le tribun avec le point de vue critique d'un homme de spectacle, *et les intervalles des hymnes chantés par quelques-unes des meilleures voix de l'*Opéra. *Pour exprimer le désordre de la nature à l'agonie de son auteur, l'on a arraché à un orgue puissant les roulements et les éclats du tonnerre avec une sévérité qui a fait une grande frayeur à ta maman, que j'ai soulagée en lui disant après le second coup de foudre qui la trompait qu'il partait de l'orgue. Puis, des craquements horribles et des roulements plus sourds et plus profonds rappelaient le tremblement de terre. Tout cela est beau et grand, sauf que j'aimerais mieux de tels effets à l'opéra qu'à l'église. Mais en Europe l'un et l'autre sont un peu machines d'État qui les salarie tous deux,* conclut l'incroyant avec une pointe d'ironie.

La santé, c'est le travail

La Chambre a voté une loi limitant à 12 heures la journée de travail des enfants de 8 à 12 ans. La proposition initiale de 8 heures a été rejetée avec violence par les députés. *Nous ne voulons pas,* ont-ils déclaré, *que les enfants vivent jusqu'à 10 ans sans avoir contracté l'habitude salutaire du travail.*

Nous avons eu le plaisir de voir l'Évêque de Montréal et ses deux compagnons de voyage, confie Papineau à son fils Amédée en lui faisant le portrait du successeur de Lartigue. *Monseigneur Bourget est dévoué à la cause de l'enseignement et de la dévotion. Il veut emmener des maîtres d'école, frères de la doctrine chrétienne, français et irlandais. L'Évêque est un homme du vieux temps qui a voulu prendre trois des cinq à six jours qu'il passait à Paris pour faire un pèlerinage à Angers près d'une statuette miraculeuse de la Vierge. Pour assurer le succès de sa mission, m'ont dit ses compagnons de voyage qui, eux, ont mieux aimé rester dans la ville du péché qu'aller à celle du prodige,* ironise l'exilé qui laisse percer son mal du pays. *Ils sont venus dîner et passer la soirée avec moi. Il y a tant de plaisir à parler du Canada avec des Canadiens.*

P.-S.: Tu n'est pas beau, affublé d'une large paire de lunettes, mon cher Amédée, même si elles cachent en partie ton nez épaté. Ton père affectionné, Louis-Joseph Papineau.

1842

En novembre, au point de départ de *la diligence rouge* pour Québec, c'est-à-dire à l'intersection de la rue Saint-Paul et de la Place Jacques-Cartier, face à l'*Hôtel Rasco*, on ne parlait que d'une chose: le tremblement de terre qui a frappé Varennes, Nicolet et Trois-Rivières. Il va de soi que ce qui relançait les conversations n'était pas ce qui était arrivé mais ce qui aurait pu se produire.

Si, au lieu de durer cinq à six secondes comme il l'a fait, le tremblement de terre avait continué une minute avec la même violence, confiait un témoin à *La Minerve*, *l'église de Trois-Rivières se serait écroulée et je serais dans l'éternité.* Il n'y serait pas tout seul. Au début des secousses, le lundi 7 novembre, il y avait au moins 200 personnes réunies dans l'église pour assister au mariage du p'tit Duval et d'la p'tite Pacaud. *C'est arrivé au moment où le Grand Vicaire Cook a entonné l'*Agnus Dei, précise un autre témoin. *L'église s'est mise à trembler. Le curé a une bonne voix mais pas à ce point-là! De toute façon, elle a été enterrée immédiatement par un bruit qui ressemblait à celui d'une charrette qui roule sur la terre gelée. Les prie-Dieu, les murs, la lampe du sanctuaire, tout dansait devant nos yeux.*

Pis là, poursuit le Trifluvien, *on a entendu comme une détonation de canon. C'était la voûte qui venait de craquer.* À partir de ce moment-là, c'est la panique. *Y a des femmes qui faisaient la toile; y en d'autres qui leur marchaient dessus pour sortir; y en a qui les ramassaient dans leurs bras; pour être franc,* se souvient le rescapé, *il n'y avait plus personne qui savait ce qu'il faisait. Il faudra attendre que le coq du clocher cesse d'être agité comme par un vent violent pour se rendre compte que les mariés et le curé Cook sont toujours dans l'église. Au milieu de tout ce tohu-bohu,* note le témoin amusé, *les trois étaient restés dans le chœur, unis, comme on dit, pour le meilleur et pour le pire, dans le bonheur comme dans le malheur.* Lorsque les invités se sont retrouvés au banquet de noce, personne n'a refusé un p'tit remontant pour se remettre les jambes d'aplomb!

L'*Hôtel Rasco*, où s'est tenu le banquet de la Saint-Jean-Baptiste de 1836, demeure le rendez-vous de la bonne société montréalaise. Le nouveau Gouverneur, Sir Charles Bagot, y descend chaque fois qu'il se rend à Kingston, la nouvelle capitale du Haut et du Bas-Canada. Bagot a remplacé son prédécesseur au saut de l'étrier, pourrait-on dire. Anobli en Lord Sydenham, Charles Edward Poulett Thomson est mort du tétanos à la suite d'une chute de cheval. Toute la sympathie des Canadiens est allée au quadrupède. En s'écrasant sur un maître sans scrupules, intrigant, égoïste, mesquin, autocrate, étroit d'esprit et vaniteux, le cheval a rendu un fier service aux partisans du gouvernement responsable.

Ces jours-ci, l'*Hôtel Rasco* accueille un romancier britannique, Charles Dickens. Célèbre à 30 ans, il est l'auteur des *Aventures de Monsieur Pickwick*, d'*Oliver Twist*, de *Nicolas Nickleby*, du *Magasin d'antiquités* et de *Barnaby Rudge*. Dickens est descendu à Montréal pour se reposer d'une épuisante tournée de conférences aux États-Unis et il s'ennuie. Sa femme Catherine l'accompagne. Elle ne brille pas en société, c'est le moins qu'on puisse dire. Elle n'a aucune conversation et somnole durant les repas. Bref, elle est tout aussi inadéquate comme hôtesse qu'elle est ennuyante comme invitée. Sans oublier son pathétique manque de coordination physique qui exaspère son mari. *Elle tombe dans et hors de toutes les diligences et de tous les bateaux dans lesquels nous montons ou descendons,* écrit Dickens à un ami. *Elle est couverte de bleus, s'écorche la peau des jambes et se fait des ampoules aux pieds.*

DICKENS

Lorsque les officiers des Coldstream Guards en garnison à Montréal font appel à Dickens pour les aider à présenter un spectacle de théâtre, c'est une invitation inespérée. Le romancier saute sur l'occasion. À 20 ans, Dickens rêvait d'une carrière d'acteur. Il se prend au jeu. Non seulement fait-il la mise en scène de 3 pièces, mais il s'en attribue les premiers rôles. Les représentations ont lieu sur la scène du *Theatre Royal*, situé en face de l'*Hôtel Rasco*. C'est un franc succès. *Le spectacle d'hier soir a bien marché,* rapporte le romancier-acteur. *L'assistance, entre 500 et 600 personnes, était invitée comme à une réception, une table avec rafraîchissements ayant été dressée dans le hall et le bar. À l'orchestre, nous avions la fanfare du 23e régiment, le théâtre était éclairé au gaz, le décor était excellent et les meubles et accessoires avaient été prêtés par des particuliers. Sir Charles Bagot, Sir Richard Jackson et leurs états-majors étaient présents et, comme les militaires portaient l'uniforme, nous avions une salle vraiment splendide. Je crois vraiment avoir été très drôle,* se félicite Dickens. *Je sais en tout cas que j'ai moi-même ri de bon cœur. Pour prévenir les mécontentements dans une ville où l'on est fort susceptible,* note l'acteur-romancier, *il est dans leurs habitudes ici de répéter un spectacle en public lorsqu'on l'a donné précédemment, de sorte que samedi nous avons répété les deux premières pièces devant une assistance payante, au profit du gérant, en substituant naturellement de véritables actrices à nos interprètes féminines amateures.* Tous ceux qui ont vu jouer Dickens en conviennent, c'est un acteur remarquable. Assez doué pour faire oublier qu'il est d'abord un grand romancier. *Le jour où il s'est mis à écrire des livres,* s'est écrié un machiniste, *ce fut une grande perte pour le public de théâtre.*

BONNET BLEU, *BLUE BONNET*

Les amateurs de courses de chevaux qui veulent se rendre au *Fashion Race* en diligence ou en calèche n'ont qu'à suivre la route de Lachine jusqu'à *Blue Bonnets,* la taverne de Sandy McRae. L'établissement est facilement identifiable par son enseigne qui représente un *highlander* grandeur nature coiffé d'un *blue bonnet.*

1843

Le canal Lachine fait la une. Le torchon brûle entre les ouvriers, irlandais pour la plupart, et les entrepreneurs responsables des travaux d'agrandissement du canal. La situation est non seulement tendue, mais explosive.

Recrutés parmi les plus pauvres et les plus démunis, les ouvriers irlandais sont des Corkonniens ou des Connaughts, deux variétés d'enfants de saint Patrick qui se méprisent et se haïssent mutuellement. Une réalité sociohistorique que les entrepreneurs ont choisi d'ignorer. Tous sont égaux devant leur âpreté au gain. Ils versent des salaires de famine et imposent aux Irlandais de s'approvisionner dans leurs magasins établis à proximité des chantiers, aux tarifs qu'ils ont fixés, bien sûr. Le samedi 4 février, à Lachine, c'est le ras-le-bol, la révolte de l'indigence: 1 000 ouvriers irlandais se mutinent et déposent leurs pelles. Armés de fusils, de faux, de gourdins, une bande de 300 Corkonniens se ruent au Village des tanneries, ultérieurement Saint-Henri, et malmènent tous ceux qu'ils croisent. Bilan de cette première mutinerie: 18 arrestations.

Un mois plus tard, c'est la récidive. Cette fois, les Irlandais se battent entre eux. Les Corkonniens s'en prennent aux Connaughts, ravagent et brûlent leurs maisons. L'attaque aurait fait deux morts. L'agression est si brutale que les soldats appelés à intervenir prennent peur et rebroussent chemin. Les entrepreneurs demeurent inflexibles. Pour se débarrasser des têtes fortes, ils tentent d'embaucher des Canadiens. Autant éteindre un feu avec de l'huile. Pour ramener le calme sur les chantiers, la police de Montréal reçoit l'ordre de mettre sur pied une police temporaire. Elle sera commandée par Jean-Baptiste Laviolette. On a choisi un Canadien *parce que le canal traverse une étendue de pays exclusivement habitée par des personnes d'origine française*, explique-t-on. *Puisque les travailleurs sont en grande partie des Anglais ou des Irlandais*, ajoute benoîtement le document officiel, *il pourrait peut-être s'élever des difficultés et des malentendus entre eux, causés par la différence des langues et par les relations constantes.*

Laviolette n'est pas qu'un mauvais choix, c'est un pur imbécile. En mars, il accepte sans tiquer qu'un des entrepreneurs, Crawford, siège à la Commission de paix qu'on a formée pour régler le conflit. En juin, lorsque le même Crawford annonce sa décision de fermer tous les magasins sur les chantiers, Laviolette lui donne sa bénédiction. Condamnés à mourir de faim, les ouvriers irlandais n'ont d'autre choix que de se soulever et l'anarchie la plus complète règne tout le long du canal Lachine pendant plusieurs jours. Le 12 juin, Laviolette intervient. Quelque part sur le canal, il fait lecture du *Riot Act* devant des ouvriers qui n'arrivent pas à prendre la menace au sérieux. Laviolette s'en offusque et donne l'ordre de tirer dans le tas, c'est-à-dire dans le dos des Irlandais, comme en font foi la majorité des blessures des victimes de la fusillade qui a fait six morts. Lors d'une enquête subséquente, les ouvriers obtiendront gain de cause contre Laviolette mais, face aux entrepreneurs, leurs revendications demeurent lettre morte. Corkonniens et Connaughts doivent retourner travailler à l'agrandissement du canal Lachine sans aucun allégement de leurs conditions. Ils en seront quittes pour continuer de se détester.

Si Laviolette avait un besson en bêtise, ce serait le Capitaine Augustin Saint-Louis. Le 20 juin, il commandait le *Saint-Louis*, un vapeur qui a quitté son quai du port de Montréal, comme il le fait régulièrement, pour se rendre à Boucherville puis à Varennes. L'air est sec et le vent souffle. Le *Saint-Louis* dépasse Boucherville. Pour faire marche arrière, le Capitaine doit forcer le rythme de ses machines,

alimentées à l'épinette rouge. Pendant qu'on arrime le navire au quai de Boucherville, les cheminées laissent fuser une volée d'étincelles. En peu de temps, elles embrasent un bâtiment sur la rive. Les passagers quittent alors le navire pour aller éteindre les flammes. Au quai, le *Saint-Louis*, dont les cheminées ne sont pas munies de treillis en fil métallique, laisse toujours échapper des fusées d'étincelles. Un autre incendie se déclare. Une heure plus tard, lorsque le *Saint-Louis* quitte enfin le quai en direction de Varennes, il laisse une conflagration majeure derrière lui. L'incendie s'est déjà emparé d'une dizaine des 75 maisons de Boucherville.

À Varennes, c'est l'hôtel cette fois qui s'enflamme à l'arrivée du *Saint-Louis.* Heureusement, on parvient à éteindre l'incendie et à éviter la conflagration. Celle de Boucherville est maintenant hors de contrôle. Sur les quais de Montréal, des centaines de Montréalais observent le brasier qui dévaste la rive sud. Au milieu des badauds, une compagnie de pompiers volontaires traîne des pompes à incendie et s'apprête à les charger à bord du *Lady Colborne* qui les transportera jusqu'au lieu du sinistre. Il y a toutefois un hic. Le règlement ne souffre aucune dérogation, les pompiers devront tout d'abord régler le prix de leur passage. Une heure plus tard, ils sont enfin à l'œuvre mais il n'y a plus rien à sauver. Le clocher en pierre de l'église s'est écrasé dans le cimetière et plus d'une cinquantaine de maisons sont rasées.

NÉS POUR UN GROS PAIN

Le 24 juin, lors d'une messe solennelle célébrée à l'église Notre-Dame pour fêter la Saint-Jean-Baptiste, les Montréalais ont été éblouis par un pain béni splendide, haut de 18 étages, comme quoi, le jour de la fête nationale, *on peut ambitionner sur le pain béni.*

Devant le tribunal, on a prouvé que le Capitaine Augustin Saint-Louis avait refusé d'aller chercher du secours à Montréal. *Ce n'était pas prévu dans mon horaire,* a-t-il répondu laconiquement.

1844

Malgré l'opposition massive du Conseil législatif qui en a fait *a question of English or French supremacy*, Montréal est désormais la capitale du Canada. La Chambre a adopté le projet de loi par 51 voix contre 27. Les députés en avaient soupé de Kingston.

Le 1er juillet, 21 coups de canon tirés de l'île Sainte-Hélène ont marqué l'ouverture de la session et le Parlement est entré dans ses nouveaux locaux, le marché Sainte-Anne, que son propriétaire, la Ville de Montréal, a consenti à louer au gouvernement. C'est un édifice à 2 étages qui comprend une vaste salle pour la Chambre, une plus petite pour le Conseil législatif et des bureaux. Les comptoirs de légumes, de volaille, de poisson, les étaux de boucher, la grande bascule pour les pesées officielles, tout a été relocalisé dans un bâtiment de bois construit à la hâte situé à l'arrière de l'ancien marché.

Le Parlement siège là où, l'an dernier, on fondait l'Association Saint-Jean-Baptiste, dont le nouveau Premier Ministre, Denis-Benjamin Viger, est toujours Président. Le septuagénaire a remplacé La Fontaine à la tête du ministère conjoint. Dès son arrivée, il a fait remettre à Julie Papineau les papiers qui avaient été saisis chez elle en 1837 et assuré le retour d'Amédée Papineau en le nommant au poste de Commissaire au recensement. Denis-Benjamin Papineau, le frère de Louis-Joseph, siège également au ministère Draper-Viger. Les mauvaises langues soutiennent que c'est parce qu'il est à moitié sourd. À Paris, Louis-Joseph, pour sa part, demeure complètement sourd aux appels de ses anciens partisans. *Je ne dois pas aller au Canada à l'invitation de Monsieur Viger pour avoir le déplaisir de me trouver diamétralement en opposition avec lui,* écrit-il à sa femme, *et, ma foi, je n'y dois pas beaucoup plus aller à la demande de mes amis.* Le chef patriote n'a pas perdu son acuité politique. *Je ne puis aller en Canada pour me trouver de suite en opposition avec ceux qui ont été bienveillants pour moi,* juge-t-il, *et en ligue avec ceux qui ont été au moins indifférents pour moi. Ce serait le cas.*

Pendant que les anciens de 1837-1838 se refont une virginité politique, Monseigneur Ignace Bourget ne se contente pas d'encourager la dévotion à la Sainte Vierge. Il s'emploie énergiquement à combler le vide intellectuel créé par la mise au ban du libéralisme anticlérical des patriotes. De concert avec l'Évêque de Québec, il a mis sur pied l'Œuvre des bons livres qui rendra *les ouvrages dignes d'être lus* accessibles. Le 17 septembre, au numéro 8 de la Place d'Armes, à côté du bureau de la fabrique de la paroisse Notre-Dame, la Bibliothèque de Montréal a ouvert ses portes. Les règles sont sans équivoque. Aucun livre ne sera acquis pour la bibliothèque, soit par don ou par achat, à moins qu'il n'ait été vu et approuvé par son Président, lequel sera de droit le curé de la paroisse. Les assemblées se tiendront à la sacristie ou au presbytère et les vicaires jouiront des mêmes privilèges et avantages que les membres directeurs. En raison des services importants qu'ils seront appelés à rendre pour la distribution des livres, le soin et l'entretien de la bibliothèque, ils ne seront pas tenus de payer les 10 chelins d'entrée ou de souscription.

IGNACE BOURGET

Dans l'esprit de Bourget, le but de l'Œuvre des bons livres est de combattre l'impiété, *en opposant aux livres impies des livres pleins de la doctrine de la foi*; de conserver les mœurs, *en opposant aux livres obscènes et corrupteurs des livres qui ne respirent que la morale la plus pure*; de faciliter l'instruction *en ménageant aux familles et aux individus des lectures sûres, variées, agréables et absolument gratuites*; en un mot, d'être utile à toutes classes de la société, *en favorisant la religion et les bonnes mœurs par les moyens opposés à ceux que leurs ennemis ont pris pour les détruire.*

Des ennemis qui n'ont pas dit leur dernier mot. Trois mois plus tard, le 17 décembre, à 7 heures du soir, *on pouvait voir, çà et là, plusieurs petits groupes de jeunes hommes longeant les principales rues et se dirigeant vers le centre de Montréal. Qu'y avait-il donc de si extraordinaire? Où allait cette foule de jeunes gens?* s'interroge Jean-Baptiste-Éric Dorion. *Suivez-les dans la petite rue Saint-Jacques; entrez dans le couloir où ils se précipitent avec ardeur; montez à la salle de la Société d'histoire naturelle et vous saurez ce qu'ils y vont faire.* Jeune intellectuel radical, Dorion est l'un des organisateurs de la rencontre. *Ils ont répondu à l'appel de plusieurs jeunes amis de leur pays qui sentent le besoin de créer un point de ralliement pour la jeunesse de Montréal,* celle qui ne renie pas Papineau il va sans dire, *un centre d'émulation où chaque jeune homme qui entre dans le monde pourrait venir s'inspirer d'un pur patriotisme,* celui des rouges, *s'instruire en profitant des avantages d'une bibliothèque commune,* laïque, libérale, libertaire, *et s'habituer à prendre la parole en prenant part aux travaux de cette tribune ouverte à toutes les classes et à toutes les conditions.*

Plus de 200 jeunes gens se sont réunis dans ce forum improvisé où l'on a discuté du bien-fondé d'une association qui pourrait atteindre un triple but patriotique, éducatif et démocratique. Pour l'instant, les travaux de l'assemblée se sont bornés à la fondation d'une société qui a pris pour nom l'*Institut canadien de Montréal.*

THE JESUITS ARE BACK!

De retour à Montréal, les Jésuites ne sont pas *une malédiction diabolique* uniquement pour les rédacteurs du *Montreal Herald.* Le Ministre de l'Instruction publique sous Louis-Philippe, Abel François Villemain, leur doit d'avoir perdu la raison. Il a tenté de se jeter par la fenêtre de son bureau parisien. Villemain était convaincu que les Jésuites plaçaient des échelles sous ses fenêtres pour faire croire que, la nuit venue, des jeunes garçons venaient le rejoindre dans sa chambre. Oh! le vilain Villemain!

1845

Ceux qui ont connu François-Xavier Garneau du temps qu'il était Clerc chez le vieux Notaire Campbell à Québec ont désormais une bonne raison de se souvenir d'une de ses déclarations. Un jour qu'il était particulièrement excédé d'entendre ses collègues anglais répéter *les Canadiens sont des vaincus* à tout propos, le futur historien aurait rétorqué: *Ils ne perdent rien pour attendre! je vais l'écrire notre histoire.* Voilà! c'est fait. Le premier volume de son *Histoire du Canada, depuis sa découverte jusqu'à nos jours* vient de paraître.

L'anecdote tient de l'image d'Épinal. Le grand responsable de la vocation d'historien de François-Xavier Garneau n'en demeure pas moins un Britannique, et non des moindres: Lord Durham, le maître d'œuvre de la présente Union des deux Canadas. Pour le jeune Garneau, la lecture du *Rapport Durham*, en 1839, a joué le rôle d'un détonateur. La gifle était assez cinglante pour supprimer toute envie de tendre l'autre joue. *Je m'attendais à trouver un conflit entre un gouvernement et un peuple, et j'ai trouvé deux nations en guerre au sein d'un même État; j'ai trouvé une lutte, non de principes, mais de races dont le bouleversement de 1837 a accentué la division*, précise Durham dès son entrée en matière. *À partir de ce moment, même les plus justes et les plus sensés des Anglais modérés ont pris parti contre les Français et sont déterminés à ne plus jamais se soumettre à une majorité française.*

Les Anglais détiennent déjà l'immense partie des propriétés, rappelle celui que ses compatriotes taxent d'être un défenseur des libertés démocratiques. *Ils ont pour eux la supériorité de l'intelligence; ils ont la certitude que la colonisation du pays va donner la majorité à leur nombre; et ils appartiennent à la race qui détient le gouvernement impérial et qui domine sur le continent américain. Les Canadiens français, d'autre part, ne sont que le résidu d'une colonisation ancienne. La Conquête n'a pas changé grand-chose chez eux. Ils sont restés une société vieillie et retardataire dans un monde neuf et progressif.*

Quoi qu'il arrive, quel que soit le gouvernement futur, britannique ou américain, tranche le Rapporteur impérial et son jugement est sans appel, *ils sont destinés à rester toujours isolés au milieu d'un monde anglo-saxon et ne peuvent espérer aucunement dans la survie de leur nationalité. C'est un peuple sans histoire et sans littérature. Et la seule qui leur est familière est celle d'une nation dont ils sont séparés par 80 ans de domination étrangère et encore davantage par les transformations que la Révolution et ses suites ont opérées dans tout l'État politique, moral et social de la France.*

LORD DURHAM

Même si elle descend du peuple qui goûte le plus l'art dramatique et qui l'a cultivé avec le plus de succès, constate Durham non sans justesse, *et même si elle habite un continent ou presque chaque ville, grande ou petite, possède un théâtre anglais, séparée de tout peuple qui parle sa langue, la population française du Bas-Canada ne peut subventionner un théâtre national. On ne peut guère concevoir nationalité plus dépourvue de tout ce qui peut vivifier et élever un peuple; et je ne connais pas de distinctions nationales qui marquent et constituent une infériorité plus irrémédiable. C'est pour les tirer de cette infériorité que je veux donner aux Canadiens notre caractère anglais,* conclut le Lord britannique dans un élan qui peut lui sembler magnanime. *La tranquillité ne peut revenir qu'à la condition de soumettre la province au régime vigoureux d'une majorité anglaise; et, s'il est écrit que ces colonies ne doivent pas toujours demeurer au sein de l'Empire, nous devons veiller à ce que, lorsqu'elles se sépareront de nous, elles ne soient pas le seul pays sur le continent de l'Amérique où la race anglo-saxonne aura été incapable de se gouverner elle-même.*

Pour Garneau, la réponse à Durham, c'est l'*Histoire du Canada*. Une histoire qu'il va rédiger à la canadienne et non à l'européenne. *On se tromperait gravement si l'on ne voyait dans le pionnier qui abattit autrefois les forêts répandues sur les rives du Saint-Laurent qu'un simple bûcheron travaillant pour satisfaire un besoin d'un instant,* affirme-t-il dans son discours préliminaire. *Son œuvre si simple en apparence devait avoir des résultats beaucoup plus vastes et plus durables que les brillantes victoires qui portaient alors si haut la renommée de Louis XIV.* L'historien canadien a lu Michelet. *On ne doit pas s'étonner non plus si l'Amérique, habitée par une seule classe d'hommes, le peuple,* rappelle-t-il, *la canaille comme disait Napoléon, adopte dans son entier les principes de l'école historique moderne qui regarde la nation comme la source de tout pouvoir.* Garneau n'a pas oublié le premier toast du premier banquet du 24 juin en 1834. *Le peuple, source primitive de toute autorité légitime!*

À MOITIÉ SOURD OU À MOITIÉ ANGLAIS?

Lors de la session parlementaire, le Président de la Chambre, Sir Allan MacNab, a refusé une motion rédigée en français. Vivement contestée, sa décision a néanmoins été maintenue à la majorité d'une voix, celle de Denis-Benjamin Papineau. Ce qui a fait dire aux mauvais plaisants que si le frère de Louis-Joseph est à moitié sourd, c'est de l'oreille française.

L'Angleterre, qui ne peut voir dans les Canadiens français que des colons turbulents, des étrangers mal affectionnés, enchaîne l'historien patriote, *feint de prendre pour des symptômes d'insurrection leur attachement à leurs institutions et à leurs usages menacés. C'est un artifice indigne d'un grand peuple. Cette conduite prouve qu'elle ne croit rien de ce qu'elle dit et que ni les traités ni les actes publics les plus solennels n'ont pu l'empêcher de violer des droits d'autant plus sacrés qu'ils servaient de protection au faible contre le fort. Nous sommes bien loin de croire que notre nationalité soit à l'abri de tout danger,* convient Garneau. *Comme bien d'autres, nous avons eu nos illusions à ce sujet. Mais l'existence du peuple canadien n'est pas plus douteuse aujourd'hui qu'elle ne l'était il y a un siècle,* souligne l'historien qui ne s'attend pas à être le dernier de sa lignée. *Nous ne comptions que 60 000 âmes en 1760 et nous sommes aujourd'hui près d'un million.*

Il y a toutefois une note discordante. L'Église s'apprête à récrire l'histoire et Monseigneur Bourget n'a pas prisé l'*Histoire du Canada* de François-Xavier Garneau. Un énoncé de l'historien l'a particulièrement hérissé. *Le Canada, quoique fondé pour ainsi dire sous les auspices de la religion,* écrit Garneau avec une pertinence qu'on ne reverra pas de sitôt, *est une des colonies qui ont ressenti le plus faiblement cette influence.*

1846

L'an dernier, 38 des 58 patriotes exilés en Australie sont rentrés au pays plus de 6 mois après avoir été libérés. L'amnistie n'incluait pas les frais de rapatriement. Avant de pouvoir quitter la colonie pénitentiaire de Sa Majesté, chacun des exilés canadiens devait d'abord réunir la somme requise pour défrayer le coût de son passage de retour jusqu'à Londres et ensuite jusqu'à New York. Leur arrivée à Saint-Jean fut discrète. *Nous sommes débarqués du* stagecoach *le 18 janvier,* note Léandre Ducharme dans son journal, *et, le lendemain, nous nous sommes dispersés pour aller rejoindre nos familles après une absence de cinq ans et demi.*

Antoine Gérin-Lajoie

Les exilés n'avaient pas été oubliés, grâce à une chanson composée par un jeune poète lorsqu'il était étudiant de rhétorique au Collège de Nicolet. Sitôt mises en musique sur un air connu, les paroles d'Antoine Gérin-Lajoie ont fait le tour du Bas-Canada. Nul ne peut en apprécier le «vécu» plus que les prisonniers politiques de 1838. C'est une complainte qui va droit au cœur. *Un Canadien errant, / Banni de ses foyers, / Parcourait en pleurant / Des pays étrangers. / Un jour, triste et pensif, / Assis au bord des flots, / Au courant fugitif / Il adressa ces mots: / Si tu vois mon pays, / Mon pays malheureux, / Va, dis à mes amis / Que je me souviens d'eux. / Ô jours si pleins d'appas, / Vous êtes disparus, / Et ma patrie, hélas! / Je ne la verrai plus! / Non, mais en expirant, / Ô mon cher Canada! / Mon regard languissant / Vers toi se portera!* En Australie où 2 des exilés sont morts, les 18 amnistiés attendent les fonds prélevés par souscription dans toutes les paroisses et villages du Bas-Canada. C'est le Trésorier général de l'Association de la délivrance, le libraire Édouard-Raymond Fabre, qui est chargé de leur rapatriement.

Quelques mois après la rentrée des *Australiens*, c'est celle du *Parisien.* Via Liverpool et Boston, Louis-Joseph Papineau débarque à

FRANÇOIS-XAVIER PRIEUR

Saint-Jean. Il est accueilli par sa famille et ses amis. À Montréal, le chef patriote descend à l'hôtel avec sa famille. Sa maison est occupée par des locataires. Un Anglais s'étonne que ses traits n'aient pas changé. *I am the same in all!* rétorque le grand agitateur impénitent. Le même! C'est on ne peut plus vrai! Papineau n'a pas changé d'un iota. Lorsqu'il évoque les moments difficiles de sa fuite, une dame qui le sait anticlérical l'étrive un peu. *Vous auriez dû vous cacher dans un confessionnal,* lui fait-elle remarquer avec humour, *c'est le dernier endroit où on aurait pensé vous trouver!*

Cette année, François-Xavier Prieur rentre à son tour d'Australie via Londres. Il a terminé son voyage à bord d'un navire qui s'appelle *Le Montréal. Je l'ai choisi entre tous les navires en partance pour le Canada à cause de son nom,* écrit-il. *Il m'a semblé que ce nom du pays devait me porter bonheur.* Prieur arrive à Montréal le 13 septembre. Il rencontre Fabre, Duvernay et La Fontaine pour pourvoir au retour de ses compagnons toujours en exil. Le lendemain, l'ancien compagnon de cellule de Chevalier de Lorimier s'embarque sur un bateau à vapeur qui se rend aux Cèdres. Ses parents habitent Saint-Polycarpe. *Comme nous avions éprouvé des retards dans le passage du canal de Beauharnois, je ne suis arrivé à la maison paternelle que la nuit, sur les deux heures,* raconte Prieur. *Naturellement, lorsque j'ai frappé à cette porte que je n'avais pas vue s'ouvrir depuis huit ans, tout le monde était au lit. Je n'ai pas attendu longtemps et je vous assure que j'ai pas eu la peine de répéter deux fois les mots:* C'est moi. C'est Xavier! *criait ma mère en se précipitant vers la porte.* C'est Xavier! C'est lui! *répétait mon père.* C'est lui! C'est lui! C'est Xavier! *redisait tout le monde dans la maison.*

J'étais pas présent dans les maisons du voisinage mais je peux imaginer ce qui s'est passé, précise Prieur qui sait traduire admirablement l'émotion qu'a suscitée son retour. *En apercevant le mouvement des lumières chez nous, les vieux, qui se lèvent souvent la nuit pour fumer leur pipe à la porte du poêle, se sont dit:* Tiens! notre voisin Xavier Prieur est de retour d'exil. *Puis, les vieux ont réveillé les garçons donataires et leurs brus, en leur disant:* C'est un va-et-vient de chandelles chez les Prieur, il faut que Xavier soit arrivé. *Et tout le monde s'est levé à plusieurs arpents à la ronde.* Faut aller le voir, *ont dit les hommes, en laissant leur lit et en s'habillant.* Ça pourrait peut-être les déranger, *ont répliqué avec hésitation les femmes.* Voyons donc! *qu'y se sont fait répondre,* est-ce qu'on dérange des voisins et des amis quand on va se réjouir du retour d'un enfant absent depuis tant d'années? *Et en route, on a frappé aux fenêtres en criant:* Xavier Prieur est arrivé! Vous ne venez pas le voir, vous autres?

Une demi-heure après le moment où j'ai franchi le seuil paternel, un grand nombre de voisins étaient réunis chez mon père; et, tous ensemble, nous avons tenu conversation jusqu'à cinq heures du matin. Les exilés n'ont jamais été des réprouvés. *Une fois les voisins partis,* se souvient le patriote encore sous le choc des retrouvailles, *j'embrassai à nouveau mes parents et, en me retirant dans le cabinet où mon lit était préparé depuis plusieurs jours, je me dis avec un sentiment de bonheur indescriptible:* Oui, me voilà tout de bon revenu d'Australie.

À CHACUN SON PATRIOTISME

Si jamais ce pays cesse un jour d'être britannique, s'est écrié Étienne-Paschal Taché lors d'un débat parlementaire sur le rétablissement de la milice, *le dernier coup de canon le sera par un bras canadien.* Nommé Adjudant général adjoint de la milice le lendemain, l'ancien patriote a dû abandonner son siège de Député, évitant ainsi de se faire battre aux élections subséquentes.

1847

E*rin go brach!* Formés en rangs serrés derrière le drapeau vert à la harpe dorée arborant leur devise, *Erin toujours*, les Irlandais de Montréal ont pris possession du nouveau temple que leur ont construit les Sulpiciens, l'église Saint-Patrick. Le service en sera assuré par un sulpicien irlandais, Monsieur Connolly.

Beaucoup d'immigrants irlandais, malheureusement, n'y mettront pas les pieds, même devant. Ils devront se contenter d'une fosse commune là où on parque les immigrants irlandais mis en quarantaine dès leur descente de bateau. Pour protéger la ville d'une autre épidémie de typhus, on a construit une vingtaine de *sheds* à Pointe-Saint-Charles. Des hangars qui sont des mouroirs. La famine fait rage en Irlande. Pour la troisième année et en une seule nuit, la brunissure, un parasite de la pomme de terre, a transformé la récolte de patates en pourriture. La verte Erin n'a que les pommes de terre pour nourrir ses paysans car l'Angleterre s'y accapare toutes les moissons de céréales. Dans ces conditions déplorables, les Irlandais n'ont d'autre choix que d'émigrer vers l'Amérique. Ce qu'ils font au rythme de 100 000 par année.

D'après des informations qui nous sont parvenues récemment, la quarantaine à Liverpool est non seulement inutile, mais elle est même meurtrière pour les émigrés qui s'embarquent pour l'étranger, rapporte le *Quebec Mercury. On nous dit que 15 à 16 petits vaisseaux sont en station vis-à-vis du port pour recevoir les émigrés qui viennent d'Irlande; et que tous ceux qui sont malades ou qui paraissent l'être sont transportés de ces vaisseaux à bord des navires destinés au Canada et cela, comme on le conçoit, dans un état pire que si on leur avait permis de continuer immédiatement leur voyage.* Le bilan des cercueils flottants est accablant pour les autorités de Londres. *Sur les 100 000 immigrants qui sont arrivés dans la colonie par voie fluviale,* précise le rapport du Comité d'émigration de Montréal, *5 293 sont morts en mer; 3 389 à Grosse-Île; 1 137 à Québec; 3 862 à Pointe-Saint-Charles; 130 à Lachine; 39 à Saint-Jean; pour un total de 13 850.*

À Montréal, l'été a été meurtrier. Plus de 2 000 immigrés ont trépassé en quelques semaines dans les *sheds.* Les enfants qui se sont échappés pour aller mendier de porte en porte dans les autres quartiers ont répandu l'épidémie dans la ville. Le ressentiment de la population est compréhensible. Les bureaux de placement affichent trop souvent: *Les demandes des Irlandais ne sont pas acceptées.* Montréal, néanmoins, se montre charitable et ne craint pas de s'exposer pour soigner les pestiférés. Lorsque la maladie disparaîtra, avec le retour du froid, on ne comptera plus les victimes du typhus: le Maire Mills, le Grand Vicaire Hudon, 7 sœurs Grises, 3 religieuses de l'Hôtel-Dieu, 3 de l'Asile de la Providence, des prêtres, des médecins, des fonctionnaires et des agents de police. Monseigneur Bourget lance alors un appel pour adopter des orphelins irlandais et son appel est entendu. Plusieurs de ces enfants adoptés grandiront dans le milieu canadien et, par la suite, ne garderont d'irlandais, pour les garçons, que le nom. Le nouveau Gouverneur, Lord Elgin, le gendre de feu Lord Durham, s'est fait un devoir de visiter les hangars de Pointe-Saint-Charles. On ne sait si c'est la compassion ou la politique irlandaise du gouvernement de Londres qui l'a rendu muet.

À l'hiver, c'est la visite d'une délégation indienne qui va révéler un autre versant de la misère, celle des Montagnais du Saguenay et du Lac-Saint-Jean. Tumas, Jusep et Pasil, trois Chefs de la nation abénakise, sont descendus à Montréal pour dire au Lord anglais leur étonnement de voir les territoires qu'ils croyaient sacrés leur être enlevés et leur surprise de constater qu'il leur faut désormais de l'argent pour se procurer le nécessaire. Ils sont accompagnés de deux interprètes, le fondateur de Chicoutimi, Peter McLeod, dont la mère est montagnaise, et John McLaren.

PETER MCLEOD

Après avoir écouté les Montagnais, Lord Elgin prit la parole. *Je dois avant tout vous faire mes compliments du choix par votre tribu de vos personnes pour venir me présenter sa requête,* leur répond-il avec toute la condescendance impériale de circonstance. *Vous êtes de beaux spécimens de votre race au point de vue physique et je ne doute pas que votre intelligence égale votre physique. Je me ferai un devoir de présenter votre pétition à Sa Majesté la Reine et de recommander à mon gouvernement de faire droit à vos demandes.* Sur quoi, Elgin salue les députés et leur tourne le dos. *Arrête!* lui crie Tumas d'une voix de stentor. *Arrête! Je veux encore te parler!* Lord Elgin obtempère avec mauvaise grâce. *Tu ne vas pas t'en aller comme cela sans nous donner quelque chose pour nous aider à retourner dans nos familles,* s'indigne le chef montagnais par l'intermédiaire de son interprète, Peter McLeod. *Qui va nous aider, si tu ne nous donnes rien? Donne-nous quelque chose pour montrer à notre tribu que tu nous as écoutés!*

LE TOUR DU CHAPEAU À PLUMES

Un événement littéraire londonien fait rêver tous les éditeurs. Charlotte, Anne et Emily Brontë, trois sœurs, ont publié simultanément un roman autobiograhique et les trois œuvres sont des succès de librairie. Leurs titres ne sont pas près d'être oubliés, *Jane Eyre*, *Agnes Grey* et *Les Hauts de Hurlevent.*

Après voir réfléchi un instant, raconte un témoin de la scène, *Lord Elgin promit aux chefs montagnais de faire frapper des médailles et de remettre un fusil à chacun d'eux. Et tu crois qu'avec cela,* lui rétorqua Tumas d'une voix étranglée par la colère, *on pourra traverser la forêt et chasser pour vivre?* Elgin n'attendit pas la traduction pour se retirer. Le regard meurtrier de l'Amérindien lui avait suffi.

1848

La Saint-Jean-Baptiste s'est transformée. Ludger Duvernay en est toujours l'âme dirigeante mais Monseigneur Bourget a su imposer ses conditions au fondateur de l'Association Saint-Jean-Baptiste. La fête nationale, politique, laïque, voire anticléricale, de 1834 est maintenant une fête nationale, politique et religieuse. Le goupillon de l'Évêque antipatriote n'a pas béni en vain le sabre de la répression. La messe solennelle a désormais priorité sur le banquet. Les toasts patriotiques de tous ont été remplacés par le toast catholique d'un seul.

Quant au Baptiste lui-même, le saint patron imposé par les patriotes et non par l'Église, il s'est converti. Du prophète qui proposait la lumière et les lumières à la population, il est devenu le précurseur qui lui annonce le Messie, le Sauveur et le Rédempteur. Le franc-maçon libéral s'est réformé en catholique conservateur. Saint Jean Baptiste s'est repenti. Il est à l'image de *La Minerve* de Duvernay. L'ancien journal des patriotes tire désormais à boulets bleus sur les héritiers de l'esprit de 1837. Un virage radical auquel Louis-Joseph Papineau, élu Député de Saint-Maurice, se refuse. Ses jeunes amis du journal *L'Avenir*, les frères Dorion, Doutre, Dessaules, eux, dénoncent carrément les vire-capots. L'enfer n'est pas encore tout à fait rouge, mais le ciel est déjà complètement bleu. Aussi, le 23 juin, à midi, les cloches de toutes les églises montréalaises sonnent à la volée. Elles annoncent la fête du lendemain, chômée en partie pour permettre au plus grand nombre d'assister à la grande messe et de participer à la procession.

Cette année, les Montréalais n'ont pas eu à tendre l'oreille. Par temps clair, le tout nouveau bourdon de Notre-Dame se fait entendre à 20 milles à la ronde jusqu'au mont Saint-Hilaire. Marie-Jean-Baptiste est son nom de baptême. C'est une cloche imposante qui pèse 12 tonnes et demie, soit 25 000 livres. Tous les marguilliers de la fabrique Notre-Dame vont vous le dire: c'est plus que la nouvelle cloche d'York et plus que les bourdons d'Oxford, de Londres, de Lincoln, de Paris, de Malines, de Cologne ou de Gand. Fondu à Londres, le bourdon de

Notre-Dame a doté l'Église d'une voix vibrante, solennelle, puissante et, n'était-ce que par comparaison, internationale.

La journée du 24 juin a débuté sur la Place Saint-Jacques, devant la cathédrale de Montréal. Au signal du départ, plusieurs milliers de personnes se sont mises en branle pour défiler dans les rues Saint-Denis, Bonsecours, Saint-Paul, McGill et Notre-Dame jusqu'à l'église. Au-dessus de leurs têtes, des banderoles de soie, brodées au fil d'or, témoignaient de l'attachement des Canadiens à leur langue, à leurs institutions et à leurs lois. C'est le Commissaire ordonnateur Ludger Duvernay qui a fixé l'ordre de la procession. D'abord, les élèves des frères, ensuite, les pompiers, la Société de tempérance, l'Institut canadien, la fanfare de la Société de tempérance, la bannière principale, la Société des amis, l'Association Saint-Jean-Baptiste divisée en centuries et en décuries à la suite de la réforme introduite par George-Etienne Cartier, les membres de la Législature, le Comité de régie, les officiers de l'Association et, pour fermer la marche, le Président, également Maire de Montréal pour la deuxième fois, Son Honneur Joseph Bourret.

La plupart des membres influents de la Saint-Jean-Baptiste sont des anciens patriotes de 1837: le libraire Édouard-Raymond Fabre, son gendre George-Étienne Cartier; Wolfred Nelson et Robert Bouchette, exilés aux Bermudes; Jean-Louis Beaudry, Joseph-Rouer Roy et Charles-André Leblanc, tous membres de la direction des Fils de la Liberté. Aucun ne cache son passé révolutionnaire mais, pour la plupart, la page est tournée. L'auteur des *92 Résolutions*, Augustin-Norbert Morin, préside la Chambre et l'homme politique de l'heure, c'est Louis-Hippolyte La Fontaine. Inflexible, Papineau trouve le chef réformiste et ses ministres trop tièdes. *Ils ont fait plus en faveur de l'oppression du peuple*, vocifère-t-il, *que l'ancien gouvernement pendant de longues années.*

La riposte ne se fait pas attendre et elle est aussi vive. *J'ai beaucoup admiré vos brillantes harangues, Monsieur Papineau, mais je ne les admire plus parce qu'elles ne conduisent à rien,* lui rétorque Joseph-Édouard Cauchon. *Je ne puis flétrir la politique du passé, parce que les hommes qui l'ont faite étaient consciencieux. Mais j'ai droit de la considérer comme une leçon d'expérience, et de la condamner parce qu'elle s'est suicidée pour avoir été trop excessive.* La modération a meilleur goût et meilleure presse. *Nous avons quelque chose de plus à faire que de parler pour les galeries; je maintiens, moi, qu'au lieu de crier contre ce qui n'est plus,* affirme le Directeur du *Journal de Québec, nous devons nous efforcer de sauver l'avenir, contre son gré même, s'il est nécessaire.* L'heure est au réalisme, au compromis et à l'accommodement, trois mots qui n'ont jamais fait et ne feront jamais partie du vocabulaire politique de celui qu'on considère maintenant comme l'empêcheur de tourner en rond.

La Fontaine veut sauver les meubles alors que Papineau veut toujours reprendre possession de la maison. *De quel droit?* s'écrie Wolfred Nelson, dont la nouvelle version des événements de 1837 tombe à-propos. Peut-être trop. *Le chef qui a fui durant la mêlée a perdu son droit de commandement,* tranche le vainqueur de la bataille de Saint-Denis. *Les lâches n'ont de leçons à donner à personne.* Nelson fait plus que renier son ancien chef, il le traîne dans la boue. *D'autant plus que ce mauvais génie n'a éprouvé,* rappelle-t-il avec perfidie, *ni dans sa personne ni dans sa famille aucune des grandes souffrances qu'il a fait descendre si abondamment sur ceux qui ont eu le suprême malheur de considérer ses démarches comme consistantes, sages, vertueuses...* et endossées, les armes au poing, par Wolfred Nelson lui-même.

L'ARTICLE UN DU FÉMINISME

Réunis en convention à Seneca Falls dans l'État de New York, 300 femmes et 40 hommes ont demandé la révision de la *Déclaration d'indépendance* afin qu'elle mentionne l'égalité des sexes. *Les hommes et les femmes ont été créés égaux,* lit-on dans leur manifeste. *Nous tenons cela pour une vérité qui va de soi.*

1849

Le mercredi 25 avril, vers les 5 heures de l'après-midi, dans la salle du Conseil législatif, au deuxième étage de l'ancien marché Sainte-Anne, les galeries sont remplies de curieux. Le Greffier Fortier présente pour sanction royale une dizaine de projets de loi dont le *Bill d'indemnité pour les pertes subies pendant les insurrections de 1837 et 1838.* Lorsqu'il en fait lecture, en présence du Gouverneur Elgin, le silence est à couper au couteau dans l'assistance.

Il y a trois ans, une mesure identique a été votée pour le Haut-Canada. La Fontaine a proposé d'indemniser de la même façon les victimes du Bas-Canada, *sauf les personnes convaincues de haute trahison.* Avec l'appui de son co-Premier Ministre Baldwin, le projet de loi a été adopté par la Chambre et le Conseil. Les budgets du Haut et du Bas-Canada sont consolidés. À ce titre, le Bas a déjà payé sa quote-part des indemnités du Haut. Ce n'est que justice élémentaire d'accorder les mêmes droits aux victimes de la répression de Colborne. Les adversaires de la loi ne l'entendent pas ainsi. Pour eux, c'est un acte de provocation et La Fontaine ne vaut guère mieux que Papineau. *Le défi est lancé,* écrivent les journaux anglais montréalais, *et il faut que l'une des deux races, la saxonne ou la française, disparaisse du Canada.*

ELGIN

La sanction royale est à peine accordée au *Bill* que les galeries se mettent à chahuter. Tout y passe, cris, hurlements, sifflets, quolibets, clameurs, huées. Lord Elgin s'empresse de quitter la salle et, *lorsqu'il se présente à l'entrée principale pour monter dans sa voiture,* raconte *Le Canadien, il est accueilli par une salve d'œufs pourris qui éclaboussent sa personne, son carrosse et sa suite. Pour protéger le Gouverneur, un détachement de cavalerie doit l'accompagner jusqu'à sa résidence de Monklands.* À

MONKLANDS

peine une heure après l'incident, *The Gazette* publie un extra. C'est un appel à la violence et à l'émeute. *La disgrâce de la Grande-Bretagne est consommée. Le Canada vendu et abandonné,* glapit le quotidien montréalais. *Le Bill des pertes de la rébellion passe. La fin a commencé. Anglo-Saxons,* clame le torchon raciste, *vous devez vivre pour l'avenir; votre sang et votre race seront désormais votre loi suprême. La foule doit s'assembler sur la Place d'Armes, ce soir, à huit heures. Au combat, c'est le moment!*

À l'heure dite, à la lueur des torches, près de 1 500 Anglo-Saxons de souche, ou se prétendant tels, sont réunis sur le Champ de Mars. Ils n'attendent qu'un signal pour s'attaquer au Parlement. *Les meneurs du Parti tory-anthropophage,* rapporte *Le Canadien, ont parcouru la ville, munis de cloches, dans des voitures attelées de plusieurs chevaux et ils ont fait le tour des cafés et des bar-rooms. Vers neuf heures, la séance du Parlement est brusquement interrompue par une pluie de pierres qui fait éclater toutes les fenêtres de l'édifice,* relate le journal. *Les députés ont à peine le temps de se réfugier dans un couloir que les émeutiers débouchent dans la salle de délibération où ils brisent les meubles et les pupitres. L'un deux s'empare de la masse en or et déclare le Parlement dissous. De tous côtés, maintenant, on n'entend plus qu'un cri:* Au feu! Au feu! *Le feu a été mis à plusieurs endroits en même temps et les flammes se propagent à*

une grande vitesse. Les députés sont toujours entassés dans le couloir. Saisi de panique, l'un d'eux hurle: Ils nous ont enfermés, nous ne sortirons pas vivants. *Il fut alors décidé de sortir, et l'orateur en tête avec costume, et les membres, deux à deux, nous avons descendu l'escalier,* raconte un des témoins, *et nous sommes sortis par la grande porte de l'édifice. Contre toute attente,* s'étonne le rescapé, *il n'y avait personne pour garder et barricader cette porte. C'est ainsi que nous avons pu sortir tranquillement et nous frayer un chemin dans la foule.*

Autour du Parlement en flammes, les badauds contemplent ce que la *Gazette* décrira le lendemain comme *un spectacle d'une tragique beauté qui, dans cette soirée de printemps, éclaire la rue McGill comme en plein jour, le brasier projetant des myriades d'étincelles.* Un brasier qu'il n'est pas question de combattre. Les émeutiers brisent les pompes, dételLent les chevaux et coupent les boyaux. Une seule compagnie de pompiers, d'ailleurs, a pu se rendre sur les lieux. Malgré les efforts louables de quelques fonctionnaires et députés, toutes les archives depuis l'Acte d'union et près de 25 000 volumes des bibliothèques de la Chambre et du Conseil sont détruits par les flammes. L'incendie au Parlement a été allumé par les préjugés, nourri par la bêtise, soutenu par l'arrogance, alimenté par la haine raciale et consumé par le fascisme antidémocratique.

Le lendemain, Sir Allan MacNab affiche ouvertement sa sympathie pour les émeutiers. Aux députés réunis au marché Bonsecours, il propose cyniquement *que les pertes causées par l'incendie soient payées à même les fonds destinés à indemniser les pertes souffertes pendant la dernière rébellion.* Son attitude méprisante justifie amplement la volée de bois vert que le député Black lui a administrée en février. *Vous et les vôtres, Monsieur, vous avez, depuis 50 ans, foulé aux pieds les intérêts du peuple,* lui avait-il rappelé avec indignation, *vous avez ri de ses plaintes, vous vous êtes moqués de ses réclamations, vous avez été rebelles à ses désirs les plus légitimes; vous êtes les vrais rebelles.*

UNE QUESTION DE CULOTTE

Aux États-Unis, Elizabeth Blackwell devient la première femme diplômée d'une faculté de médecine et une femme de lettres, Amelia Bloomer, popularise les *slips* féminins qui porteront son nom. Pendant ce temps, au Bas-Canada, les femmes propriétaires ont perdu le droit qui vient avec le privilège de porter la culotte, celui de voter.

1850

Paul-Henry de Belzève

Le Gouverneur général est ravi. À peine un mois après l'incendie du Parlement, Montréal a perdu son statut de capitale des deux Canadas. C'était, selon Lord Elgin, *le pire choix pour y établir le siège du gouvernement.* Le représentant de Sa Majesté britannique n'a pas prisé les œufs pourris dont on l'a bombardé.

Personne ne trouve grâce à ses yeux. *Vous trouverez, dans cette ville, les spécimens les plus antibritanniques de chacune des classes qui composent notre société,* confie-t-il au Ministre des colonies. *Les Français de Montréal sont, de toute la province, ceux qui ont le plus d'affinités avec les Yankees; les Britanniques, pour leur part, quoique sérieusement anti-gaulois, sont, à part quelques exceptions, les moins loyaux. Quant aux marchands, ce sont les plus zélés annexionnistes que le Canada produise.* Dans l'esprit du Gouverneur général, Montréal est une mauvaise fille, *qui a de très mauvais effets sur les membres des autres parties de la province qui viennent ici passer quelques mois chaque année, dans ce foyer de préjugés et de désaffection.* Et, pourrait-il ajouter, d'affrontements raciaux.

À cet égard, la situation empire de jour en jour. Même les mioches se sont mis de la partie. *Il y a quelques mois, rue La Gauchetière, dans le faubourg Québec,* rapporte *La Minerve, des enfants d'orangistes, qui sont des Irlandais protestants, ont attaqué des enfants qui sortaient de la maison d'école des frères de la doctrine chrétienne.* Ce qui arrive assez souvent dans les quartiers de la ville où il y a des écoles catholiques. *Une bataille générale a éclaté et des adultes des deux partis sont venus prêter main-forte aux jeunes,* poursuit le journal. *Quand la police, qui avait été appelée sur les lieux, est parvenue à maîtriser la situation en coffrant 13 émeutiers, environ 500 personnes, tant combattants que spectateurs, se trouvaient sur le terrain.*

Comme toutes les grandes villes du monde, Montréal est dure, insensible, rude et cruelle pour les immigrants des vieux pays ou des campagnes. Patrice Lacombe a fait de l'exode rural le sujet d'un roman, publié par James Huston dans son *Répertoire national.* Chauvin, le héros de *La Terre paternelle,* exerce le métier auquel on associe le plus les Canadiens après celui de scieur de bois. *Deux hommes, dont l'un paraissait de beaucoup plus âgé que l'autre, conduisaient un traîneau chargé d'une tonne d'eau qu'ils venaient de puiser au fleuve et qu'ils allaient revendre de porte en porte, dans les parties les plus reculées des faubourgs,* écrit Lacombe, Notaire de profession. *La voiture était tirée par un cheval dont les flancs amaigris attestaient à la fois et la cherté du fourrage et l'indigence du propriétaire. La tonne, au-devant de laquelle pendaient deux seaux de bois cerclés en fer, était, ainsi que leurs vêtements, enduite d'une épaisse couche de glace,* note le romancier qui a le souci de traduire la vie telle qu'elle est. *Ces deux hommes finissaient leur travail de la journée; exténués de fatigue et transis de froid, ils reprenaient le chemin de leur demeure située dans un quartier pauvre et isolé du faubourg Saint-Laurent.*

Chauvin, après s'être vu complètement ruiné et ne sachant plus que faire, avait pris le parti de venir se réfugier à la ville, précise Lacombe en élargissant le portrait à celui d'une classe sociale. *Il avait en cela imité l'exemple d'autres cultivateurs qui, chassés de leurs terres par les mauvaises récoltes et attirés à la ville par l'espoir de gagner leur vie en s'employant aux nombreux travaux qui s'y font depuis quelques années, sont venus s'y abattre en grand nombre et ont presque doublé la population de nos faubourgs.* Chauvin n'avait point de métier; il n'était que simple cultivateur. *Aussi, ne trouvant pas d'emploi,* continue le romancier, *il se vit réduit à la condition de* charroyeur d'eau, *un des métiers les plus*

humbles que l'homme puisse exercer sans rougir. Cet emploi, quoique très peu lucratif, et qu'il exerçait depuis près de dix ans, avait cependant empêché cette famille d'éprouver les horreurs de la faim.

Au milieu de cette misère, le destin frappe. *Le cheval de Chauvin se rompit une jambe,* raconte Lacombe. *L'hiver sévissait avec rigueur; le bois et la nourriture étaient chers; alors, des voisins compatissants, dans l'impossibilité de secourir les Chauvin plus longtemps, leur conseillèrent d'aller se faire inscrire au Bureau des pauvres. Il en coûtait à l'amour-propre et au cœur de la mère d'aller faire l'aveu public de son indigence,* observe l'écrivain des petites gens, *mais la faim était là impérieuse. Refoulant sa honte, elle se dirige vers le Bureau. Elle y entre en tremblant et y reçut quelque modique secours.* La mère n'était pas au bout de ses peines pour autant. *Sur les observations qu'on lui fit, que le Bureau avait été établi principalement pour les pauvres de la ville et qu'étant de la campagne elle aurait dû y rester et ne pas venir en augmenter le nombre,* relate avec compassion l'auteur de *La Terre paternelle, la pauvre femme fut tellement déconcertée du ton dont ces observations lui furent faites qu'elle sortit, oubliant d'emporter ce qu'on lui avait donné.* Les grandes villes ont une âme, mais elles n'ont pas de cœur.

L'EXPOSITION UNIVERSELLE DE LONDRES

Montréal participe à l'Exposition universelle qui se tiendra à Londres, l'an prochain. L'exposition des objets d'art et d'industrie susceptibles de figurer au Pavillon du Canada a attiré une foule record au nouveau marché Bonsecours: 25 000 visiteurs.

1851

La Fontaine accroche ses patins à l'âge de 44 ans. Il retourne à la pratique du droit, un sport moins rude que la politique. Après avoir dominé la scène parlementaire pendant 10 ans, le chef réformiste est épuisé. Il est aussi désabusé que son vis-à-vis haut-canadien, Baldwin, est déprimé. La Fontaine, aime-t-on croire, est l'homme qui a évité le pire.

La Fontaine

Dès la première minute de sa première intervention comme député, à Kingston, en 1842, La Fontaine a annoncé la couleur du combat qu'il a mené depuis. Il avait à peine proféré quelques mots qu'un député torontois l'interrompt en exigeant qu'il s'adresse à la Chambre dans la langue officielle du Parlement. *On me demande de prononcer dans une autre langue que ma officielle maternelle le premier discours que j'ai à faire dans cette Chambre,* proteste vigoureusement La Fontaine. *Je me défie de mon habileté à manier la langue anglaise,* reconnaît-il avant de présenter un refus catégorique d'obtempérer, *mais que les honorables membres sachent bien que même si elle m'était aussi familière que celle de mes ancêtres, je n'en prononcerais pas moins mon premier discours dans la langue de mes compatriotes canadiens-français, ne fût-ce que pour protester solennellement contre cette cruelle injustice de l'action d'union qui proscrit la langue d'une moitié de la population du Canada. Cela,* conclut-il avec panache, *je le dois à mes compatriotes, je le dois à moi-même.* La riposte enflammée de La Fontaine lui a assuré le leadership des Canadiens.

Le français est non seulement une priorité pour La Fontaine, c'est une obsession. À un point tel que le Gouverneur Elgin était convaincu que le chef politique du Bas-Canada ne pouvait aborder un autre sujet de conversation. Peu importe. Avec l'appui indéfectible de son co-Premier Ministre Baldwin, La Fontaine a eu gain d'obsession. Londres a fini par rétablir l'usage du français au Parlement. Il y a deux ans, à Montréal cette fois, Lord Elgin a cédé aux pressions de ses Premier-Ministres et lu le discours du trône en français. Une victoire symbolique, bien sûr! Lorsque La Fontaine l'a assortie d'une exigence réelle, le *Bill d'indemnité pour les pertes subies pendant les insurrections de 1837 et 1838* au Bas-Canada, la réaction des partisans orangistes de George Moffat, d'Allan MacNab, de Conrad-Augustus Gugy et de William Molson a été tout aussi viscérale que raciale. Ils ont incendié le Parlement et dessaisi Lord Elgin de son titre de membre honoraire de la Saint Andrew's Society. *Speak white dammit!*

La Fontaine est costaud, d'une taille au-dessus de la moyenne, forte, pleine et massive. Sa grande fierté est de ressembler à Napoléon Bonaparte. C'est frappant, surtout pour ceux qui l'ont déjà rencontré comme Lady Bagot. *Oh my God!* s'est-elle écriée la première fois qu'elle a aperçu son sosie canadien, *si je n'étais pas certaine qu'il est mort, je jurerais que c'est l'Empereur!* Pour souligner la ressemblance, La Fontaine affecte volontiers de laisser tomber un petite mèche sur son front. À l'occasion, il ne dédaigne pas non plus glisser deux doigts dans sa veste. Le Premier Ministre est courageux mais ce n'est pas un soldat. En remplaçant Papineau, il a pris sa place comme leader des Canadiens français, mais aussi comme cible des francophobes montréalais.

Les émeutes de 1849 sont dirigées contre La Fontaine. Après l'incendie du Parlement, la colère des émeutiers demeure toujours aussi vive. Le lendemain, ils se rendent à la demeure du Premier Ministre. *Elle n'était pas encore occupée, elle venait tout juste d'être meublée à neuf,* relate un spectateur de la scène. *La populace y mit froidement le feu à trois ou quatre endroits; força les portes, brisa les vitres, fracassa la faïence, la porcelaine de Chine et les miroirs; la cave à vins fut ouverte; les tables, les chaises, les lits d'acajou furent projetés par les fenêtres; les matelas furent éventrés et la plume qu'ils contenaient fut répandue dans la cour où les soldats sympathisaient avec les émeutiers. Par chance,* note le témoin, *seul l'extérieur de l'édifice fut totalement brûlé.*

Lorsque l'agitation reprend, 2 mois plus tard, La Fontaine demande la protection des troupes. Personne ne bouge. Résultat: 300 émeutiers armés se rendent de nouveau à la maison du chef du gouvernement et y tirent des coups de feu. Les amis de La Fontaine montent la garde. Ils ripostent. Les assaillants prennent la fuite, laissant un mort et

plusieurs blessés derrière eux. Dans les jours qui suivent, La Fontaine est interrogé sur l'incident par le Coroner. Un incendie se déclare à l'*Hôtel Cyrus*, où se tiennent les audiences. Le plan des incendiaires est de tuer La Fontaine au milieu de la confusion générale. Il s'en tire indemne. On serait ébranlé à moins.

L'homme du compromis quitte la politique. Il se retire usé par la haine raciste des orangistes. Lors du souper d'adieu que lui offrent ses partisans, ils se font fort de proclamer qu'il a réussi là où les patriotes de 1837-1838 ont échoué. N'a-t-il pas obtenu le gouvernement responsable? La Fontaine n'a pas l'âme à la fête. Il part pour l'Europe. *Votre sortie de la politique a dû susciter en notre pays un profond mouvement?* lui demande Napoléon Bourassa, le gendre de Papineau, lors d'une rencontre fortuite à Florence. La Fontaine sourit tristement. *En fait de mouvement, mon jeune ami,* répond-il avec cynisme, *je n'ai vu que celui des gens qui s'en venaient prendre ma place.*

La diaspora irlandaise

Plus d'un million d'Irlandais se sont installés aux États-Unis depuis 1845. Aujourd'hui, 6 ans plus tard, ils forment le quart de la population de New York, de Philadelphie et de Baltimore. À Montréal, où la population canadienne n'est plus majoritaire, elle ne compte que pour 26 020 sur un total de 57 715. Les Irlandais représentent désormais le cinquième des habitants.

1852

Fin mai, Montréal s'amuse. *Jamais, à notre connaissance, nous n'avions eu une aussi grande variété d'amusements, concerts, cirque, exhibitions, panorama, ménagerie, vaudeville, que durant la semaine qui vient de finir,* rapporte *La Minerve*. Les membres de la Montreal Horticultural Society et les agriculteurs s'inquiètent de la sécheresse, mais les Montréalais profitent du temps chaud.

Le 6 juin, un dimanche, c'est une tout autre canicule qui s'abat sur eux. À 5 heures et demie du matin, à l'angle des rues Saint-Pierre et Lemoine, un incendie se déclare dans la boutique d'un menuisier. Six heures plus tard, tout le centre commercial de Montréal n'est que ruines fumantes. L'église Notre-Dame et l'Hôtel-Dieu n'ont pu être sauvés que de justesse. Les écoliers du Séminaire ont formé une chaîne et se sont passé les seaux remplis d'eau de main à main. Le sinistre a été terrifiant. Les deux côtés de la rue Saint-Paul étaient en feu et une trentaine d'édifices flambaient simultanément sur trois rangées parallèles. Le plus désolant, c'est la horde de voleurs qui sont accourus pour piller les marchandises amoncelées dans les rues. Les

militaires ont été tout aussi impuissants à protéger les biens des sinistrés que les pompiers à arrêter la marche du feu. Montréal n'est plus un gros village où tout le monde se connaît.

Un malheur, dit le proverbe, *n'arrive jamais seul.* Un mois plus tard, il fait une chaleur torride. La sécheresse est à son comble et le grand réservoir de la Côte-à-Baron est à sec. Son eau était corrompue. On l'a vidé pour faciliter la pose de tuyaux de plus gros calibre à travers la ville. Le 8 juillet, entre 8 et 9 heures du matin, un nouvel incendie éclate chez le saucissier Brown ou chez le charretier Douden. Les deux commerçants ont pignon sur rue à l'encoignure de la grande rue du faubourg Saint-Laurent et de la rue Sainte-Catherine. Les volontaires accourent rapidement en traînant leurs pompes portatives mais le feu est déjà hors de contrôle. Les étincelles volent d'une toiture à l'autre et embrasent les maisons de bois construites les unes contre les autres. Les foyers d'incendie se multiplient à la vitesse de l'éclair. Une ceinture de flammes entoure bientôt le quadrilatère formé par les rues Saint-Denis, Craig, Saint-Laurent et Mignonne, aujourd'hui Maisonneuve. C'est l'enfer! Tout le quartier est un brasier. L'Hôpital général protestant se retrouve au cœur du sinistre. Au milieu des cris de panique, des gémissements et des plaintes, les médecins et les infirmiers s'apprêtent à évacuer les malades enroulés dans des serviettes mouillées lorsqu'un changement de direction de la conflagration épargne l'hôpital de la rue Dorchester. C'est un répit. La température a atteint jusqu'à 100 degrés Fahrenheit. Le soir, seuls quelques édifices de pierre comme l'Hôpital général restent debout. Ahuries, hébétées, les yeux rougis, le visage et les habits couverts de suie, les victimes se sont réfugiées sur les pentes du mont Royal ou à la ferme Logan, le futur parc La Fontaine.

Vers 9 heures, l'alarme sonne. Un nouvel incendie a éclaté dans une écurie, rue Notre-Dame. L'édifice de 4 étages s'embrase et le feu se propage au magnifique théâtre adjacent, puis à un hôtel. Une heure plus tard, toutes les maisons qui entourent le square Dalhousie sont détruites. De la rue Lagauchetière au fleuve, le sinistre poursuit son chemin vers l'est. La conflagration s'arrêtera à la fonderie Sainte-Marie et ne sera maîtrisée que le lendemain matin, vers 6 heures. Le bilan du sinistre dépasse tout ce qu'on aurait pu imaginer: les quartiers Saint-Jacques, Saint-Louis, Sainte-Marie et Saint-Laurent sont détruits. Plus de 2 000 maisons sont rasées, la cathédrale Saint-Jacques, le Palais épiscopal, la prison du Pied-du-Courant. Des industries, seule la distillerie de Molson a été épargnée. Près de 1 200 familles sont sans abri. On doit héberger plus de 10 000 personnes dans les hangars de Pointe-Saint-Charles et dans des tentes dressées à la ferme Logan, sur le Champ de Mars et dans le square Viger. Montréal n'a jamais connu un tel état de détresse et de dénuement.

Je me souviens de Waterloo

Cette année, à Québec, il aurait fallu être sourd pour ignorer que le Duc de Wellington est décédé. Le 18 novembre, jour des funérailles nationales du vainqueur de la bataille de Waterloo, l'Artillerie royale, placée sur la terrasse du château Saint-Louis, a tiré 83 coups de canon pour correspondre à l'âge du défunt Duc de fer.

Monseigneur Bourget a refusé l'hospitalité des religieuses de l'Hôtel-Dieu pour ne pas quitter son quartier éprouvé et ne pas se séparer des prêtres de son évêché. Il s'est retiré à l'Asile de la Providence. Le 11 juillet, il adresse à la ville de Montréal une pastorale qui est un monument épiscopal de bêtise. *Qu'allons-nous devenir? Tout ce que nous savons, c'est que c'est Dieu qui a soufflé, du souffle de sa colère, ce feu que la main de l'homme n'a pu maîtriser. Cela nous suffit,* tranche l'Évêque dévot. *Il a choisi pour l'allumer, ce feu dévorant, le moment où nos réservoirs étaient à sec. Il a lui-même tracé à ce feu, devenu en quelque sorte intelligent, sa route, pour qu'il épargnât ceux qu'il voulait épargner, et qu'il ruinât ceux qu'il voulait ruiner. En tout cela, il est adorable*, conclut-il avec la sérénité d'un nouveau saint Laurent. *Vous m'avez déjà fait cuire d'un côté,* aurait déclaré le saint patron du fleuve lors de son martyre sur le gril, *tournez-moi de l'autre si vous voulez me manger bien cuit!*

1853

À la mi-mai, tous les badauds de la ville étaient sur les quais pour assister à l'arrivée du *Genova*. C'est le premier océanique régulier à entrer dans le port de Montréal. Pour effectuer la traversée de Liverpool à Québec, il a mis 20 jours. Il semble que ses armateurs avaient lésiné sur la qualité du combustible.

En passant par Québec, le navire s'est approvisionné en charbon écossais, ce qui lui a permis d'améliorer sa vitesse de croisière et de filer à une allure de 12 nœuds jusqu'à Montréal. Lorsque le *Genova* est reparti pour Liverpool, il transportait une cargaison complète de marchandises, 30 passagers dont une religieuse et du charbon écossais dans ses cales. Quelques jours plus tard, c'est un personnage controversé qui descend du vapeur *Québec.* Armés de revolvers et de couteaux, 50 orangistes l'accompagnent. Le charbon irlandais remplace l'écossais.

ALESSANDRO GAVAZZI

Alessandro Gavazzi est un moine barnabite défroqué. Il donne des conférences à travers l'Amérique pour dénoncer l'Église catholique. *Ma mission est de détruire le Pape et le papisme,* a-t-il déclaré à Toronto. *Donc, ne m'appelez pas protestant, car je n'en suis pas un, mais appelez-moi* Destructeur, *c'est là mon nom.* La conférence de Gavazzi à Québec a rassemblé 1 000 personnes à l'église Chalmer's. Elle s'est soldée par une mêlée générale entre les partisans protestants de l'ex-barnabite et 600 Irlandais catholiques. La troupe a dû intervenir pour ramener l'ordre. Toronto y a vu aussitôt la négation *du droit sacré et inaliénable de tous les hommes d'exercer et d'exprimer leur propre jugement en matière de religion et de tenir des assemblées pour cet objet sans empêchement ni molestation. Dans le Haut-Canada, les prêtres sont doux, paisibles, et n'exigent que leurs droits,* clame le *Globe*,. *À Québec, où ils sont la majorité, ils sont des loups dévorants; ils empêchent toute discussion, abattant par la violence tous ceux qui leur font de l'opposition.*

Gavazzi a été invité à Montréal par John Dougall, le Directeur du *Montreal Witness.* Avec sa barbe fleuve et son allure sévère, l'Écossais fait figure de patriarche. Il exige d'autrui l'austérité dont il est le premier à donner l'exemple et livre une guerre sans merci au jeu, à l'alcool, à la prostitution et au papisme. Son journal est soutenu par les plus fanatiques et les plus anticatholiques des protestants. La présence du *Destructeur* n'est pas sans provoquer un malaise. Le lendemain de son arrivée, la ville est couverte de placards. *Laissez Gavazzi dire ce qu'il veut; ne vous déshonorez pas en faisant de l'agitation à propos de ce triste individu,* peut-on lire un peu partout. *Restez tranquilles et ne prêtez pas la moindre attention à ce qu'il dit.* La conférence de Gavazzi doit avoir lieu au marché Bonsecours. John Dougall l'avait loué pour 25 $. Le Maire Wilson s'est ravisé. James Sadlier, le Gérant de la succursale montréalaise de la libraire catholique *Sadlier and Co.*, a brandi la menace de réunir 10 000 hommes si Gavazzi officie à la salle municipale. Le *Destructeur* parlera donc au temple Zion de la secte congrégationaliste.

Le 9 juin au soir, tous ceux qui vinrent au temple étaient littéralement armés de pied en cap, relate le correspondant du *New York Daily Times. On voyait sous les bancs des mousquets qui y avaient été dissimulés; des pistolets jaillissaient sinistrement des poches.* Toute la force constabulaire est sur pied. Non sans raison, le Maire Wilson craint le pire. À l'intérieur du temple, vêtu de sa soutane de barnabite, Gavazzi dénonce l'absurdité du système papiste. Le défroqué ridiculise les catholiques irlandais, qu'il traite d'*ignorants*, de *personnages grossiers* et d'*abrutis.* Ses partisans l'acclament.

À l'extérieur, la foule hostile aux orangistes est de plus en plus nombreuse. Vainement, le Chef de police Ermatinger tente de la disperser. Il attrape un manifestant par le collet. Les Irlandais de Griffintown ripostent par une volée de pierres. Ermatinger est blessé au visage. La turbulence s'amplifie. Un auditeur de Gavazzi sort de la salle. La foule se défoule. L'homme qui ne voulait pas rater le départ du bateau pour Québec est aussitôt assailli et battu sauvagement. Les portes du temple Zion s'ouvrent brusquement. Une centaine d'hommes armés ouvrent le feu sur la foule. La décharge tue James Walsh, un des leaders catholiques. Le Maire Wilson s'affole et réclame l'aide de la troupe. L'ardeur des manifestants se refroidit avec l'arrivée des soldats. C'est une accalmie. Leur colère reprend toute sa vigueur lorsque les protestants sortent du temple. L'empoignade est générale. Le Maire Wilson fait lecture du *Riot Act* et l'armée tire dans le tas. La panique s'empare des belligérants soudainement unis dans une fuite désordonnée et meurtrière.

NOIR UN JOUR, NOIR TOUJOURS

La pièce tirée du roman d'Harriet Beecher-Stowe, *La Case de l'oncle Tom*, a été présentée pour la première fois à New York au *Purdy Theater*. Les Noirs respectables pourront assister à la pièce dans une partie réservée de la salle.

Lorsque le calme revient dans la côte du Beaver Hall, on découvre que plusieurs femmes ont été piétinées pendant la débandade. On compte 15 morts et une quarantaine de blessés graves. Le *Montreal Witness* de Dougall n'hésite pas à qualifier l'incident de *Saint-Barthélemy montréalaise.* Pour les Canadiens, il ne s'agit là que d'une histoire irlandaise entre Irlandais.

1854

P*ortland, Maine! All aboard! Richmond! Saint-Hyacinthe! Watch your step!* Montréal se veut la plaque tournante du commerce et s'en donne les moyens avec une ligne de chemin de fer qui relie la métropole à l'Atlantique via les États-Unis. Grâce à ce premier tronçon international, Montréal devient un port de mer accessible 12 mois par année, par eau ou par train.

Il y a 3 ans, 3 hommes d'affaires montréalais se sont assuré le monopole du transport dans le Haut et le Bas-Canada. L'ancien Maire James Ferrier, un des hommes les plus riches de la ville, s'est associé avec le brasseur William Molson et l'empereur de la fourrure, Sir George Simpson, pour fonder le Grand Trunk Railway System. Le programme de la nouvelle compagnie de résume en 5 points: *absorber* les compagnies de chemin de fer existantes, *achever* la ligne de Montréal à Portland, *construire* une ligne jusqu'à Toronto, *récolter* des fonds en Angleterre et *veiller* à ce que les subventions ferroviaires du gouvernement ne soient versées que dans un seul gousset, celui de ceux qu'on nomme *les grosses poches.* L'an dernier, le Parlement a sanctionné l'incorporation du Grand Tronc en lui accordant le privilège exclusif de

construire une ligne de chemin de fer de Montréal à Toronto et une autre de Lévis à Trois-Pistoles. Un privilège qu'il a assorti d'une gratification substantielle: la garantie provinciale de 3 000 livres par mille complété. Quand le pouvoir et l'argent s'accouplent, *incest is best.* Quoi de plus naturel que le Président du Grand Trunk Railway System, John Ross, soit également Procureur général du Haut-Canada et Conseiller législatif, tout comme le Vice-Président, Benjamin Holmes, Administrateur de la Bank of Montreal.

Pour réaliser les travaux de construction, le Grand Tronc a engagé un entrepreneur d'Angleterre, Morton Peto, dont la principale qualité est d'avoir accepté une partie du paiement en actions. Le financier londonien ne pouvait se douter qu'au Canada, le coût de la vie étant plus élevé, les salaires des ouvriers sont supérieurs à ceux de leurs homologues britanniques. Les Canadiens français, pour leur part, n'ont jamais prisé les travaux de pic et de pelle, pas plus qu'ils n'aiment se faire crier par la tête en anglais. Aussi y en a-t-il peu parmi les 8 000 terrassiers qui suent sang et eau sur le chantier de la ligne Montréal-Toronto.

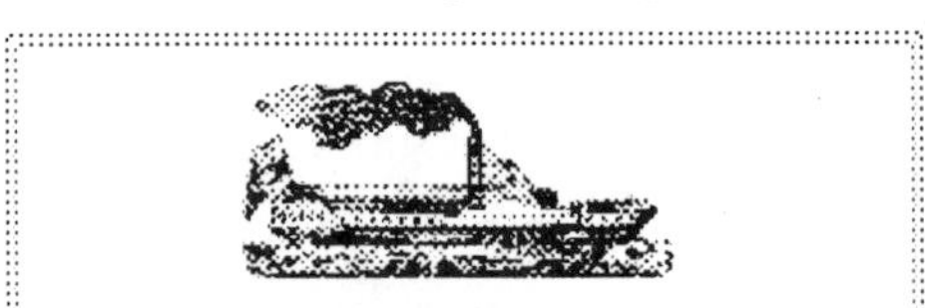

UNE CÉRÉMONIE ABSURDE

La Société Saint-Jean-Baptiste de Québec a organisé la cérémonie de translation des restes des braves de la Bataille de Sainte-Foy. Louis-Joseph Papineau a refusé d'y participer. *Qu'une société nationale demande à associer dans la même fête, et ceux qui sont morts pour conserver leur nationalité et ceux qui sont morts pour l'assujettir,* a déclaré le chef patriote, *me paraît un bizarre contresens et une abjecte flatterie.*

Montréal est un port. C'est aussi une île. Le Grand Tronc a tourné la difficulté en construisant trois traversiers et de grandes barges pour transporter les marchandises, les voyageurs en provenance de Portland et le matériel roulant. C'est un pis-aller. L'Administrateur du port de Montréal en est convaincu. Construire un pont sur le Saint-Laurent est le seul moyen d'assurer la rentabilité du chemin de fer. La première réaction à la proposition de John Young a été plutôt négative. *Un pont de deux milles de long,* s'est-on récrié, *c'est plus facile à dire qu'à faire. Si on le fait,* a rétorqué Young, *il faudra le faire en fer.* Son enthousiasme pragmatique pour un tube de fer s'est avéré persuasif. Le 24 mai, le Grand Tronc a marqué l'anniversaire de la Reine en posant le premier caisson d'un pont dont on estime les coûts de construction à près de sept millions de dollars.

La somme est beaucoup plus importante que ce qu'il peut en coûter pour acheter une élection. Ce qui est bon pour le Grand Tronc est bon pour le gouvernement et il n'entre pas dans les plans des Directeurs du chemin de fer de voir leurs projets contrariés par un usage intempestif de la démocratie. La preuve en est le nouveau ministère nouvellement élu, où 5 des Ministres, dont le Premier Ministre Francis Hincks, sont membres du conseil d'administration du Grand Trunk Railway System. Élu, c'est vite dit! La corruption électorale est devenue une institution. *Les électeurs qui désirent mériter la réputation d'hommes intelligents ne doivent pas attendre qu'on leur donne de l'argent pour aller enregistrer leurs votes,* rappelait *La Minerve* quelques jours avant le scrutin en juillet. *Qu'ils sachent donc au contraire que ceux qui leur offrent de l'argent pour leurs votes sont des hommes qui ont des vues d'intérêt personnel à servir, des hommes qui, par la position qu'ils veulent se faire, sauront reprendre au centuple les petites sommes qu'ils distribuent aujourd'hui pour obtenir leurs fins.* Le péché électoral à la mode, c'est l'enthousiasme. *Dans Lotbinière, il n'y a que 550 votes légaux dans la paroisse de Saint-Sylvestre, cependant il en a été donné 1 132 à cette élection,* rapporte *Le Canadien. À Sainte-Agathe, de même qu'à Saint-Sylvestre, la même personne a voté 32 fois sous différents noms.*

Le record de la fraude électorale revient au comté du Saguenay, où s'affrontaient Pierre-Gabriel Huot et Jean Langlois. Dans les bureaux de vote des paroisses de Saint-Fidèle, Sainte-Agnès, Saint-Étienne de La Malbaie, Saint-Urbain et Les Éboulements, lesquelles totalisent 1 669 électeurs qualifiés, on a décompté 14 319 votes exprimés en faveur des candidats.

1855

Depuis 5 semaines, Québec célèbre, honore, complimente, exalte et glorifie le Commandant de Belzève et les 240 hommes d'équipage de la corvette *La Capricieuse*, le premier navire de guerre français à remonter le fleuve Saint-Laurent depuis la Défaite. Montréal brûle d'impatience de fêter à son tour *la grande visite.*

Depuis la guerre de Crimée, les Anglais et les Français sont alliés. Pour Paris, la mission De Belzève est un coup de sonde. Le gouvernement de Napoléon III songe à établir un consulat français à Montréal pour mettre à profit un éventuel allégement des droits qui frappent présentement ses exportations. Pour les Canadiens, c'est un coup au cœur. Tout le long de sa remontée du fleuve, *La Capricieuse* a été saluée par les hourras et les salves de mousqueterie des populations accourues sur la côte, du Saguenay à Québec. L'accueil est délirant. *Voyez, voyez sur les remparts cette forme indécise / Agitée et tremblante au souffle de la brise. / C'est le vieux Canadien à son poste rendu! / Le canon de la France a réveillé cette ombre / Qui vient, sortant soudain de sa demeure sombre, / Saluer le drapeau si longtemps attendu,* s'émeut le poète-libraire Octave Crémazie.

Le Canada, c'est la France, la vieille patrie! a déclaré le Maire de Québec au Commandant de Belzève dans son discours de bienvenue. *Le grand mur qui nous séparait depuis près d'un siècle s'est abaissé,* a-t-il enchaîné avec un trémolo dans la voix. *Il y a longtemps qu'on vous attendait et nous sommes heureux de vous revoir.* Ce sont des paroles étonnantes dans la bouche d'un Maire écossais comme Joseph Morrin. Un peu moins sans doute lorsqu'on est au parfum. Le discours a été rédigé par son Greffier, l'auteur de *L'Histoire du Canada*, François-Xavier Garneau. Dans les jours qui suivent, le Commandant de *La Capricieuse* s'est d'ailleurs empressé de rendre visite à l'historien. N'était-ce que pour s'informer sur sa mission diplomatique, De Belzève a lu Garneau. *C'est en grande partie à votre livre que je dois l'honneur d'être aujourd'hui au Canada,* lui confie-t-il, *et celui de vous rencontrer n'est certainement pas le moindre des bonheurs qui m'y attendaient.*

Reçu à dîner à Spencer Wood par le Gouverneur général Sir Edmund Walker Head, entouré d'hommages et de soins, applaudi comme un héros chaque fois qu'il descend dans la rue, l'Officier de marine méridional n'en garde pas moins la tête froide. Que ce soit dans une soirée civique qui réunit plus de 1 500 personnes sous une tente à la terrasse Durham ou dans un bal auquel assiste la fine fleur de la société québécoise à l'*Hôtel Russell,* De Belzève n'arrive pas à comprendre tout à fait ces Canadiens qui professent dans le même souffle leur amour profond de la France et leur attachement à l'Angleterre. *Vous êtes trop cartésien pour être canadien!* lui rétorque une octogénaire, Mademoiselle De Lanaudière. *Nos bras sont à l'Angleterre, mais nos cœurs à la France!*

Montréal n'aura pas la joie de voir *La Capricieuse,* son tirant d'eau est trop fort pour traverser le lac Saint-Pierre. Présidé par le Maire Wolfred Nelson, le Conseil de ville s'interroge sur le genre de réception civique qu'on doit accorder au Commandant de Belzève et à ses officiers. La population n'a pas l'intention d'être frustrée de la fête qui s'impose. *Il peut convenir à Monsieur le Maire, au Board of Trade et au* Montreal Transcript *de n'être que polis envers un officier français qui vient nous visiter,* tranche *La Minerve*, *mais il nous convient à nous, Canadiens français, d'être plus que polis en cette occasion.* Le 30 juillet, les cloches sonnent à la volée. C'est le grand jour. Vers une heure de l'après-midi, sous un soleil éclatant, une foule immense massée sur les quais assiste à l'arrivée du navire sur lequel De Belzève et sa suite ont pris place. L'*Admiral* est flanqué de deux vapeurs remplis de monde,

L'Aigle et *Le Cultivateur*, et suivi par trois autres, *Le Jacques-Cartier*, *Le Verchères* et *Le Castor*. L'entrée de la flottille décorée de drapeaux dans le port est saisissante et l'enthousiasme de la foule frénétique.

À travers 800 lieues de fleuves, de lacs, de chemins de fer, j'ai fait un voyage princier, relate De Belzève dans une lettre, *passant sous je ne sais combien d'arcs de triomphe, trouvant la nuit et le jour la population, les municipalités qui m'attendaient à l'entrée des villes une adresse à la main, et moi, pauvre hère, obligé de répondre à tout cela par de beaux et bons discours qu'il fallait plus tard paraphraser à merci dans des banquets et des toasts. Quelle dépense exorbitante d'éloquence j'ai faite dans ces trois semaines,* s'étonne-t-il à l'intention de son correspondant. *Une vingtaine d'adresses à répondre, plus de 50 speechs à prononcer; l'un d'eux sur le Champ de Mars, devant 10 000 personnes, monté sur une voiture, et le tout avec accompagnement de canons et de feux d'artifice. Si je ne suis pas mort d'indigestion, j'aurais dû mourir de vanité,* conclut l'officier méridional avec une pointe d'humour. *Heureusement que mon estomac et mon bon sens m'ont défendu de l'un et l'autre trépas.*

SAINT VOLTAIRE, PRIEZ POUR NOUS!

Dans son onzième rapport annuel, l'Institut canadien de Montréal peut se vanter de compter plus de 700 membres, d'avoir tenu une quarantaine de séances publiques, de posséder une salle de lecture où l'on trouve plus de 100 journaux et une bibliothèque de près de 4 000 volumes dont les *Œuvres complètes* de Voltaire, en 70 tomes.

À l'inverse des discours, des adresses, des toasts et des échanges diplomatiques de politesse, la réaction populaire au passage du Commandant de Belzève et de ses marins a été toute simple. Elle se résume à une phrase qu'on a entendue tout aussi bien dans les villages le long du fleuve que sur la place du marché à Québec ou à Montréal. *Tiens! nos gens sont revenus!*

1856

Le Grand Tronc plastronne. Depuis octobre, ses trains circulent entre Montréal et Toronto: 7 wagons jaunes traînés à 30 milles à l'heure par une locomotive qui s'arrête en chemin à 64 stations, soit en moyenne à tous les 5 milles et quart. La ligne a coûté 1 million de livres de plus que prévu. *So what?* Ce n'est sûrement pas une raison suffisante pour que le Grand Tronc se prive de célébrer sa mise en service par un banquet de 4 000 couverts dans ses locaux de Pointe-Saint-Charles, une procession aux flambeaux, un feu d'artifice et un grand bal. *Why bother?* Quand on fait un déficit, le gouvernement paye!

WILLIAM DAWSON

Si la métropole peut se vanter d'activer le commerce, elle ne peut pas en dire autant de ses collèges ou de son université, une institution moribonde qui ne compte que 13 élèves. Lorsque William Dawson est arrivé à Montréal avec femme et enfants, le nouveau Principal de McGill a pu constater que son université se résume *à deux blocs de bâtiments non terminés, partiellement en ruine, envahis par les buissons et les mauvaises herbes, et plantés au milieu d'excavateurs et de rebuts de maçons. Les vaches viennent brouter sur les terrains non clôturés du collège, lesquels sont reliés à la ville par un chemin à peu près impraticable la nuit tombée. Quant à la résidence du Principal,* note Dawson dans un tableau qu'il brosse de la situation, *c'est une section mal meublée de l'un des bâtiments inachevés. Il y manque presque tout ce qui est nécessaire à une vie civilisée,* confirme son épouse. William Dawson est un éducateur chevronné, doté d'une expérience du commerce et de la finance, un conférencier brillant, un auteur populaire, un fervent chrétien et un bourreau de travail. Malgré son piètre état, McGill ne dispose pas moins d'atouts. Sa faculté de médecine dispense son enseignement au Montreal General Hospital. Quant à son conseil d'administration, il compte deux membres fortunés tout à fait disposés à jouer les mécènes, James Ferrier et William Molson.

Tous les dimanches, les élèves du Collège de Montréal se rendent au pied de la montagne passer l'après-midi à la résidence de campagne des Sulpiciens. Le paysage de l'éducation au Bas-Canada n'est pas aussi idyllique que cette promenade hebdomadaire corps de musique en tête. Sur 1 991 instituteurs et institutrices, seulement 472 possèdent un brevet de qualification. Quant au personnel féminin, que le clergé trouve plus maniable, il représente 63,5 % des effectifs globaux. *Tant que vous laisserez l'instituteur lutter contre le besoin et le mépris de tous, tant que la carrière de l'enseignement sera regardée comme un opprobre, tant qu'elle sera considérée comme le réceptacle des bons à rien*, confirme le Commissaire Jacques Crémazie dans un mémoire présenté au Comité spécial d'enquête sur l'éducation, *soyons-en assurés, nous n'aurons jamais d'instituteurs qualifiés. C'est un fait notoire que, dans le Bas-Canada, les instituteurs estimables sur tous les rapports ont abandonné l'enseignement pour des emplois plus lucratifs.*

Cette année, le Parlement a adopté deux projets de loi sur l'éducation à la suite des recommandations du nouveau Surintendant de l'Instruction publique, Pierre-Joseph-Olivier Chauveau. Le premier autorise la création d'un Conseil de l'Instruction publique. Le second ordonne la mise sur pied d'écoles normales à Québec et à Montréal. L'École normale Jacques-Cartier ouvrira ses portes dès l'an prochain et sera logée au château Ramezay. *La langue principale d'enseignement sera le français, mais on devra également y enseigner l'anglais,* précise le Surintendant Chauveau dans une lettre circulaire où il définit la mission de l'institution. *L'étudiant, âgé d'au moins 16 ans, devra présenter un certificat de moralité obtenu du curé de sa paroisse et prendre l'engagement d'enseigner dans les écoles communes durant 3 ans. Le cours d'une durée de 2 ans donnera droit à un diplôme d'école élémentaire et d'école modèle.*

Pendant ces deux années intensives, le mot est un euphémisme, les matières à l'étude seront: *la pédagogie*, but principal du cours, *l'enseignement religieux*, *la lecture raisonnée*, *les leçons de choses*, *la déclamation*, *les grammaires française et anglaise*, *la composition littéraire*, *les éléments de philosophie intellectuelle et morale*, *l'histoire en général et en particulier*, *l'histoire sacrée*, *l'histoire d'Angleterre*, *de France et du Canada*, *la géographie*, *l'arithmétique*, *la tenue des livres*, *l'algèbre*, *les éléments de la géométrie*, *du mesurage*, *de l'astronomie*, *de l'histoire naturelle*, *de l'agriculture et de l'horticulture*, *le dessin linéaire*, *la musique vocale et la musique instrumentale.*

PÉDAGOGUES, JE VOUS HAIS!

Marchands de grec! marchands de latin! cuistres, dogues! Philistins, magisters! Je vous hais, pédagogues! vocifère Victor Hugo dans *Les Contemplations. Oui, brigand, jacobin, malandrin / J'ai disloqué ce grand niais d'alexandrin! / Je fis souffler un vent révolutionnaire / J'ai mis un bonnet rouge au dictionnaire!*

Le règlement précise également que *tout élève qui se sera enivré ou aura fréquenté un cabaret, un lieu de débauche, une maison de jeu ou une personne de mauvaise vie sera expulsé.* Avec le programme d'études Chauveau, même trouver le temps d'y penser sera difficile.

1857

Lola Montes

Lola Montes! La scandaleuse, la dangereuse, la sulfureuse Lola Montes! Sa venue est annoncée et tous les journaux conservateurs en virent de la barrette et de la cornette. *Lola Montes, l'homme-femme cynique, nous menace d'une visite. Si elle était femme, notre galanterie française nous empêcherait de rien dire,* pateline *Le Canadien, mais comme elle apparaît appartenir à un troisième sexe, nous ne sommes pas friands de sa présence parmi nous. Qu'elle continue de délecter la race supérieure de Toronto.*

La célébrité internationale de Lola Montes est de celles qui choquent les ouailles monogames de Monseigneur Bourget. La sémillante Lola a été mariée 4 fois, ce qui ne l'a pas empêchée d'inscrire à son carnet de chasse 14 amants officiels, dont Franz Liszt. Le Roi de Bavière, Louis Ier, a perdu son trône à cause d'elle. Son dernier amant en titre porte un nom prédestiné, c'est un comédien français qui se nomme Follerie. Notoire pour ses danses en tenue légère, Lola a compté parmi ses admirateurs le Roi de Prusse Frédéric-Guillaume IV, le Tsar Nicolas Ier, Alexandre Dumas père, Théophile Gautier et Richard Wagner. La courtisane n'a pas eu que des transports de lit, elle a également transporté ses valises dans beaucoup de pays et de villes: l'Inde, l'Irlande, l'Espagne, la Russie, Dresde, Paris et Munich. Au début des années cinquante, elle a même parcouru les États-Unis avec le cirque Barnum. Elle y interprétait l'histoire de sa propre vie sur la piste. En plus de signer ou de contresigner 24 biographies d'elle-même, Lola Montes vient de publier un délicieux petit livre, *L'Art de la beauté.* En quelques mois, il s'est vendu à 60 000 exemplaires aux États-Unis. C'est dans la foulée de cet énorme succès qu'on lui a proposé la tournée de conférences qui l'amène à Montréal.

Dans ses *lectures*, Lola Montes ne tient pas de propos scabreux, pas plus qu'elle n'agrémente ses *cours* de toutes les révélations croustillantes que ses promoteurs avaient escomptées. La sensualiste n'est pas une sensationnaliste. Contemporaine de George Sand, dont elle loue la modestie et la discrétion, la conférencière en a adopté le point de vue féministe. Lola, qui a déclaré un jour: *Je n'ai jamais aimé à me faire prier pour les choses que je suis décidée d'avance à accorder!* revendique pour ses congénères *plus de liberté au foyer, plus de lumière intellectuelle et une voix au chapitre conjugal.*

Pour les Montréalais, il y a 2 Lola Montes, la rouge et la bleue. Si on lit *Le Pays*, journal rouge, cette étonnante créature est *intelligente, douée d'un style littéraire intéressant et d'une conversation spirituelle, preuve qu'elle a considérablement vu, retenu et comparé. Physiquement,* poursuit le journaliste visiblement conquis, *avec sa gracieuse figure de créole, sa taille mince, ses cheveux noirs naturellement crêpés et ses yeux bleus, frangés de longs cils noirs comme l'ébène, il est à peine évident qu'elle dévide le fuseau de sa trente-sixième année.* Elle a 39 ans. Pour *La Minerve*, journal bleu, le succès de cette femme tristement célèbre n'est dû qu'*à l'auréole de vice qui entoure sa tête qui n'est d'ailleurs pas très jolie.* En fait, à bien y regarder, à la lumière du Saint-Esprit, *son visage est flétri et elle a de gros yeux presque mornes, une vilaine bouche, un corps excessivement maigre et une tournure sans grâce.* Le dernier mot est allé aux bleus. À peine une demi-douzaine de Canadiennes ont assisté à la conférence de la scandaleuse, et fort peu de Canadiens. Dommage que ces derniers n'aient pas été plus nombreux à écouter Lola Montes. Ils auraient pu profiter d'un de ses conseils. *Si votre cœur*

LE PROCÈS DE *MADAME BOVARY*

Quelle belle chose que la censure! a déclaré Gustave Flaubert lors du procès qu'on lui a intenté pour l'obscénité de son roman *Madame Bovary. Tous les gouvernements exècrent la littérature: le pouvoir n'aime pas un autre pouvoir!*

court loin du foyer domestique, Messieurs, ne soyez pas surpris qu'un autre vous y remplace, les a prévenus la grande amoureuse. *Je vous donne le conseil de ne pas en faire l'essai; n'oubliez jamais que la nature a horreur du vide.*

Ces jours-ci, Lola Montes n'est pas le seul homme-femme à défrayer la chronique montréalaise. Tous les rieurs se gaussent de la mésaventure d'un étranger. Le pauvre homme s'est épris d'une jeune première qui joue à la salle *Bonaventure.* Il ignorait qu'à la Société des amateurs canadiens les rôles de femme sont interprétés par de jeunes hommes. Il s'est donc emballé pour l'éclat féminin d'un joli travesti imberbe, Victor Brazeau.

Bombardé de fleurs, de cadeaux, de billets doux et d'invitations à dîner par son soupirant, Brazeau s'est finalement décidé à lui accorder un rendez-vous galant. Le soir convenu, il se présente à l'hôtel en jeune ingénue. Le soupirant n'y voit que du feu. Ravi de sa fortune, il est on ne peut plus empressé. Sans doute un peu trop puisque, au moment d'entamer le repas, Brazeau met fin à la mystification. Il retire brusquement sa perruque et révèle son identité masculine. Les rires moqueurs de la troupe fusent. Elle avait été mise dans le secret et invitée par précaution à la rencontre. *J'ai toujours aimé à me faire prier pour les choses que je suis décidé d'avance à refuser!* aurait pu lancer le jeune travesti à l'inverse de Lola Montes.

1858

Entre les bazars de charité et les excursions de nuit en carriole, ces dames de la bonne société anglaise de Montréal pratiquent, non pas le plus vieux métier, mais le plus vieux sport du monde: le tir à l'arc. La Reine Victoria, comme on le sait, ne dédaigne pas tâter du *bow and arrow*. Voués à l'adulation et à l'imitation de la Souveraine, les bas-bleus de la métropole ont fondé le premier club féminin d'archers au Canada, le Montreal's Archer Club.

Il va sans dire que, pour les Amérindiens, le tir à l'arc et la chasse ne sont pas un passe-temps mondain mais une nécessité vitale. L'an dernier, 5 Chefs ont fait parvenir une pétition au Gouverneur général pour traduire la misère et l'angoisse des 300 familles montagnaises de Betsiamites, de Sept-Îles et de Mingan. Tracé sur l'écorce d'un bouleau et orné de dessins d'animaux, ce message n'avait rien de poétique. *Grand Chef, nous avons appris que tu te proposais de vendre nos rivières; mais alors que deviendrons-nous, si tu nous enlèves cette dernière espérance?* s'inquiétaient les Montagnais. *Nous n'aurons plus qu'à nous résigner à mourir bien vite et tu apprendras cette triste nouvelle: ils sont tous morts de faim.*

La chasse disparaît peu à peu dans le bois et nos places de pêche nous sont enlevées de toutes parts par les Blancs, rappelle la pétition. *À nos justes réclamations, ils répondent par ces paroles: travaillez, vous ne serez pas malheureux. Qu'entendent-ils par ce travail? Est-ce la chasse et la pêche? Ce reproche est injuste! Est-ce la culture des champs? Alors, il est insensé! En créant l'homme, le Grand Esprit a donné à chacun un génie particulier et différent pour chaque nation!* expliquent encore une fois les chasseurs montagnais au Grand Chef blanc. *À ta nation, il a donné l'instinct de se bâtir de grands villages de pierre, d'habiter ensemble, de se construire de grands canots de bois pour traverser les mers. À nous, il a donné l'instinct de vivre dispersés dans les forêts, d'habiter dans des cabanes d'écorce, de nous construire de légers canots afin de parcourir jusqu'à leurs sources nos rivières et nos lacs.*

Grand Chef, n'auras-tu pas pitié de nous? implore la pétition en établissant la liste des demandes montagnaises. *Voici les rivières que nous réclamons comme l'héritage de nos pères. Pour nous, la rivière Betsiamites; pour nos frères de Godbout, la rivière Godbout; pour nos frères de Sept-Îles, la rivière Moisy; pour nos frères de Mingan, la rivière Saint-Jean. Nous réclamons comme notre droit ces rivières, ou si tu les vends, nous te prions d'en appliquer le produit au soutien de notre pauvre nation. Grand Chef,* concluent les requérants amérindiens en s'adressant directement au Gouverneur, *donne-nous ta parole que tu ne nous déposséderas pas et que tu nous protégeras.* Sir Edmund Head s'est fait l'écho de cette pétition dans le discours du trône. Comme tout le reste, l'appel au secours des Montagnais s'est perdu dans le brouhaha de la politique partisane.

Le Parlement bicéphale de l'Union vit sous le règne de la double majorité. Il suffit que l'un ou l'autre des co-Premiers Ministres soit mis en minorité par sa propre majorité pour que le gouvernement perde aussitôt sa légitimité. George-Étienne Cartier n'est pas loin de croire qu'il a trouvé un moyen pour tourner la difficulté, le *double-shuffle.* Ce n'est pas une danse. C'est un tour de passe-passe astucieux.

Fin juillet, le gouvernement Macdonald-Cartier a donné sa démission à la suite d'un vote hostile de la Chambre. Le Chef de l'opposition, George Brown, a été chargé de former un nouveau ministère qui est entré en activité début août. À peine 48 heures plus tard, le nouveau gouvernement Brown-Dorion, mis en minorité dans les 2 Partis de la Chambre, démissionne. Le Gouverneur général Head charge alors George-Étienne Cartier de former un nouveau gouvernement. Pour éviter à ses Ministres d'avoir à se présenter de nouveau devant l'électorat, Cartier invoque une loi qui ne saurait mieux s'appliquer à la situation. *Lorsqu'une personne occupant une charge ministérielle résigne sa fonction ministérielle, si, dans un délai d'un mois après sa résignation, elle accepte une autre desdites charges ministérielles,* précise une clause de cette loi votée depuis peu, *elle ne rendra pas par là vacant son siège à la Chambre ou au Conseil.* Pour le ministère Macdonald-Cartier démissionnaire depuis moins d'un mois, c'est une clause faite sur mesure. Le Chef de la majorité conservatrice du Bas-Canada fait donc appel à tous les membres de l'ancien cabinet, moins 2, en offrant à chacun un ministère différent de celui qu'il occupait auparavant. Le gouvernement Cartier- Macdonald est né. C'est plus ou moins kasher mais c'est légal.

UNE PREMIÈRE AU CANADA

Le 25 décembre, à Québec, à la messe de jour de l'église Saint-Jean-Baptiste, Madame François-Xavier Pichette, née Rose de Lima Belleau, a chanté pour la première fois le célèbre *Minuit, chrétiens!* d'Alphonse Adam.

Outré, Brown dénonce la manœuvre qu'il qualifie de *double-shuffle*, double jeu. *Quel défi porté au peuple! Un acte inouï qui ne pouvait être tenté que par un renégat de la trempe de Cartier,* fulmine *Le National.* Suprême ironie, pour avoir été Ministres 48 heures, George Brown, Antoine-Aimé Dorion et leurs collègues doivent retourner devant leurs électeurs sans aucune garantie d'être réélus.

1859

L'âge est aux exploits techniques comme celui d'enjamber le fleuve Saint-Laurent. Le pont qu'on baptisera Victoria sans grande imagination compte déjà parmi les plus longs du monde. Sa construction dure depuis plus de 5 ans. Encore un coup de collier et la merveille de fer sera prête à temps pour l'inauguration officielle prévue dans un an. Pour s'en assurer, le Grand Tronc a offert une prime de 3 000 $ aux entrepreneurs.

Dans l'océan d'un déficit qui atteint les 10 millions, c'est une goutte d'eau. À peine plus importante que la vapeur qui s'échappe du fleuve lorsqu'un ouvrier y échappe un boulon ou un rivet incandescent. Visuellement, le pont Victoria est plutôt moche. C'est un long tube d'acier qui laisse sortir la fumée et entrer l'air par de petits hublots dont certains sont circulaires et les autres en forme de trèfle. Ce n'est pas le seul signe qui évoque la présence irlandaise sur le chantier. Le pied du pont occupe l'emplacement où, il y a 12 ans, s'élevaient les sinistres hangars de la quarantaine, les *sheds* de Pointe-Saint-Charles. Au début des travaux de creusage, les ouvriers irlandais de Griffintown déterraient constamment des ossements. Pour rappeler la mémoire de leurs compatriotes morts du typhus, ils ont dressé un monument naturel à l'entrée du pont, un énorme caillou tiré du fleuve sur lequel ils ont gravé l'inscription suivante: *Cette pierre a été érigée par les travailleurs qui ont construit le pont Victoria pour préserver de la profanation les restes de 6 000 immigrants morts de la fièvre typhoïde en 1847 et en 1848.*

Durant toute la durée des travaux, la compagnie du Grand Tronc a retenu les services de 5 médecins pour limiter le nombre des décès au minimum. On a tout de même compté 26 morts, dont plusieurs par noyade. C'est la cécité provoquée par la réverbération du soleil sur les glaces qui s'est avérée un véritable fléau pour les 3 040 travailleurs. Début décembre, les entrepreneurs ont empoché la prime de 3 000 $. Traîné par 3 locomotives, le train chargé de blocs de pierre pour éprouver la solidité de l'ouvrage, 1 tonne au pied, a parcouru sans incident les 25 travées de 16 pieds de largeur et 18 de hauteur qui reposent sur les 25 piliers en maçonnerie du pont. Les ingénieurs ont pu laisser échapper un soupir de soulagement. Le seul fléchissement qu'on a pu constater est négligeable, 7/8 de pouce au centre des travées.

Le 17 décembre, c'est dans la plus stricte intimité d'un premier aller-retour triomphal que 14 wagons décorés et remplis d'invités triés sur le volet se sont enfoncés dans la nuit noire de la boîte d'acier. La plupart des invités avaient les larmes aux yeux. Pas tant en raison de l'émotion de cette première que de la fumée opaque qui envahit le tube à ciel fermé. Dans le vacarme infernal qu'on associe désormais à la traversée du pont Victoria, on remarque à peine les quintes de toux, à l'unisson ou en canon. La randonnée ferroviaire s'est terminée par un banquet. Galant homme, le maître d'œuvre des travaux, Monsieur Hodges, y est allé d'un toast aux dames présentes et les a invitées sur-le-champ à une promenade dans le ventre du monstre d'acier. Plusieurs d'entre elles ont accepté son offre. Guidées par des fanaux à la main, les plus braves se sont même rendues jusqu'au centre du tube où, avec un frisson de peur et d'angoisse, elles ont pu contempler le fleuve qui, 60 pieds plus bas, s'engouffre entre les piliers du pont impérial.

L'exploit qui fait couler le plus d'encre cette année procure le même frisson. Il réunit également 2 rives, exige un surplomb des eaux et beaucoup d'aplomb. Cadet Blondin est un jeune funambuliste français qui, le 30 juin, en présence d'une foule de 50 000 personnes, a franchi les chutes Niagara sur un fil de fer d'une longueur de 1 500 pieds et d'une épaisseur de 3 pouces. Blondin a accompli sa prouesse en 17 minutes. Le casse-cou a quitté le côté américain aux accents d'une *Marseillaise* qui s'est transformée, à l'arrivée au Canada, en un tonnerre d'applaudissements et de bravos frénétiques. Blondin a fait partie du cirque Barnum, il n'est donc pas étranglé par la modestie. *Napoléon Ier*

a pu conquérir l'Europe, mais je doute fort qu'il aurait pu traverser comme moi vos chutes Niagara, a-t-il déclaré aux journalistes qui le félicitaient après son exploit.

Le véritable exploit pour l'ensemble de la population ces temps-ci n'est pas de jeter un pont sur un fleuve ou de tendre un fil de fer par-dessus une chute, mais tout simplement de trouver un chemin carrossable. *Il est impossible de se faire une idée des misères causées aux nouveaux colons par l'absence ou le mauvais état des chemins,* déplore un missionnaire des Cantons de l'Est. Les plus splendides allocutions des orateurs les plus distingués de Montréal n'y peuvent rien. Aucune figure de rhétorique n'est assez enflée pour décrire le premier ventre de bœuf que le colon trouve sur sa route.

PARIS, C'EST OFFENBACH

Jacques Offenbach est l'auteur de la musique d'*Orphée aux enfers*, dont se bidonne tout Paris. Nouvelle coqueluche, il a renvoyé son serviteur dans un éclat de rire. *C'est un brave garçon, mais ce n'est pas un valet pour un compositeur,* a-t-il lancé dans une soirée. *Quand il bat mes habits, le matin, derrière ma porte, il manque complètement de rythme.*

1860

George-Étienne Cartier

Montréal se fait belle pour recevoir son prince... de Galles. C'est l'héritier du trône qui doit inaugurer le pont Victoria. Édouard est âgé de 19 ans et il aura besoin de toute son ardeur juvénile. On n'a pas l'intention de lui laisser un instant de répit pendant son séjour.

Tout à sa ferveur coloniale, le Comité des fêtes a élaboré un vaste programme échelonné sur plusieurs jours où on retrouve les incontournables cérémonies religieuses, l'inéluctable parade militaire, l'inévitable banquet et un grand bal. Rien n'est trop beau pour fêter l'Empire! Ou trop dispendieux! On a même construit une salle expressément pour le bal. Il s'agit d'un bâtiment de bois de 300 pieds de diamètre *de forme circulaire, entouré comme d'une ceinture par une large terrasse flanquée de tourelles crénelées,* nous apprend la prose officielle, *érigé au milieu d'un parc artificiel d'une vaste étendue parsemé de fontaines également artificielles.* Pas moins de 24 portes donneront accès à une salle, éclairée par 2 000 quinquets, où on attend 6 000 personnes. Pour dégager les abords de la Place Jacques-Cartier, on a également démoli l'ancienne prison, rue Notre-Dame. Le Conseil des arts et manufactures a fait ériger un Palais de cristal, rue Peel, au-dessus de la rue Sainte-Catherine, pour abriter une Exposition industrielle. Quant au Maire, Charles-Séraphin Rodier, il s'est fait faire une toge de soie identique à celle du Lord-Maire de Londres.

Il serait d'une extrême inconvenance de donner la prédominance aux couleurs françaises dans une circonstance comme celle-ci, où l'on veut faire honneur à l'héritier présomptif de la couronne d'Angleterre dont nous sommes les sujets, rappelle matoisement *La Minerve* à ses lecteurs qui n'ont pas oublié la visite du Commandant de Belzève. *Les couleurs françaises ne sont pas proscrites; seulement, il faut les déployer avec réserve. Les Canadiens français savent qu'il y va de l'honneur de la nationalité canadienne-française comme de son intérêt. Ils connaissent leurs devoirs comme leurs droits et ils le prouveront en se rendant en masse vendredi sur la route que doit parcourir Son Altesse royale pour se rendre à sa résidence.*

Lorsque le prince de Galles et son état-major font leur entrée dans le port de Montréal à bord d'un navire de guerre escorté par une flottille de petits bateaux, c'est le déluge. On ajourne le débarquement. Le lendemain matin, tout baigne dans l'huile. Les cloches sonnent, le Maire postillonne, les Conseillers plastronnent, le clergé rayonne, les magistrats ronronnent, les militaires s'époumonent et les Indiens en grand costume impressionnent: bref, la fête fonctionne. *Le soir, on se serait cru en plein jour. L'illumination est toujours la partie populaire de nos fêtes solennelles,* rapporte un journaliste, *aussi, nous n'exagérons nullement en affirmant que plus de 80 000 personnes circulaient dans nos rues pour jouir du magnifique coup d'œil offert en ce moment. Des milliers de becs de gaz, de lampes, de lanternes chinoises,* épilogue le reporter ébahi, *répandaient leur brillante lumière sur l'immense réunion de curieux animés de la joie la plus vive.*

Le lendemain, le Prince a une journée chargée. Elle débute par un service divin à la cathédrale protestante. Ensuite, il assiste à deux parties de crosse et à une danse de guerre des Indiens. Le soir, c'est le grand bal qu'un journaliste décrit avec l'enthousiasme euphorique d'un pique-assiette rassasié. *Le buffet promet aux gastronomes de soutenir un long siège sans se rendre; le champagne, le bordeaux, la limonade coulent à flots de fontaines intarissables,* s'émerveille-t-il, le nez aux aguets. *Autour de l'orchestre, des parfums exquis, l'eau de Cologne, l'eau de lavande s'échappent en jets odorants. Vraiment, ce serait peine de laisser ces précieuses essences se volatiliser; aussi, plus d'une coquette tend son coquet mouchoir,* observe-t-il en tendant l'oreille. *La musique est bonne, le parquet est bien poli, les danses sont très animées, les toilettes sont d'une beauté sans pareille et d'une fraîcheur délicieuse,* note-t-il en se rapprochant de la suite royale. *Le Prince et le Duc de Newcastle ont déclaré qu'ils n'avaient jamais été témoins d'un tel spectacle auparavant et qu'ils craignaient de ne l'être jamais de nouveau.* Une seule fausse note. *On a noté toutefois,* souligne le pique-assiette redevenu journaliste, *que la liste de danseuses du Prince comprenait assez peu de Canadiennes.*

Le surlendemain, le Prince inaugure la grande Exposition provinciale au Palais de cristal. Il gagne ensuite la gare Bonaventure d'où un train spécial le conduit au pont Victoria, le but de son voyage. Le Prince pose la dernière pierre qui couronne la porte du *Victoria Bridge* et un wagon de luxe le conduit au centre du pont où il enfonce *the last rivet*, le dernier des 2 500 000 rivets qui sont autant de preuves de la grandeur de l'Empire britannique. À la différence des autres, il est en argent. Les mauvais plaisants vous diront que c'est celui du gouvernement. Le soir, Édouard fait une brève apparition à un concert donné en son honneur. Dix mille personnes l'acclament à son arrivée dans la salle. Sur scène, dans un grand déploiement de 400 voix, une jeune chanteuse originaire de Chambly fait ses débuts. Elle est âgée de 13 ans et se nomme Emma Lajeunesse. Un peu plus tôt, une autre adolescente a chanté. Elle se nomme Adélina Patti. C'est la soirée des cantatrices en herbe.

NOTRE FRÈRE LE MAMMOUTH

À Saint-Guiraud en France, Hippolyte Lartet a découvert une dent de mammouth sur laquelle était gravé le dessin d'un mammouth. Ce qui fait remonter l'origine de l'homme encore plus loin dans le temps. L'homme et le mammouth sont contemporains.

Deux jours plus tard, le Prince de Galles quitte Montréal après s'être baladé en canot d'écorce sur le fleuve avec l'empereur de la fourrure, Sir George Simpson. Le Comité des fêtes n'a que des félicitations à se faire. Ébloui par les lumières, les drapeaux et les décorations, le fils de la Reine Victoria n'a pas remarqué qu'une partie de la ville était toujours en ruine depuis le grand feu de 1852. C'est le but des fêtes: masquer la réalité.

1861

Encore une fois, Montréal fait son beurre de la guerre. La ville est en effervescence, l'argent roule, les affaires marchent bon train, les commerçants jubilent et les hôteliers arborent un sourire en permanence. Il y a des soldats britanniques partout.

Londres a envoyé des troupes pour parer à la menace de guerre de nos voisins yankees. Lorsque le conflit a éclaté aux États-Unis entre le Nord et le Sud, la garnison britannique du Canada et des provinces Maritimes se résumait à 4 300 hommes de tout grade. Aujourd'hui, 8 mois plus tard, la défense du Canada est assurée par une force expéditionnaire de 18 000 soldats réguliers. Dans les rues de Montréal, on ne voit et on n'entend que les militaires. Cornemuses, fifres et tambours résonnent à tout propos. Les fanfares régimentaires donnent des concerts sur la Place Dalhousie et tous les soirs le canon de l'île Sainte-Hélène annonce le couvre-feu. Montréal vit à l'heure martiale. On a installé un hôpital de campagne devant la brasserie Molson et planté des sentinelles devant les portes de fer dont le pont Victoria a été équipé pour prévenir le sabotage. Quant aux officiers, ils occupent leurs soirées en donnant des réceptions dans les hôtels huppés.

Chacun son point de ralliement. Vers minuit, toute la bourgeoisie de Montréal se retrouve pour manger des huîtres au *Prince de Galles*, un restaurant tenu par Angelo Gianelli, angle Saint-Jacques et Place d'Armes. Le matin, vers 5 ou 6 heures, la population ouvrière, quant à elle, converge vers 2 distilleries, 5 brasseries, 6 tanneries et 14 fonderies, ces industries qu'on accuse de plus en plus de *vider* les campagnes. Montréal déborde d'activité commerciale et son port peut revendiquer pleinement le titre de port de mer. John Young a obtenu du gouvernement que ce dernier assume le creusage du chenal jusqu'à 20 pieds. L'an dernier, le port de Montréal accueillait 259 océaniques, dont 37 vapeurs. Cette année, il en a reçu 574, dont 40 vapeurs. C'est plus du double.

La saison de navigation dure en moyenne 238 jours. Elle a débuté en avril par un débordement d'activité de la part du fleuve. La débâcle subite du Saint-Laurent a causé l'inondation de tout le quartier de Griffintown sous 3 pieds d'eau, ainsi que des rues de la Commune, des Commissaires, Saint-Paul, Saint-Antoine et Bonaventure. *C'est arrivé dans la soirée, pendant que je prêchais. Le sacristain est venu m'annoncer que l'église était entourée d'eau,* confirme le pasteur anglican de Saint Stephen de Griffintown. *J'ai aussitôt mis fin à l'office et, avec un compagnon,* poursuit-il, *je me suis rendu chez Monsieur Rodier pour lui demander d'envoyer les policiers évacuer mes paroissiens en canot. Dans la rue, le vent soufflait, l'eau était glaciale et, par moments, durant notre progression vers la rue Dorchester où habite Monsieur le Maire, nous en avions jusqu'au cou.* Même trempé, le pasteur n'a pas perdu son sens de l'humour. *Une fois sur la terre ferme,* enchaîne-t-il, *nous avons couru chez Rodier où j'ai sonné en lui criant de ne pas prendre le temps de mettre sa perruque parce que c'était urgent.* Le Maire Rodier ne s'offusque pas de l'allusion à sa moumoute et remet un ordre écrit au ministre anglican qui s'empresse d'aller le porter lui-même à la station de police. *Ensuite,* conclut le pasteur transi, *je suis rentré chez moi où je me suis plongé dans un bon bain chaud.* L'inondation a duré plusieurs jours et provoqué une scène tout aussi dramatique qu'inusitée lors d'un incendie qui a éclaté dans un édifice de la rue William. Les badauds n'oublieront pas de sitôt l'image surréaliste des pompiers, leurs pompes à bout de bras, qui devaient combattre les flammes en pataugeant dans une eau glacée où ils s'enfonçaient jusqu'à la taille.

Si les Montréalais n'arrivent pas à s'habituer aux sautes d'humeur printanières du fleuve, ils ont maintenant l'habitude des visites royales et impériales. En septembre, ils étaient près de 20 000 sur le Champ de Mars pour accueillir le Prince Napoléon de passage dans la métropole en provenance de New York. *Enthousiasme extraordinaire de la foule, cris:* Vive la France! Vive Napoléon! Vive le Prince! *Après une*

Plon-Plon

si longue séparation, ce souvenir de la patrie si éloignée est remarquable et touchant, observe le cousin de l'Empereur Napoléon III dans son journal. *Je ne crois pas qu'il y ait un parti de retour à une union avec la France,* juge-t-il néanmoins. *C'est un souvenir sentimental et une sorte de menace contre l'Angleterre afin d'en obtenir tout ce qu'ils veulent, liberté, respect de leurs lois et de leur religion. La réception que la population me fait,* note le Prince avec amusement, *a lieu malgré le clergé qui a dit beaucoup de mal de moi et a voulu empêcher toute manifestation.*

Le séjour de Plon-Plon comme l'ont surnommé ses amis a duré à peine une semaine. *Les Canadiens deviendront indépendants,* prédit-il, *c'est une question de temps qui n'est pas douteuse! Quelle forme prendra leur indépendance? Comment vivront-ils, en république ou en monarchie, à côté des États-Unis?* L'acuité politique du Prince Napoléon est trop vive pour une conclusion hâtive. *Tout dans ce pays est différent,* tranche-t-il prudemment, *et je dirais, à mon avis, sauf l'influence du clergé catholique, mieux qu'aux États-Unis.*

L'UNION DES MAÎTRES AVANT LA LIBÉRATION DES ESCLAVES

Pour le Président Abraham Lincoln, *l'Union des États est perpétuelle et aucun d'entre eux ne peut de son propre chef quitter l'Union.* C'est ce qu'il a déclaré lors de son discours d'inauguration. Dans le même esprit, le Sénat américain a adopté une résolution où il est établi clairement que le but de la guerre n'est pas d'abolir l'esclavage mais de préserver l'Union.

1862

Ce n'est pas encore *Step in the back !/Avancez en arrière!* mais c'est déjà *Attention à la marche!/Watch your step!* Les Montréalais ont désormais une bonne raison pour faire le pied de grue sur le coin des rues en toute saison: Montréal est entrée dans l'ère du tramway.

Les actionnaires de la Montreal Passenger Railway Company, pour leur part, possèdent au moins 12 bonnes raisons de se frotter les mains. Ils ont empoché 12 % de dividendes. Le premier tramway montréalais a circulé en novembre dernier, l'année même où ce moyen de locomotion faisait son apparition dans les rues de Londres. Cette année, depuis juin, 3 tramways assurent le service d'est en ouest, sur la ligne Notre-Dame, de la Porte Québec à la Place d'Armes. Les *chars*, comme on les nomme, peuvent contenir 8 passagers. Ils sont tirés par 3 chevaux et les voyageurs n'ont pas à se présenter à des stations fixes le long du parcours, il leur suffit de faire un signe de la main pour les arrêter. Sur demande, les tramways peuvent interrompre leur course et attendre un client le temps qu'il fait ses emplettes dans un magasin. C'est le grand luxe. Mais ce n'est toujours pas le confort.

L'état des chemins est impraticable, surtout dans les demi-saisons entre l'hiver et le printemps ou entre l'été et l'hiver. Il faut alors remplacer les *chars* par des omnibus à 4 roues qui cahotent tant bien que mal d'une ornière à l'autre. Dans de telles conditions, l'hiver est le bienvenu. La Montreal Passenger en profite pour remiser ses voitures roulantes. Elle leur substitue des véhicules sur patins, des *sleighs*, dont on recouvre le plancher d'une épaisse couche de paille pour protéger les pieds des voyageurs du froid. À toutes les 15 minutes, de 6 heures du matin à 8 heures du soir, et aux demi-heures jusqu'à 10 heures, les chars circulent dans le district n° 1, qui comprend les rues Notre-Dame, Saint-Antoine et Craig. Interdit d'aller à plus de 6 milles à l'heure. On connaît le penchant montréalais pour la vitesse.

L'HOMME À QUATRE PATTES

On a voulu à tort faire de la bourgeoisie une classe. La bourgeoisie est tout simplement la portion contentée du peuple, rappelle Hugo dans *Les Misérables. Le bourgeois c'est l'homme qui a maintenant le temps de s'asseoir. Une chaise n'est pas une caste!*

Pendant l'été, le charretier se tient debout sur le devant du *char*. À l'automne et au printemps, il est assis sur le siège avant de l'omnibus. L'hiver, on le retrouve emmitouflé sur celui de la *sleigh*. Pour l'instant, les plus mal nantis du transport en commun sont les conducteurs. Selon la saison, la fonction exige des talents d'équilibriste ou de marathonien. Tantôt ils doivent se maintenir à leurs risques et périls sur un marchepied hors du véhicule, tantôt ils doivent trottiner derrière la voiture en se frappant les bras et la poitrine pour se réchauffer dans les grands froids. Il y a fort à parier que l'expression consacrée *jurer comme un charretier* sera bientôt remplacée par une autre plus conforme à la réalité: *jurer comme un conducteur de tramway.*

Satisfaits de leur nouveau moyen de transport en commun, les Montréalais n'en font pas un plat pour autant. Ce n'est pas le cas de la nouvelle patinoire intérieure qu'on vient d'inaugurer. Tous, ils vous diront que c'est une des toutes premières à avoir été construites en Amérique et, sans avoir visité les autres, que c'est assurément la plus belle. Ils n'ont peut-être pas tout à fait tort. Le Victoria Skating Rink a pignon rue Drummond, un peu plus haut que Dorchester. La patinoire vaut le détour. Vue du haut de l'immense galerie qui occupe l'une des extrémités de l'édifice, elle est aussi impressionnante avec ses 10 000 pieds carrés de surface glacée que la promenade surélevée de 10 pieds de large qui la ceinture. On ne résiste pas au charme du Victoria Skating Rink. Le soir, lorsqu'il est éclairé par les globes de verre colorés de 5 000 becs de gaz, c'est la féerie.

Le tout dernier à y avoir succombé est Sir William Howard Russell, un célèbre correspondant de guerre envoyé du *Times* en Amérique pour couvrir la guerre civile étasunienne. *De l'extérieur je croyais que c'était un temple méthodiste, mais une fois à l'intérieur je dois avouer qu'on y pratiquait une religion beaucoup plus agréable,* commente-t-il lors de son passage à Montréal. Russell admet n'avoir jamais vu autant et d'aussi belles jambes en aussi grand nombre. C'est le repos du correspondant de guerre. *Au milieu des spectateurs qui s'entassent sur la promenade,* s'émerveille-t-il, *on ne se lasse pas d'observer l'élégance des patineurs et des patineuses qui dansent des quadrilles, des mazurkas, des valses ou qui zigzaguent librement dans leurs costumes colorés. On aurait dit que toute la beauté féminine de la ville avait chaussé des patins.*

Métier oblige, le reporter n'en perd pas moins les militaires de vue. *Lorsqu'un officier britannique en uniforme glisse ou trébuche sur la glace,* note-t-il avec un brin d'envie, *il y a toujours une douzaine de jeunes femmes qui s'empressent de l'aider à se relever ou à se remettre droit sur ses patins.*

1863

Ces gouvernements se renouvellent plus rapidement que les années: trois ministères en deux ans. Plus l'imbroglio constitutionnel devient inextricable, plus les élections générales qui en résultent deviennent grandiloquentes. Plus le pays est ingouvernable, plus les politiciens sont incontrôlables. Ou plutôt incontinents dans leurs propos.

La violence verbale est devenue un art partisan que les journalistes pratiquent en toute liberté. *Les rouges se sont toujours dits les amis du peuple, mais leurs ruses ont été démasquées!* se vante *La Minerve* bleue. *Non, celui-là n'est point l'ami du peuple qui est l'ennemi de son bienfaiteur, le clergé! Si la sagesse de la population, si la grande voix du clergé n'avaient point mis obstacle à leurs efforts, où serions-nous?* La question est posée avec l'assurance de celui qui connaît la réponse. *Dans les serres du républicanisme américain, au milieu des troubles, des crises et des bouleversements d'une guerre civile qui fait couler le sang à flots sans produire aucun bon résultat. Électeurs!* clame l'organe du clergé, *c'est le Parti libéral-conservateur qui vous a arrêtés sur les bords de cet abîme. Ne l'oubliez point, car vous avez encore besoin qu'il soit fort et puissant.*

Ne serait-il pas temps que ceux qui sont autre chose que des marchands de religion dans notre société, que ceux qui ont la religion dans le cœur et non seulement sur la bouche, se joignent au Parti libéral pour adopter le seul système qui puisse tuer la corruption! riposte *Le Pays* rouge. *Autrefois, dès qu'un homme devenait candidat, il était sacré aux yeux de la foule. Aujourd'hui, dès qu'un citoyen est sur les rangs, il semble qu'il est fait pour être un* ecce homo, enchaîne *Le Canadien,* qui adopte le point de vue apocalyptique. *Jadis, l'encan des votes ou l'enchère sur les votants était inconnu. Aujourd'hui, la prostitution élective est à l'ordre du jour. On ne remporte plus, on achète une élection!* s'insurge le brûlot bleu. *Les services passés, les talents éminents, les facultés intellectuelles et les vertus patriotiques ne pèsent pas un fétu dans le plateau électoral: c'est l'écu qui règne, au défi de la loi, et qui donne la mesure d'une candidature heureuse.*

Triste à dire, mais cela est! approuve le curé du Sault-au-Récollet du haut de la chaire. *Où allons-nous?* lance-t-il. *Chez le diable!* s'abat le verdict. Ses instructions, mandées à ses paroissiens quelques jours avant les élections, sont claires comme de l'eau de Pâques. *Mes bien chers frères, il y a un bon Parti et il y en a un mauvais!* tranche l'homme du parti de l'Église. *À ce qu'y paraît, entoucas c'est ce qu'on dit dans les journaux que je lis, c'est le mauvais Parti qui est au pouvoir, le même Parti qui a égorgé 200 000 sujets du Pape! Si on veut élire le bon,* dicte-t-il à ses ouailles, *ça ne nous laisse pas grand-choix: c'est le Parti qui n'est pas au pouvoir présentement!*

GEORGE-ÉTIENNE CARTIER

Quand ils ne s'adonnent pas corps et âme à leur passion pour la politique partisane, les Canadiens se complaisent dans la pratique d'un vice secret: l'opinion des autres. Maurice Sand, le compagnon du Prince Napoléon lors de son passage il y a 2 ans, les a comblés d'aise. Bon sang ne saurait mentir. Dès son retour à Paris, le fils de George Sand s'est précipité chez son éditeur pour lui remettre un manuscrit qui s'intitule *Six mille lieues à toute vapeur*. On y trouve un portrait plus vrai que nature de George-Étienne Cartier, l'homme en bleu à qui les électeurs viennent d'accorder à nouveau leur confiance. *Monsieur Cartier est un type de Canadien modèle: joli homme de 40 ans, figure fine, éminemment française, bien rasée partout; habit noir, cheveux bruns relevés sur le front et bouffant sur les oreilles, rappelant les ailes de pigeon. Ce gracieux personnage me faisait l'effet de l'homme de lettres du siècle dernier en belle tenue sévère et modeste*, note le romancier. *Sa physionomie est enjouée et maligne. Il a toujours le mot pour rire, il effleure délicatement la gaudriole, il est galant avec les femmes, il chante de vieux flonflons tendres. Au repas de la citadelle du cap Diamant où je l'ai rencontré,* observe-t-il avec étonnement, *on a chanté au dessert ni plus ni moins qu'à un souper du temps de Louis XV. Monsieur Cartier avait appris aux officiers britanniques des chansons françaises qu'il entonnait d'une voix claire et que ces militaires répétaient en chœur.*

Maurice Sand ne s'intéresse pas qu'aux politiciens. Écologiste avant l'heure, il s'attache également à l'effet de leur incurie sur la nature. *De Montréal à Québec, sept heures. On traverse le Bas-Canada en voie de défrichement, vallons et forêts. Hélas! Les pauvres forêts!* s'émeut le fils de la romancière qui a mis le roman rustique à la mode. *Elles sont ici presque partout rasées ou brisées à quelques pieds du sol. Les souches sont si serrées qu'elles semblent ne faire plus qu'une masse, une mer de bois brun foncé d'où sortent d'innombrables chicots édentés dans tous les sens, comme des vagues soulevées en aigrettes fouettées par un vent en délire.* Le capitalisme est plus sauvage que la nature.

Ailleurs, ce n'est plus qu'un immense chantier où le bois coupé est rangé et empilé sur un espace de plusieurs lieues carrées, poursuit le voyageur. Son bilan implacable tient du réquisitoire. *Ailleurs encore, l'incendie a dévoré branches et feuillages. Les colosses carbonisés se dressent comme des épieux gigantesques sur le sol couvert de cendres.* Pour Maurice Sand, le respect de la nature a tout d'une religion. *Je ne peux en prendre mon parti car, pour un peu, j'adorerais les arbres comme les peuples primitifs,* professe-t-il en s'inquiétant pour l'avenir de sa foi. *N'est-il donc pas un coin du monde où nous pourrons vivre sans détruire?*

Le Déjeuner sur l'herbe

Refusé par les peintres académiciens du Salon officiel, *Le Déjeuner sur l'herbe* d'Édouard Manet a été exposé au Salon des refusés, lequel a attiré, dès le premier jour, c'est un fait sans précédent, 7 000 visiteurs parisiens qui sont venus non pas s'y rincer l'œil mais s'y dilater la rate.

1864

Montréal est truffée d'espions, c'est un secret de polichinelle. Depuis le début de la guerre étasunienne entre le Nord et le Sud, entre les Yankees et les Confédérés, les agents sudistes ont établi leur quartier général au *Saint Lawrence Hall*, l'hôtel de la rue Saint-Jacques.

HENRY HOGAN

La plupart sont des jeunes gens fortunés, des fils de famille qui possèdent de belles manières et un accent du Sud à trancher au couteau. C'est une élite aristocratique tout à fait à l'aise dans le décor ultrachic de l'hôtel le plus achalandé de la métropole. Son propriétaire, Henry Hogan, natif de la Tortue près de Laprairie, est réputé pour sa civilité, son humour, son ouverture d'esprit et sa faculté d'adaptation rapide aux diverses clientèles. Dans les circonstances, il se surpasse. Les Sudistes et les officiers de l'état-major du Corps expéditionnaire britannique se partagent la salle à manger et le billard. Comme il sied à des gens de bonne société, on vit en bonne intelligence.

Le *Saint Lawrence* est devenu le paradis du renseignement. Sir Fenwick Williams y a établi son quartier général, ce qui facilite grandement la tâche des espions nordistes. Le jour, ils n'ont qu'à traîner dans les corridors et à jeter un coup d'œil par les portes ouvertes pour s'informer des plans de défense du Canada. Les cartes d'état-major de l'armée britannique sont épinglées aux murs des chambres. Le soir, les agents du contre-espionnage nordiste n'ont qu'à s'accouder au bar, long de 100 pieds, à siroter un brandy et à fumer un cigare en tendant l'oreille. Dans leurs conversations animées, les Sudistes s'exaltent à l'idée de saccager New York ou de déclencher une guerre bactériologique. Les Confédérés s'échauffent à rien, mais on les prend au sérieux.

Le nouveau chef des agents sudistes, Jacob Thompson, a été Secrétaire de l'intérieur des États-Unis. Dès son arrivée au *Saint Lawrence*, il s'est assuré le respect des banquiers montréalais en déposant une somme rondelette à l'Ontario Bank, rue Saint-Jacques. Assez substantielle, chuchote-t-on, pour que Thompson en ait retiré plus de 300 000 $ dans les derniers mois. La raison de la présence confédérée à Montréal est évidente: la proximité des frontières nordistes. Un voisinage dont on décide d'abuser le 19 octobre. Ce jour-là, 25 soldats sudistes vêtus en civil dévalisent 3 banques de la petite ville de Saint Albans dans l'État du Vermont. Ils s'emparent de 200 000 $ et, après avoir tué un des habitants, s'enfuient vers les *Eastern Townships* sur des chevaux volés. Une poursuite s'engage. Dans le feu de l'action, les poursuivants nordistes franchissent les frontières et capturent le Lieutenant Bennett Young. Le chef des *Raiders* sudistes ne demeure pas leur prisonnier longtemps. Un officier britannique fait aussitôt son apparition. Il est accompagné de miliciens et signifie aux Nordistes qu'ils sont en territoire canadien. Les Yankees n'y ont aucune juridiction. Ils doivent donc relâcher Young, qui retrouve sa liberté.

Sitôt mis au courant du raid et de la libération du Lieutenant sudiste, le Consul américain à Montréal porte plainte devant le Juge Charles-Joseph Coursol. Ce dernier ordonne au Chef de police de traquer et d'arrêter les *Raiders*. En un tournemain, le chef Guillaume Lamothe a retrouvé 14 des membres du commando confédéré dans la région de Saint-Jean. Il les ramène au Pied-du-Courant avec une partie du butin récupéré, soit 90 000 $. L'enquête débute le 4 novembre. Le gouvernement américain, représenté par un avocat montréalais, Barney Devlin, demande l'extradition des prisonniers, considérés comme des voleurs et des

assassins. *La détention des Sudistes n'a rien de rigoureux. Les voitures du* Saint Lawrence Hall *les transportent de la prison à la Cour,* rapporte *La Minerve, et nous croyons savoir que les Confédérés en promenade à Montréal leur ont souscrit 5 000 $ pour leurs menus plaisirs de prison.*

Dans son témoignage lors du procès, le Lieutenant Young réclame le droit pour les accusés d'être jugés comme des prisonniers de guerre et non comme des criminels. *Je suis Officier commissionné de l'armée confédérée et j'ai agi sous l'autorité et par ordre du gouvernement confédéré dans l'attaque que j'ai dirigée sur Saint Albans,* témoigne-t-il. *Je n'ai pas voulu violer la neutralité de l'Angleterre ou du Canada et l'expédition n'a pas été organisée au Canada.* Le 13 décembre, Coursol rend son jugement. *Comme le mandat d'arrêt n'a pas été signé par le Gouverneur,* statue-t-il, *je suis tenu en loi d'ordonner de suite la mise en liberté des prisonniers.* Il pousse même le respect des procédures jusqu'à leur remettre les 90 000 $ saisis par Lamothe. La réaction du Gouverneur, Lord Monck, est succincte. *Coursol est un juge stupide!* arrête-t-il à son tour. Celle des Nordistes est hystérique. George-Étienne Cartier doit partir *illico* pour Washington avec la mission de calmer les Yankees.

LAISSEZ PASSER L'ARMÉE

Un visiteur mal informé réclame un laissez-passer pour se rendre de Washington à Richmond, la capitale confédérée. *Je voudrais bien vous aider,* lui répond le Président Lincoln avec humour, *mais, depuis 2 ans, j'en ai émis 250 000 et ils ont tous été refusés.*

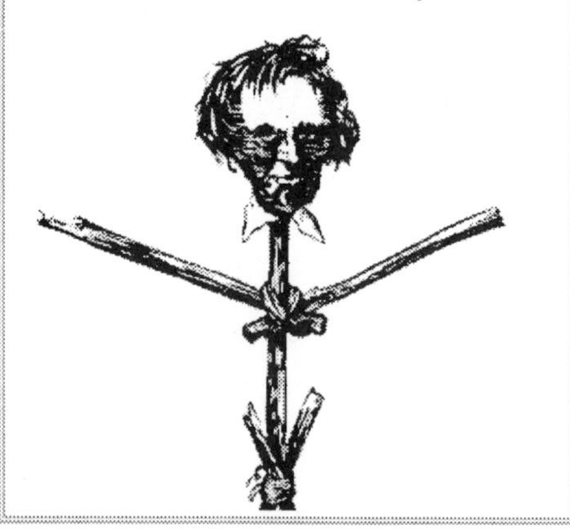

Pendant ce temps, au *Saint Lawrence Hall*, un visiteur écoute d'une oreille distraite les confidences alcoolisées de son compagnon de billard, un acteur sudiste plutôt bizarre. *Rappelez-vous bien de ce que je vous dis. D'ici peu, vous allez entendre parler de quelque chose qui va étonner l'Univers,* lui confie le comédien. *J'ai un plan pour abattre la plus grosse bête de ce côté-ci de l'enfer.* Dans la bouche de John Wilkes Booth, le futur assassin du Président Lincoln, ce n'étaient pas des paroles en l'air.

1865

Pendant que Montréal s'occupe de ses affaires, à Québec, les députés sont atteints d'un mal dont on ne connaît pour l'instant que le nom: la Confédération. Les trois premiers symptômes sont le mal de bloc, la gueule de bois et la logorrhée. À cet égard, aucun politicien ne mérite plus que George-Étienne Cartier le titre d'intarissable.

George Brown a écouté le ténor bleu discourir pendant 13 heures d'affilée. *Ils ont l'habitude de dire que je suis loquace,* écrit-il à sa femme, *mais Cartier bat tous les parleurs du monde, passés, présents et futurs.* John A. Macdonald ne pourrait tenir en équilibre sur ses 2 jambes pendant une aussi longue période. Aussi est-il plus laconique. *Pas question de consulter la population!* grommelle-t-il, *pas question d'apporter des amendements!* Bref, *c'est à prendre ou à laisser!* Le 10 mars, 124 députés sont présents en Chambre. De guerre lasse, 91 votent en faveur de la Confédération. *À la clôture,* souligne *Le Pays, les députés composant la glorieuse majorité ont chanté en chœur le* God Save the Queen. Après une séance où l'on venait de s'octroyer une nouvelle nationalité en sacrifiant la nôtre, entonner l'hymne national britannique s'imposait naturellement. Le chemin qui a mené à cette décision, ou plutôt la voie ferrée, mérite d'être parcouru à nouveau. Cette fois, préférablement à jeun.

L'an dernier, l'agenda des hommes politiques a été particulièrement chargé pour l'estomac, rude pour le mollet et athlétique pour le coude. Au nombre de fois où George-Étienne Cartier a chanté *Alouette,* c'est presque un miracle qu'aujourd'hui il ne soit pas aphone et déplumé à vie. D'abord, il y a eu la Conférence de Charlottetown. En septembre, les Ministres du gouvernement du Haut et du Bas-Canada s'y sont invités. Le but était de vérifier sur place le bien-fondé d'une déclaration du Président du Grand Trunk Railway. *Il ne manque plus que le chemin de fer intercolonial pour faire de toutes les provinces anglaises un seul peuple,* annoncait James Ferrier. La délégation du Bas-Canada ne demande qu'à le croire. Elle est composée de George-Étienne Cartier, Alexandre Galt, Hector Langevin et Thomas D'Arcy McGee. Les quatre échansons ne sont pas pas venus les mains vides. *C'est sans doute à cause de la qualité du champagne, mais la glace ne fut complètement rompue qu'à un repas abondamment arrosé où les délégués se délièrent la langue joyeusement et s'amusèrent à publier les bans en vue du mariage des provinces,* relate George Brown. *Tout individu qui aurait voulu formuler des objections devait le faire sur l'heure ou se taire pour toujours.* À la fin du repas, dans l'euphorie effervescente du champagne, un des délégués a même poussé l'enthousiasme confédératif jusqu'à proclamer les provinces mari et femme.

La conquête de l'espace

Les Américains vont mener la conquête de l'espace, annonce Jules Verne dans son roman *De la Terre à la Lune, et le premier astronef sera tiré d'un canon à Cap Canaveral en Floride.*

Plus tôt le matin, Galt s'était chargé de la dot. Il avait proposé que le gouvernement central assume la dette des cinq provinces. Sur le chemin du retour, on s'arrête à Halifax. Lors d'un autre banquet, Cartier entonne le nouvel hymne national, celui du Grand Tronc. Quand elle ne chante pas, l'alouette bleue agit comme Conseiller juridique de la compagnie. *Grâce au chemin de fer intercolonial, Halifax sera envahie par le commerce qui enrichit maintenant Portland, Boston et New York,* susurre Cartier avec l'assurance d'un chanteur bien rémunéré pour sa prestation. *Vous refuseriez-vous à être absorbés par le commerce?* En octobre, la Conférence de Québec a été tout aussi éprouvante pour les estomacs et les jambes. Beaucoup moins pour les goussets, cependant. Le Grand Tronc a eu la prévention délicate d'offrir à tous les délégués des Maritimes le passage gratuit sur toutes les lignes et d'étendre cette attention jusqu'au premier décembre.

Les négociations se tiennent à huis clos mais la ronde infernale des bals, des banquets et des fêtes qui a débuté à Charlottetown se poursuit à Québec. Un soir, 800 personnes s'arrêtent de danser à minuit pour souper. La dernière pâtisserie servie, la fête reprend jusqu'à 4 heures du matin. Le lendemain, 150 convives se retrouvent

dans un banquet où l'emphatique et le pragmatique se partagent la première place. Les toasts et les discours des Premiers Ministres des provinces Maritimes semblent tous avoir été écrits par le service de publicité du Grand Trunk Railway. *Pour remédier à la fermeture du Saint-Laurent à la navigation cinq mois par année,* déclare Charles Tupper de la Nouvelle-Écosse, *il n'y a que la construction du chemin de fer intercolonial. Nous ne voulons pas de cette union,* surenchérit Samuel Tilley du Nouveau-Brunswick, *si vous ne nous donnez pas le chemin de fer intercontinental.* Entre les banquets et les toasts, les tractations se poursuivent à huis clos. Le train qui roule à vive allure n'a menacé de dérailler que sur un point, la répartition des sièges au Sénat. Le 28 octobre, la Conférence de Québec prend fin sur l'entrée en gare de la Confédération. Le lendemain, tous les délégués se retrouvent à Montréal pour un dîner servi en leur honneur au *Saint Lawrence Hall.* C'est l'apothéose. Le menu composé pour l'occasion est de ceux qu'on lègue à ses héritiers après les avoir appris par cœur.

Soupe

À la tortue verte.

Viandes et plats ornementés

Hures de sanglier, pâté de perdreaux aux truffes, galantine de dinde à l'aspic, aspic d'huîtres à la maréchale, salade à la russe, jambon de

Cincinnati à la parisienne, mayonnaise à l'italienne, tête de cochon au fromage, galantine de poulet truffée à la duchesse, filet de veau en aspic, langues de bœuf glacées décorées, mayonnaise de homard, pâté de foies de volaille aux truffes et ronde de bœuf glacée à la gelée.

Rôtis

Bœuf, quartiers d'agneau, perdreaux, bécasses, dindes farcies, poulets de grain, canards noirs bécassinés, patates chaudes, pâtés et fromages.

Pâtisseries

Compote de pêches, bavaroise de framboises, charlotte russe aux fruits, nougats à la Chantilly, crème à l'italienne, tarte aux prunes, meringues de pommes, poires à la crème, gelée au maraschino, macarons, gâteaux à la suisse, blanc-manger, tartes aux groseilles et pyramides de coco.

Vins et bière

Champagne, sherry, hock, claret, ale.

À tous les participants de ce dîner bourratif et confédératif mémorable, l'hôte George-Étienne Cartier laissera le souvenir impérissable d'un boute-en-train. Dans le sens festif et dans le sens ferroviaire.

1866

Le nouveau réservoir McTavish installé au flanc de la montagne permet de répondre plus adéquatement aux besoins d'eau de la métropole. La consommation domestique et industrielle s'y établit présentement à cinq millions de gallons par jour. Les Montréalais ne manquent pas d'eau. Encore moins avec les pluies continuelles qu'on a connues cette année.

Faut-il en conclure que la métropole est toujours lavée de frais? De l'avis d'un voyageur de passage, c'est plutôt le contraire. *Montréal est une ville sale, sans être pittoresque,* juge Ernest Duvergier de Hauranne. *Elle n'a pas l'apparence d'une ville de plus de 100 000 âmes. Les rues sont étroites, à la française, bordées de trottoirs mesquins, les boutiques laides et villageoises, les maisons basses et pauvres comme les masures de nos petites villes de province. Enfin,* note-t-il avec agacement, *une mer de boue envahit la ville en octobre et, respectée par le balai, ne la quitte plus qu'en mai et juin. On se promène dans les rues en grandes bottes au milieu d'enfants qui couraillent à l'état de demi-vagabondage.* Publié dans la prestigieuse et parisienne *Revue des Deux-Mondes*, le savon acerbe de Duvergier de Hauranne a piqué le chauvinisme, sinon le *chauveaunisme*, du Surintendant de l'Instruction publique, Pierre-Joseph-Olivier Chauveau. Le touriste acrimonieux a donc été vertement tancé, fortement rabroué, publiquement corrigé et dûment rappelé à l'ordre par le Maître des écoles. Il n'en demeure pas moins que les propos peu flatteurs de l'observateur parisien sont corroborés par la plupart des visiteurs.

Les rues de Montréal ne sont pas encombrées uniquement par les petits voyous. Elles le sont également par les miliciens qui jouent aux petits soldats. *Dans la nuit du 8 mars, tout le monde dormait, lorsque tout à coup on entendit retentir dans les rues les grelots des chevaux lancés au galop,* rapporte un témoin. *Les sonnettes s'agitèrent, les marteaux retombèrent à coups pressés, et bientôt à la hauteur des fenêtres du second étage apparut une ligne blanche de bonnets agités par la curiosité ou la stupeur.* Le reporter est poète à ses heures. *Une même pensée souleva les coiffures nocturnes et transperça l'âme de tous ces gens à moitié éveillés:* Les Féniens arrivent! Les Féniens sont là! L'appel aux armes retentit de toutes parts poussé par des voix enrouées par le froid nocturne. Chaque maison qui abrite un défenseur de la patrie est sens dessus dessous. On voit des volontaires, sortis en toute hâte, courir au poste sans même prendre le temps de boutonner leur pantalon. Les officiers et les sergents ne savent plus où donner de la tête pour retrouver leurs soldats endormis dans tous les coins et dispersés dans toute la ville.

D'ARCY MCGEE

À quatre heures du matin, les volontaires sont prêts pour l'inspection sur le Champ de Mars. Des centaines d'hommes se retrouvent sous les armes. On installe des sentinelles un peu partout. Les suspects sont fouillés. À l'heure d'ouverture, les employés des banques se présentent au travail armés. La raison de cette agitation militaire d'opérette est une rumeur, celle de l'invasion imminente du Canada par les Féniens. La branche américaine du Fenian Brotherhood est un organisme politique qui regroupe des Irlandais nationalistes. Ils sont prêts à prendre les armes pour s'emparer du Canada. Leur but est de l'échanger contre l'indépendance de l'Irlande. La rumeur veut que les Féniens, avec l'appui des Irlandais de Montréal, profitent de la fête de la Saint-Patrice pour mettre ce plan à exécution. Il a été concocté de toute évidence dans l'atmosphère enfumée et euphorique d'une taverne. Le Député de Montréal-Ouest, l'Irlandais D'Arcy McGee, le prend au sérieux et avec lui le ministère Macdonald-Cartier. Plus les journées avancent, plus la psychose de la guerre grandit. Plusieurs citoyens apeurés vont même jusqu'à retirer leur argent des banques et le cachent dans leur jardin ou leur sous-sol.

Le 15 mars, le Canada s'apprête à subir l'assaut des forces d'invasion féniennes. Sa défense est assurée par environ 10 000 soldats réguliers, 11 000 volontaires en service actif aux frontières, 15 000 miliciens prêts à marcher à une heure d'avis et 80 000 autres sur un pied d'alerte. Le 17 mars, jour de la Saint-Patrice, c'est le calme plat. *Le jour fatal marqué pour l'invasion fénienne est passé sans que, d'un bout à l'autre du pays, aucune démonstration ne soit venue troubler la paix publique,* rendent compte les journaux montréalais avec une pointe de déception. Fin mars, les miliciens retournent dans leur foyer. C'était une fausse alerte, une panique qui a coûté la modique somme de 30 000 $ par jour au gouvernement canadien. Le seul à y perdre des feuilles de trèfle, c'est D'Arcy McGee. Les Irlandais sympathiques aux Féniens ne lui pardonneront jamais d'avoir trahi la cause de l'Irlande.

LES ANGLAIS SONT PARTOUT

Avant l'Union, nous avions un Anglais devant nous; avec l'Union, nous en avons un en avant et un en arrière; avec la Confédération, nous en aurons un en avant, un en arrière, constate fort judicieusement Jean-Baptiste-Éric Dorion, *un de chaque côté et peut-être un sur la tête.*

Le 24 juin, la célébration de la Saint-Jean a imposé une cure de rajeunissement au Baptiste. Incarné par le fils d'Alfred Chalifoux, l'Enfant au mouton a fait sa première apparition. *Les peaux de mouton sont à l'image de la peau dont la clique bleue voudrait couvrir tout le peuple canadien,* ironise *Le Pays. Nous comprenons que l'on s'affuble ainsi au fond d'un de nos villages, mais dans une grande ville comme Montréal, au milieu d'étrangers qui regardent, afficher un pareil emblème n'est ni grand ni solennel.* Mais rassurant pour les tondeurs et les tonsurés.

1867

Le premier juillet, au jour et à la date choisis par la Reine Victoria, la nouvelle constitution est entrée en vigueur. Une constitution dont, incidemment, ni Ottawa ni aucune des provinces qui en ont pourtant fait entériner le texte par leur législature respective ne possèdent une copie. C'est ce qu'on appelle un vote de confiance.

Pour souligner l'avènement de la Confédération qui a été décrétée fête légale et jour chômé, Montréal s'est contentée d'une célébration sans fla-fla, relate *La Minerve* sans enthousiasme. *Une parade militaire, divers concerts, un spectacle d'équilibristes, une partie de crosse et deux feux d'artifice; l'un au jardin Viger et l'autre au pied de la montagne, où on a élevé un édifice de 300 pieds, tout couvert d'inscriptions illuminées, de l'effet le plus surprenant.* On a pu y voir, entre autres merveilles, un *steamer* de la compagnie Allan voguer à toute vapeur. Une locomotive du Grand Trunk Railway aurait été plus d'à-propos puisque *dans les 6 mois qui suivront l'union,* stipule l'article 145 de la nouvelle constitution, *le gouvernement et le parlement du Canada sont tenus de commencer les travaux de construction du chemin de fer intercolonial.* Le parlement britannique a d'ailleurs adopté une loi à cet effet qui autorise la trésorerie de Sa Majesté à garantir un emprunt de 3 millions de livres sterling. Le nouveau Dominion possède désormais un sens et un avenir à venir: 2 rails parallèles qui reposent sur des dormants, de l'Atlantique au Pacifique.

Montréal ne se passionne pas pour la Confédération mais pour la Grande Association. Le 27 mars, un jeune avocat et journaliste de 29 ans, Médéric Lanctôt, a convoqué tous les ouvriers au Champ de Mars dans le but de former un comité pour préparer la fondation de la Grande Association de protection des ouvriers du Canada. Cinq mille personnes ont répondu à son appel. Chef de file de la jeunesse nationaliste, Lanctôt est un adversaire de la Confédération. Il prône l'indépendance politique du Canada. C'est une personnalité montréalaise prestigieuse et un démagogue qui compte de nombreux appuis dans les milieux ouvriers qu'il a souvent défendus contre le patronat et plus particulièrement contre le Grand Tronc dont George-Étienne Cartier est l'avocat et l'homme lige.

MÉDÉRIC LANCTÔT

La cause des problèmes ouvriers, c'est l'organisation de la production en fonction des seuls intérêts capitalistes, prêche Lanctôt. *Puisque le capital est associé au travail dans la production, pourquoi ne le serait-il pas aussi dans le partage des profits et l'organisation de la société?* Infatigable, Lanctôt tient des réunions tous les soirs dans les quartiers populaires. Le 6 avril, dans la grande salle du marché Bonsecours, 3 000 personnes ont voté les statuts et règlements de la Grande Association. C'est une fédération de corporations de métiers dirigée par une commission où siègent environ 200 représentants des différents corps de métiers. Pour financer le mouvement, chaque adhérent doit verser une cotisation de 10 sous par mois. Dans l'esprit des fondateurs, la Grande Association doit assurer l'harmonie entre le capital et le travail, améliorer le bien-être de ses membres et arrêter l'émigration aux États-Unis.

La Grande Association ne favorise pas la grève mais, dès le départ, elle est entraînée dans la lutte. Son Président n'est pas à court de ressources. Dans le conflit qui oppose les maîtres boulangers et leurs employés, Médéric Lanctôt intervient. Pour ravitailler les pauvres, il ouvre des boulangeries à bon marché et demande à la population de n'acheter du pain que chez les boulangers qui ont négocié une entente avec leurs employés. Ensuite, il organise une grande manifestation populaire de solidarité. Le 10 juin, dans la soirée, 10 000 ouvriers montréalais groupés par corps de métiers défilent sur le Champ de Mars et scandent des slogans en arborant le drapeau vert-blanc-rouge de 1837-1838. Lanctôt ferme le défilé dans un carrosse traîné par 4 chevaux. C'est *La Grande Procession*. L'ami des ouvriers est gonflé à bloc et tous les espoirs sont permis. *L'amélioration du sort des classes laborieuses*, martèle-t-il dans ses discours, *passe par une libération nationale.*

L'EXPO 67

L'Exposition universelle de Paris n'a pas été marquée par le prix accordé à l'École d'agriculture de Sainte-Anne-de-la-Pocatière mais par une manifestation à la Offenbach, lors de son ouverture. Outrés par la mode qui annonce un retour des robes aux formes simples, les manufacturiers lyonnais ont jeté un froid sur la visite de l'Empereur Napoléon III. *Rendez-nous! Rendez-nous!* ont-ils clamé en chœur. *Rendez-nous nos crinolines!*

La Confédération, le 29 août, se présente devant l'électorat pour la première fois. Lanctôt se présente dans Montréal-Est contre celui qui incarne l'aliénation nationale, George-Étienne Cartier. L'assemblée de mise en nomination de l'homme en bleu a lieu au marché Papineau. Elle est houleuse. L'intarissable Cartier ne peut pas parler. La police et la cavalerie interviennent pour dissiper la foule. Pendant toute la campagne électorale montréalaise, ni Cartier ni les orateurs de son Parti ne parviennent à se faire entendre. Partout, ils sont accueillis par des cris, des sifflets et des huées que Lanctôt décrit malicieusement comme *les témoignages spontanés de l'indignation et de la justice populaire.* Avec l'appui du Grand Trunk Railway, de l'Allan Steamship Company, de la Compagnie de navigation du Richelieu, de la Montreal City Gas Company, des banquiers, des industriels et de William Molson, George-Étienne Cartier exerce un contrôle absolu sur le patronage au Québec. Le roi nègre ne manque pas de fonds à distribuer au noir.

Le 6 septembre, lors de la fermeture des bureaux de vote, le Père de la Confédération bat le Père de la Grande Association par une faible majorité de 348 voix. Le grand capital n'a pas besoin des partenaires ouvriers que lui proposait Médéric Lanctôt. Un valet en mal d'être siré lui suffit amplement.

1868

C'est l'année du zouave et de l'antizouave. Dans l'après-midi du 19 février, bénéficiaires d'un demi-tarif accordé par le Grand Tronc et fagotés d'uniformes confectionnés dans les communautés religieuses, 135 volontaires zouaves ou zouaves volontaires ont pris le train à la gare Bonaventure pour aller défendre le Pape à Rome.

La veille, à l'église Notre-Dame, ils avaient entendu Monseigneur Louis-François Laflèche donner tout son sens à leur engagement. *Il faut que le Canadien prenne place dans le camp de Dieu! L'Église a dû livrer de longues luttes pour faire triompher la foi!* a rappelé le Trifluvien ultramontain en ne craignant pas de remonter aux calendes grecques. *Il a fallu lutter contre la paganisme impie, l'hérésie arianiste, le mahométisme qui veut ravir l'héritage de Jésus-Christ, le protestantisme qui égare les fidèles, la philosophie voltairienne, ce hideux blasphème, mais surtout contre le plus dangereux de tous, le nouveau danger, le libéralisme.* Ouf! nous y voilà enfin! *Car n'oubliez jamais,* tonne Laflèche, *c'est par*

GARIBALDI

le biais du libéralisme que Satan attaque le Pape! Quelques semaines plus tard, lorsque les zouaves canadiens défilent dans les rues de sa ville, Louis Veuillot rend grâce au ciel: *Paris a vu passer une troupe de croisés!* s'extasie le journaliste pamphlétaire catholique.

En septembre, Arthur Buies revient d'Europe dans un tout autre esprit. Il est le seul Canadien à avoir combattu le Pape du côté des Chemises rouges de Garibaldi. Le Satan radical et libéral de Laflèche, c'est Buies. Dès son retour, s'inspirant de *La Lanterne* parisienne et républicaine d'Henri Rochefort, l'antizouave lance un hebdomadaire qu'il rédige seul et vend six sous. *La Lanterne canadienne* ne publiera pas de nouvelles, mais les commentaires mordants de son fondateur. Dès le premier numéro, Buies définit sa feuille comme *un journal humoristique, l'organe des gens d'esprit, l'ennemi instinctif des sottises, des ridicules, des vices et des défauts des hommes. La Lanterne* tient parole. Buies n'a pas les yeux dans son missel. On n'a qu'à lire ce qu'il écrit sur Montréal. *On ne saura plus bientôt où marcher dans les rues de Montréal pour éviter les toits qui s'écroulent. Ce qui prouve que le progrès n'est qu'une illusion*, ironise le pamphlétaire. *Que sert de bâtir des maisons à six étages pour que les dalles vous tombent sur le nez? À deux étages, ça fait tout autant de bien.*

Rien n'échappe à l'œil critique de Buies. Surtout pas la pauvreté culturelle de la métropole. *Il y a trois théâtres*, note-t-il, *le* Théâtre Royal *où il est défendu d'aller, le* Gesù *où il est défendu de ne pas aller et les* Variétés *où l'on joue un jour une chose, et le lendemain rien du tout, ce qui constitue la variété. Le* Gesù *est un théâtre spécial. Dans les autres, une fois sa loge payée pour la saison, on y a un droit absolu; mais, au* Gesù, *chaque fois qu'il y a une représentation extraordinaire, tout individu qui paie 1 dollar ou 1 écu vous enlève votre banc. Au reste, le parterre ne coûte que 30 sous, absolument comme au* Théâtre Royal.

Pour l'émule canadien d'Henri Rochefort, la pauvreté d'esprit s'abreuve à deux sources: l'ignorance et la bêtise. *La population se divise à peu près également en 2 classes, les prêtres et les mendiants. Les prêtres portent généralement de très gros casques, sans doute pour ne pas que l'Esprit saint s'échappe*, satirise l'écrivain qui ne cache pas son

ARTHUR BUIES

anticléricalisme viscéral. *Cette population a certains goûts princiers: les parties de billard, les séances de boxe, les bouffonneries des ménestrels, les combats de coqs et les départs d'Évêques pour l'Europe. Le nombre des idiots est en raison du nombre des confréries,* peste Buies, *il s'élève à peu près à 20 000. Il y a presque autant d'églises que de ministres des différents cultes, mais très peu d'écoles. On compte en outre un certain nombre d'institutions non fréquentées par la jeunesse et un très grand nombre d'auberges qui le sont.*

La Lanterne canadienne n'épargne personne. Après les prêtres et les mendiants, c'est le tour des notables. *Les avocats et les médecins pullulent: deux classes fort utiles. Les uns tuent, les autres ruinent. En revanche, pour un géologue et un chimiste, il n'y a pas de savants, pas de littérateurs, pas d'historiens, pas d'ingénieurs, pas de minéralogistes, pas de philosophes, pas de sculpteurs, pas de peintres, pas de poètes, pas de mathématiciens, pas d'astronomes, pas de géomètres, pas de géographes,* s'insurge l'homme de lettres qui a séjourné en Europe. *On remarque une quantité de maisons splendides qui ne sont pas louées. Ce sont les seules où les mêmes mendiants ne viennent pas 20 fois par jour vous tourmenter pour l'amour du bon Dieu.*

Après le tour de tête, le tour de la ville. *Si l'on erre sur le penchant de la montagne qui descend avec une gracieuse noblesse jusqu'à la Place Victoria, coupée de rues vastes et ombragées, embellie par des résidences qui le disputent en richesse aux palais de l'Europe, embouquetée de petits parcs et de petits jardins moitié agrestes moitié coquets comme des nids de fauvettes, on se sent dans une atmosphère libre et grande,* rappelle Buies avant de mettre le sabre au clair. *C'est le quartier des Anglais. On y voit la richesse, le luxe, la grandeur, le pouvoir et la force. À l'opposé, dort un peuple tranquille, réveillé seulement par le son des cloches, couché*

LA LANTERNE DES MÉCONTENTS

La France contient 36 millions de sujets, dit l'*Almanach impérial, sans compter les sujets de mécontentement.* C'est avec cette phrase qu'Henri Rochefort a lancé l'hebdomadaire parisien *La Lanterne.* Le premier numéro s'est vendu à 100 000 exemplaires.

dans des masures qui ont été bénies, séjour de tous les degrés et de tous les genres de prostituées, marqué çà et là de quelques rares édifices qui sont des couvents, des presbytères, des écoles de frères, ou des églises, entourés par des taudis. L'asservissement des Canadiens révolte le pamphlétaire. *Le peuple qui est là, c'est le peuple canadien,* pointe-t-il du doigt. *Il est paralytique depuis 50 ans. Ne le réveillez pas!*

Il n'est pas d'effet sans cause. Encore faut-il chercher à la connaître. *La Lanterne* se fait un devoir de la révéler. *Veut-on savoir à qui appartient ce quartier, tout entier, en bloc, ce quartier qui est la moitié de la ville, à qui appartient l'air même qu'on y respire, à qui les âmes qui végètent, les corps accablés qui y meurent d'épuisement? Tout cela appartient à Sa Grandeur Monseigneur l'Évêque de Montréal.* L'ancien garibaldien n'est pas à court de munitions, il tire à boulets rouges. *Là est son trône,* fulmine-t-il. *Il s'élève sur un peuple écrasé, il offre à Dieu l'encens de la misère, et il marche resplendissant, le Bourget, au milieu des guenilles.*

1869

Depuis juin, le quartier Saint-Jean-Baptiste attire les amateurs d'émotions fortes avec son rond de vélocipède, le premier à Montréal. Le prix d'entrée: 5 cents. La location d'un vélo pour une période d'un quart d'heure: 10 cents. Maintenant que les roues des bicyclettes sont dotées d'un roulement à billes, les jantes entourées d'une bande caoutchoutée et les rayons en fil de fer, la vélocipédomanie est devenue une rage.

L'engouement pour la bécane est tel qu'un périodique parisien, *Le Vélocipède illustré*, lui est consacré. On provoquerait les grincheux à moins. *Le vélocipède primitif n'offrait que le risque de se casser une jambe*, prophétise un adversaire du changement et de la vitesse, *le nouveau modèle ouvre la perspective de se casser le cou ou de blesser les piétons.* Le bipède est-il une espèce en voie de disparition? *Aussi longtemps que les vélocipèdes ne deviendront pas une nuisance publique,* a statué un Juge de Toronto, *on doit leur laisser le libre usage du* sidewalk. Il va de soi que chaque ville possède une largeur de vue équivalente à celle de ses voies piétonnières. À un homme traduit devant lui pour s'être aventuré en vélocipède sur un trottoir, le Président de la Cour du Recorder de Montréal s'est contenté d'une réprimande et d'une invitation aux vélocipédistes montréalais à ne plus rouler dans les espaces réservés aux piétons.

Monseigneur Bourget, pour sa part, roule sa bosse épiscopale sur une autre piste. Il est à Rome dans un espace réservé aux ecclésiastiques de haut vol. Il siège au concile du Vatican, où on est à la recherche d'une définition acceptable de l'infaillibilité du Pape. Avec Pie IX, il y a de quoi ressentir un urgent besoin de nuancer l'infaillibilité. Depuis son accession au trône de saint Pierre, en 1846, Pio Nono a successivement promulgué le dogme de l'Immaculée Conception, condamné le libéralisme, le socialisme, le rationalisme, le naturalisme et mis à l'*Index*, entre autres œuvres, celles des deux Dumas, de George Sand, de Balzac, de Flaubert, de Hugo et de Stendhal. Comme quoi le jugement littéraire de la Congrégation de l'Index est infaillible.

Bourget a profité de son séjour à Rome pour porter un coup fatal au château fort montréalais des rouges. Il a obtenu une condamnation formelle de l'Institut canadien. *Le grandissime, l'illustrissime, l'infaillibilissime, le gracissime, le richissime, et le sime, sime, évêquissime de Montréal,* rappelle un Arthur Buies vitriolique, *prie et fait prier ses fidèles depuis plusieurs années pour que ce monstre affreux du rationalisme qui vient de montrer à nouveau sa tête hideuse dans l'Institut ne puisse plus répandre son venin infect.* Le 29 août, dans toutes les églises du diocèse de Montréal, les curés lisent au prône une annonce rédigée par l'Évêquissime lui-même. *Désormais, sous peine d'excommunication,* y promulgue-t-on, *il est défendu d'appartenir à l'Institut tant qu'il enseignera des doctrines perverses, tout comme il est défendu de publier, de conserver et de lire l'*Annuaire *de l'Institut pour l'année 1868, qui est à l'*Index, *c'est-à-dire toute la bibliothèque de l'Institut canadien.* L'Institut est ébranlé et demeure indécis. Des 650 membres de 1866, il n'en reste plus que 350 et la saignée se poursuit.

Sur les entrefaites, le 18 novembre, le typographe Joseph Guibord meurt sous le coup de l'excommunication. C'est un ami intime du Président de l'Institut, Joseph Doutre, et un membre irréductible. La balle est maintenant dans le camp de l'Église. Dans un premier temps, le curé de Notre-Dame, le sulpicien Rousselot, plutôt conciliant de nature, est prêt à fermer les yeux et à laisser enterrer Guibord dans la partie bénie du cimetière de la Côte-des-Neiges où le défunt possède une concession. Mais le Grand Vicaire Trudeau ne l'entend pas de la même oreille. En l'absence de Monseigneur Bourget, dont il incarne la pensée, Trudeau renverse la décision de son curé. L'excommunié Guibord ne peut être inhumé en terre sainte. Il n'aura droit qu'au cimetière des enfants morts sans baptême. Pour la veuve Guibord, c'en est trop. Conseillée par Doutre, elle récuse la sanction de Trudeau. Propriétaire d'un terrain au cimetière catholique, son mari a tous les droits d'y être enterré.

Le 21 novembre, un dimanche, le cortège funèbre de Guibord se met en branle vers le cimetière de la Côte-des-Neiges. Tout ce que Montréal compte d'incroyants et d'anticléricaux fait partie de la marche, que mène Joseph Doutre de l'Institut canadien. Au cimetière, comme prévu, le cortège trouve la grille fermée. Par ordre du curé Rousselot, le gardien refuse de l'ouvrir. On parlemente, c'est-à-dire qu'on s'engueule vivement et vertement. Doutre voit rouge mais le gardien est aussi bête et buté qu'un bedeau ou un Grand Vicaire. En désespoir de cause, les excommuniés doivent rebrousser chemin. Ils retournent déposer Guibord dans une voûte du cimetière protestant. Le combat pour l'inhumation du typographe ne fait que commencer. Par les soins de Doutre, la veuve Guibord demande au tribunal la permission de poursuivre la fabrique de Notre-Dame. Une permission que le Juge Mondelet, libre penseur et radical, lui accorde.

DU BON SAUVAGE AU BON INDIEN

En janvier, lorsque le chef comanche Tochoway s'est présenté à Fort Cobb, il s'est empressé de rassurer le Général américain Philip Sheridan. *Je suis un bon Indien!* s'est-il écrié. *Pour moi,* lui a répondu Sheridan, *un bon Indien est un Indien mort!*

Poursuivie par Doutre et Rodolphe Laflamme, la fabrique, défendue par Louis-Amable Jetté et François-Xavier Trudel, conteste la juridiction des tribunaux. Le curé a seul qualité pour accorder ou refuser la sépulture religieuse. Trudel se laisse emporter par son ultramontanisme et soutient que, dans un cas de conflit, le pouvoir ecclésiastique a préséance sur le pouvoir civil. *Depuis quand,* lui rétorque Doutre, *le droit de Rome est-il devenu la loi du Canada?* Guibord est devenu un martyr de la libre pensée. La balle est maintenant dans le camp de Londres.

1870

Ignace Bourget

La métropole rêve de ressembler à ce qu'elle est. Maintenant que la dette municipale atteint 5 millions de dollars, dont 2 pour l'aqueduc, qui oserait s'en indigner? Sûrement pas les échevins d'une grande ville.

La preuve! Le Conseil vient d'acheter un vaste terrain pour y construire un hôtel de ville en face du château de Ramezay, rue Notre-Dame. Il ne sied plus à une métropole d'être administrée du deuxième étage d'un marché public. Il n'y a rien de mal à ce que ça sente un peu les affaires autour de la table du Conseil. Ce qui est dérangeant, c'est que ça pue l'étal de boucher et le commerce au détail comme au marché Bonsecours. Pour ne pas demeurer en reste, l'Évêché à débuté les travaux de construction de la cathédrale, rue Dorchester.

Les badauds ne manquent pas de sujets de conversation. Quand ils s'attroupent pour regarder les pompiers arroser les rues, ils s'accordent pour discuter de la menace d'une nouvelle invasion des Féniens ou de l'incendie qui a embrasé les plaines de l'Ouest. Un incendie politique cette fois! D'origine criminelle, au dire des orangistes torontois, qui accusent Louis Riel de l'avoir allumé alors que le Chef métis peut se vanter de l'avoir éteint. Question de point de vue!

Riel n'est pas un inconnu dans la métropole. Ses anciens condisciples du Séminaire de Montréal se souviennent de lui comme d'un élève intelligent, studieux, fier et parfois irritable. L'Avocat Dubuc s'est rendu à Saint-Boniface pour rendre compte des événements. *Présentement, ce qui fait monter la bile du* Telegraph *et du* Globe, *c'est l'amnistie. Comment! On ne tuera personne! On dirait qu'à Toronto, il leur faut une hécatombe humaine,* écrit-il dans *La Minerve. Ils ont soif du sang de Riel et des principaux Chefs métis de la colonie. Une bouchée de Monseigneur Taché leur serait délicieuse. Modérez vos transports, Messieurs! L'amnistie viendra!* Elle ne viendra pas. Il n'est pas question pour le Premier Ministre John A. Macdonald de contredire ou d'affronter ses électeurs ontariens. Louis Riel sera donc sacrifié à leur racisme. Avant de s'exiler au Dakota, le Chef métis s'est arrêté à Saint-Boniface. *Dorénavant, les droits des Métis sont assurés par le* Bill du Manitoba, *c'est ce que j'ai voulu*, a-t-il confié à Monseigneur Taché qui n'a été qu'une marionnette dans toute cette histoire. Pour Riel, la page est tournée. *N'importe ce qui m'arrivera maintenant,* reconnaît-il sans amertume, *ma mission est finie!* L'avenir se chargera de lui donner tort!

Autant l'Ouest s'avère nébuleux pour les Montréalais, autant le royaume du Saguenay demeure une *terra incognita.* Si le fief des Tremblay fait aujourd'hui partie de toutes les conversations, c'est à cause d'un incendie, un grand feu, un cataclysme, une vraie épouvante. Tous les témoignages le corroborent. *Le feu nous est tombé dessus à la vitesse du galop d'un cheval. C'est arrivé un jeudi, le 19 mai pour être précis,* relate un témoin. *La journée s'était annoncée pour être belle et chaude, mais vers 11 heures du matin, on a vu une fumée épaisse s'élever à l'ouest du lac Saint-Jean. C'était un feu d'abattis sur la terre des Savard à Saint-Félicien. Mais comme y soufflait un gros vent, le feu s'est communiqué aux autres défrichés, pis à la forêt,* rapporte l'observateur médusé par l'ampleur de la conflagration et la rapidité avec laquelle elle se répand. *C'est à peine croyable mais, en moins d'une demi-heure, tout l'ouest du lac Saint-Jean était en flammes. Le vent qui soufflait de l'ouest s'est mis à rafaler et, au bout de quelques heures, tout le territoire de Saint-Félicien à la Grande Baie n'était qu'un immense brasier. Sept heures plus tard,* note-t-il atterré, *tout était consumé sur une bande de terre de 200 milles, entre la baie des Ha! Ha! et Chicoutimi, soit une superficie d'environ 1 500 milles.* Le sinistre n'a duré que 7 heures.

Ce qu'on a vu ou vécu ce jour-là relève du cauchemar ou du miracle. *À Pointe-Bleue, Jean-Baptiste Parent a sauvé les 11 membres de sa famille en les installant sur un arbre flottant au bord du lac,* raconte un de ses voisins. *Pendant 4 heures, Parent a pas arrêté de les arroser. La chaleur était si forte qu'y était constamment obligé de se plonger dans l'eau pour pas brûler.* Quant au village de Chicoutimi, il doit d'avoir été épargné à l'intervention quasi miraculeuse du curé Dominique Racine. Tous les témoignages le confirment. *Lorsque Monsieur Price est arrivé en chapeau de castor avec Monsieur Racine, le feu qui descendait la Côte-de-la-Réserve menaçait les moulins et les grandes piles de bois entassées autour,* se souviendra plus tard un des rescapés.

Nous autres les enfants, nos parents se préparaient à nous mettre dans une cave. Faites pas ça! *qu'y a dit m'sieur Racine.* Faites pas ça! Ça sert à rien! Le feu passera pas icitte! *Y avait l'air décidé pis sûr de lui! Fait que là,* se souvient toujours le témoin de la scène, *m'sieur Racine a marché le long du bord du feu qui s'est arrêté drette là en se contentant de brûler la tête des souches et des piquettes comme des chandelles.* Plusieurs Chicoutimiens l'ont confirmé. *Le feu s'est arrêté partout diousque Monsieur Racine est passé.* Et Monsieur William Price? *Lui, y tenait Monsieur le curé par la soutane pis y le suivait!* Pour une des rares fois dans sa vie!

Rien ne saurait exprimer la triste réalité, écrit le correspondant du *Canadien, le désastre est complet: 655 familles touchées, 4 585 personnes réduites à l'indigence et, incroyable bilan, 5 morts seulement. Mais les habitants ne sont pas à la fin de leurs épreuves,* poursuit le journaliste, *après cette journée de malheur, il n'y avait rien à manger et on a bien pensé mourir de faim.*

Le pire était à venir. *Le problème, c'tait pas jusse qu'on avait pus d'maisons,* explique un incendié, *c'est qu'après l'feu on avait pus d'bois pour en r'bâtir des nouvelles. On avait jamais été riches, mais là, en plusse, pour les hommes, les femmes et les enfants, c'tait une tristesse de pas pouvoir porter aute chose que des haillons. Ça, pour des gens fiers, j'pense que c'était encore pire que d'avoir le ventre vide!*

GUIBORD N'A PAS DIT SON DERNIER MOT

En mai, le Juge Mondelet a rendu sa décision dans la cause Guibord. Il condamne le curé et les marguilliers de Notre-Dame à faire inhumer le corps du typographe excommunié au cimetière de la Côte-des-Neiges. La fabrique porte la cause en appel. En septembre, la Cour de révision renverse le jugement Mondelet. Selon cette dernière, *les tribunaux n'ont pas à contraindre l'Église d'agir envers ses fidèles suivant des règles civiles.* Mort, Guibord n'a jamais été aussi vivant.

1871

Montréal n'a jamais autant taillé, piqué, bordé, cousu, cloué, collé et verni. Avec ses 117 entreprises de chaussures et ses 5 175 cordonniers qui, pour la plupart, font partie d'une organisation syndicale musclée, les chevaliers de Saint-Crépin, l'industrie montréalaise de la godasse est en pleine expansion.

Cette année, la production manufacturière s'est chiffrée à 9 millions de dollars, 8 fois plus qu'il y a 10 ans. L'activité industrielle de la chaussure est telle qu'une fabrique de machines à coudre a ouvert ses portes à Saint-Henri. Quant aux ouvriers, après plusieurs grèves, ils revendiquent une augmentation des salaires de 20 % à 25 %. L'échelle de 5 $ à 8 $ par semaine ne leur suffit plus. Place Jacques-Cartier, c'est toujours l'usine de Guillaume Boivin qui domine le marché. Rue La Tour, ultérieurement Vitré, un nouveau venu, George Slater, s'intéresse aux besoins d'un pied à nul autre pareil, le pied ecclésiastique! En peu de temps, en plus de manufacturer des chaussures pour hommes, femmes et enfants, Slater est devenu le principal fournisseur des religieuses, pour qui il confectionne des chaussures d'une parfaite catholicité, inélégantes mais confortables.

À Montréal, on fabrique de tout pour tous et pour toutes. On produit principalement de gros souliers pour le pied nord-américain, mais également des chaussures à la mode européenne: des bottines lacées à empeigne de soie pour les dames et des bottines à soufflet de tissu élastique pour permettre aux hommes d'enfiler plus facilement leurs chaussures. Une commodité particulièrement appréciée par Sir George-Étienne Cartier. Le grand homme souffre de la maladie de Bright. Une affliction qui lui fait *des pieds aussi enflés*, disent ses adversaires politiques, *que les subventions qu'il distribue à ses amis pour se faire élire.*

Puisqu'on parle pointure de chaussures, l'homme qui va chausser les souliers du grand Papineau n'est pas encore né. Sir George aurait souhaité que le vieux chef patriote l'adoube d'un coup de chapeau. En vain. Papineau n'a pas grand respect pour le père de la Confédération.

Il a revêtu la livrée des chevaliers de là-bas, a-t-il commenté après l'ensirement du petit George. L'irréductible ne reconnaît pas en lui *l'ombre d'un véritable homme d'État.* Papineau ne se fait aucune illusion sur la Confédération, pas plus qu'il n'en avait entretenu sur l'Acte d'Union. Ultimement, les Canadiens métamorphosés en Canadiens français doivent être les perdants. C'est prévu pour, comme on dit.

La dernière apparition publique du chef patriote octogénaire remonte à il y a quatre ans. Il était venu de Montebello prêter main-forte à ses jeunes amis et admirateurs de l'Institut canadien de Montréal. Ce fut son chant du cygne. *Bien aveugles sont ceux qui parlent de la création d'une nationalité nouvelle, forte et harmonieuse, sur la rive nord du Saint-Laurent et des Grands Lacs,* conclut alors Papineau à la fin d'un long discours. *Ils ignorent et dénoncent le fait majeur et providentiel que cette nationalité est déjà toute formée, grande et grandissante sans cesse; qu'elle ne peut être confinée dans ses limites actuelles; qu'elle a une force d'expansion irrésistible et qu'elle sera de plus en plus dans l'avenir composée d'immigrants venus de tous les pays du monde, non seulement de l'Europe, mais bientôt de l'Asie, dont le trop-plein n'a plus d'autre réservoir que l'Amérique. Notre patrie n'aura de force, de grandeur, de prospérité, de paix sérieuse et permanente,* prophétise un Papineau visionnaire, *qu'en autant que toutes ces divergences d'origine et de croyances s'harmoniseront et concourront ensemble et simultanément au développement des forces et de toutes les ressources sociales.*

L'ENCRE DES TRAITÉS S'EFFACE

Pour légitimer l'expansion vers l'Ouest, le Congrès américain a voté l'*Indian Appropriation Act.* La législation adoptée à Washington résilie tous les traités existant avec les nations amérindiennes. Dorénavant, les Indiens ne seront plus considérés comme des peuples souverains. Ce sont des individus, c'est-à-dire des pupilles qui dépendent entièrement du gouvernement fédéral.

Quelques mois plus tard, alors qu'il arpente le jardin de sa seigneurie de la Petite-Nation, Papineau est saisi d'un refroidissement. Dans les jours qui suivent, ses poumons congestionnés l'obligent à dormir assis. C'est le début de la fin. Comme il fallait s'y attendre, l'Église cherche aussitôt à récupérer le vieux rouge *in extremis.* Le père Bourassa est dépêché à son chevet. Son frère, le peintre Napoléon Bourassa, est le gendre de Papineau. Il est tout aussi catholique que son beau-père est incroyant. Sur le plan religieux comme sur le plan politique, Papineau n'a jamais dévié d'une ligne. *Je suis le même en tout!* avait-il déclaré à son retour d'exil. Le Grand Provocateur a tenu parole. Pour lui, la religion est un mal nécessaire et ce n'est pas la mort qui va l'amener à s'amender à l'âge de 85 ans. *Je crois à l'existence de Dieu et aux devoirs moraux des hommes, mais je ne parviens pas à croire à la révélation,* confie-t-il au père Bourassa. *Dans les circonstances, je ne pourrais pas sans mentir à Dieu et aux hommes recevoir vos services comme prêtre. Cela dit,* ajoute le vieillard, *j'aimerais être inhumé auprès de ma famille dans ma chapelle funéraire.*

Pas question! tranche sur-le-champ l'Évêque d'Ottawa. Papineau avait prévu la réaction ecclésiastique dans son testament. *Si l'on me refuse le repos dans ma chapelle funéraire auprès de ma femme, de mon père, de plusieurs de mes enfants et petits-enfants, enterrez-moi dans la tour de ma bibliothèque. Qu'elle soit mon asile sacré!* peut-on y lire! Nul homme politique à ce jour et pour longtemps n'a autant aimé les livres et son pays que Papineau. *L'ai-je aimé sagement? L'ai-je aimé follement?* s'interrogeait-il dans son discours à l'Institut canadien. *Au-dehors, les opinions peuvent être partagées. Néanmoins, mon cœur et ma tête consciencieusement consultés,* conclut le grand homme, *je crois pouvoir décider que j'ai aimé mon pays comme il doit être aimé!*

LOUIS-JOSEPH PAPINEAU

La figure de Louis-Joseph Papineau est incontournable. Par sa détermination, sa cohérence, sa persévérance et sa tolérance tout comme par son hésitation à passer du discours aux actes, il a forgé le modèle du Chef de la nation québécoise, comme en témoigneront ses héritiers politiques, Honoré Mercier et René Lévesque.

1872

Pas question de se rendre aux closettes en jaquette! Y fait frette à se geler le procréateur jusse à l'idée de sortir d'en d'ssous des couvertes. Y en a même qui disent qu'aux petites heures du matin, les chiens qui lèvent la patte peuvent s'appuyer sus le jet qui se tient debout tout seul! Bref, comme on dit à Paris, lorsqu'il y a de la glace dans le bassin à barbe, l'hiver est rigoureux.

À Montréal, on manque de bois de chauffage. Surtout chez les pauvres, qui sont légion. Une situation intolérable qui a eu le don d'émouvoir le bon curé Antoine Labelle de Saint-Jérôme. Le 14 janvier, dans son sermon du dimanche, il décrit avec éloquence la misère des pauvres citadins en proie aux affres du froid et fait appel à la générosité de ses paroissiens. *Vous admettrez, mes bien chers frères, que c'est plus facile pour le bois de descendre à Montréal,* conclut-il avec son gros bon sens campagnard, *que pour Montréal de monter dans le bois.* Son message est entendu. Après la messe, les habitants de Saint-Jérôme viennent spontanément lui offrir une ou plusieurs cordes de bois. Sitôt promis, sitôt chargé! Quatre jours plus tard, 80 voitures de bois de chauffage sont au rendez-vous. Chacune attelée à 2 chevaux, elles quittent la paroisse la plus populeuse et la plus prospère du Nord pour Montréal. Le convoi atteint le Mile-End à 11 heures du matin. Il est chaudement accueilli par les représentants de la corporation municipale de la métropole. Dûment remercié pour son geste humanitaire, le curé Labelle n'a pas la charité modeste. Le gros curé n'a pas l'intention que la générosité de ses paroissiens passe inaperçue. D'une stature physique colossale, il voit grand et aime faire les choses en grand. Dès lors, on fixe un drapeau anglais à la première voiture et le convoi entreprend

MIRACLE N'EST PAS FRANÇAIS!

L'anticléricalisme refait surface. Trois trains de pèlerins qui revenaient de Lourdes ont été assaillis en pleine nuit à la gare de Nantes par une foule hostile. Après leur avoir seriné *La Marseillaise*, le comité d'accueil a tenté de molester les dévots en leur servant un slogan particulièrement percutant: *À Lourdes, les lourdauds!*

Le

de parcourir les rues de Montréal. *Après la rue Saint-Laurent, les patins des traîneaux se sont fait entendre rues Craig, McGill, Saint-Jacques et Notre-Dame,* raconte *La Minerve. La procession, car c'en était une, défila ensuite par la Place Jacques-Cartier, les rues Saint-Paul, Wellington, et revint par une rue transversale au carré Chaboillez où une partie du bois a été déchargée dans un enclos. De là, la procession a continué par les rues Saint-Joseph et Notre-Dame,* note exhaustivement le journal, *pour se rendre à*

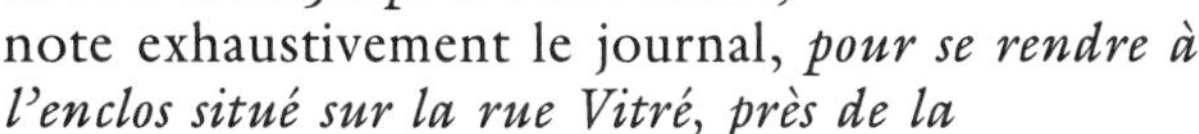

l'enclos situé sur la rue Vitré, près de la bâtisse de l'École militaire, où le reste du bois a été déchargé.

curé

Un peu partout, le long du parcours, les Montréalais se sont attroupés pour saluer le défilé. De toute part, les bonnes paroles fusaient en faveur des citoyens de Saint-Jérôme. De quoi faire rougir de plaisir le curé Labelle. Il n'est pas du genre à le bouder. C'est un poids lourd. Il chausse du 12 et cela fait partie de son charme. En organisant son train de bois pour les pauvres de Montréal, il a sûrement écouté son cœur qui est grand mais également son sens inné de la publicité. Il ne s'en est d'ailleurs pas caché lors d'une réception à l'*Hôtel Jacques-Cartier. Mes chers amis, on dit qu'en venant apporter du bois aux pauvres de Montréal, Saint-Jérôme avait sans doute obéi au sentiment de la charité, mais avait aussi espéré favoriser par cet acte le chemin du Nord. Quand bien même cela serait, le fait ne mériterait pas un désaveu,* a-t-il confessé candidement à ses hôtes montréalais. *L'Écriture sainte nous dit:* Faites

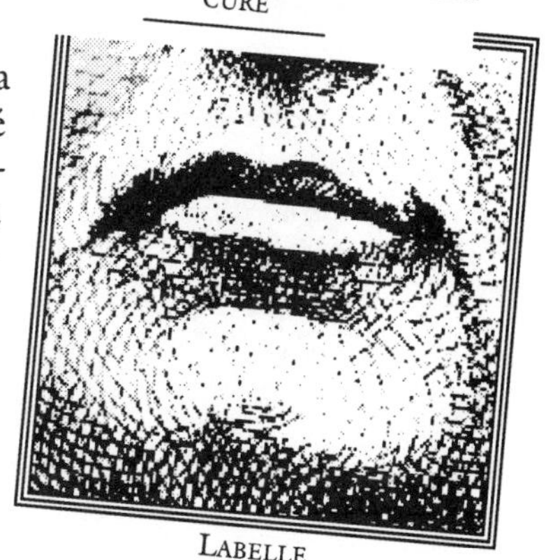

Labelle

la charité et le reste vous arrivera par surcroît! *Il est certain que l'appât de la récompense est un stimulant pour bien faire. Eh bien! j'ai dit à mes paroissiens:* Faites la charité aux pauvres de Montréal et le chemin de fer vous viendra probablement par surcroît!

Le bon curé sait qu'on doit battre le fer pendant qu'il est chaud. Aussi termine-t-il son discours par une demande en bonne et due forme: une souscription d'un million pour un chemin de fer, le Train du Nord, qui permettrait de relier Saint-Jérôme à Montréal et de rapprocher le bois de la ville. Séduits par la verve, l'enthousiasme et l'opportunisme bon enfant du curé Labelle, le Maire Coursol et ses Conseillers acceptent de faire voter la souscription par le Conseil de ville. Le Roi du Nord n'est pas retourné chez lui les mains vides. À l'instar d'Henri IV, il peut se dire qu'un chemin de fer vaut bien un train de bois.

Malheureusement, le chemin de fer qui préoccupe les Montréalais n'est pas le Train du Nord. L'enjeu de la campagne électorale fédérale est le futur emplacement du terminus du Canadian Pacific Railway. Sir George-Étienne Cartier s'est engagé à ce qu'il soit à Montréal. Fût-il Avocat du Canadian Pacific et Président de la Commission des chemins de fer, il n'est pas parvenu à convaincre ses électeurs de Montréal-Est. Le jour du scrutin, ils ont préféré élire le jeune libéral Louis-Amable Jetté, par une majorité de 1 300 voix. C'est l'insulte suprême. Jetté est lié au clan du libraire Édouard-Raymond Fabre, le défunt beau-père et ennemi politique de Cartier. Un désastre prévisible? C'est l'avis du Directeur de *La Minerve.* Pour Arthur Dansereau, Cartier a perdu la main. *À quoi ont servi les 85 000 $ qu'il a touchés personnellement sur les 350 000 $ que Sir Hugh Allan a versés à la caisse des conservateurs?* se demande l'éminence grise des bleus.

Dans notre district, le patronage n'a toujours été étendu qu'aux amis personnels de Sir George et les vrais amis du Parti, toujours délaissés, ont fini par se désillusionner, s'inquiète Dansereau, qu'on surnomme *Boss. À la dernière élection,* confirme-t-il à Sir Hector Langevin, *pas un homme n'a voulu marcher sans argent. L'esprit du Parti disparaît quand on cesse de l'entretenir.*

1873

Le service des incendies de Montréal existe maintenant depuis 10 ans. Pour les pompiers, il n'y a pas de quoi se réjouir outre mesure. Le salaire est toujours aussi maigre et les heures aussi longues. Quant aux congés, ils se limitent à 4 heures par semaine et à une partie de la journée du dimanche. Congé est un bien grand mot. Même lorsqu'ils ne sont pas en service, les pompiers doivent demeurer à la portée d'une alarme et se présenter à l'appel dès la première alerte.

Avec un emploi du temps aussi chargé, il ne faut pas s'étonner que les enfants des pompiers ne sachent plus reconnaître leurs pères. Pour les hommes de la brigade du feu, c'est un euphémisme. Le vrai problème serait plutôt qu'ils en reconnaissent un autre comme père. Les pompiers disposent de tout le temps nécessaire pour s'en inquiéter. Depuis que l'arrosage des rues ne fait plus partie de leur tâche, les hommes de la brigade d'incendie passent leurs grandes journées à flâner dans des stations aussi mornes et plates que les planchers y sont nus et croches. Dans certains postes, il n'y a même pas assez de chaises pour tous les hommes. C'est la Saint-Lambert à l'année. Qui cède sa place la perd! Dès qu'un siège se libère, il est aussitôt occupé. Le jeu de la chaise musicale se poursuit ainsi toute la journée. C'est à mourir d'ennui. Debout ou assis! Dans toutes les stations, dortoir et écurie se côtoient au rez-de-chaussée. L'égal du pompier, c'est le cheval. *Même dans la toute nouvelle station de la rue Saint-Gabriel,* note le Chef des pompiers dans son rapport annuel, *sept hommes dorment avec cinq chevaux.*

Le Chef Alexander Bertram est un ancien forgeron. D'un naturel affable et chaleureux, il est généralement plein d'entrain mais sa bonhomie naturelle s'évanouit sitôt qu'il est en devoir. Sur le site d'un incendie, le vieil Écossais a l'habitude de circuler avec un bâton de police en bois franc. S'il surprend un de ses hommes qui n'obéit pas à ses ordres, il ne se gêne pas pour le frapper dans le dos en le rappelant à l'ordre. *As-tu compris, là? Han?* lui répète-t-il. *As-tu compris?* Bertram n'exige qu'une chose de ses pompiers sur les lieux d'une conflagration: l'héroïsme.

Cette année, ils ont dû en faire preuve lors d'un des plus violents incendies que la métropole a connus, celui de l'*Hôtel Saint James. Lorsque les pompiers sont arrivés, les fenêtres de l'hôtel qui donnent sur le carré Victoria étaient remplies de gens,* rapportent les témoins, *les uns appelant au secours, les autres lançant leurs bagages au-dehors, pendant que certains restaient suspendus dans l'espace à leurs draps noués.* Bien que haut de cinq étages, l'hôtel était dépourvu de sorties de secours. Une employée qui logeait dans les combles a pu s'échapper par une fenêtre. Johanna O'Connor s'accroche au châssis de la main droite. Apercevant les gens attroupés en bas dans le square Victoria, elle se met à hurler: *Aidez-moi! Aidez-moi!* Tout ce que les spectateurs peuvent faire, c'est de l'encourager. *Tiens bon! Lâche pas!* lui crie-t-on de toute part. *L'échelle s'en vient!* L'employée du *Saint James* n'est pas au bout de ses peines ou de ses émotions. Une fois dressée, l'échelle des pompiers est trop courte pour atteindre le cinquième étage, où la jeune fille se cramponne toujours au rebord de sa fenêtre.

En bas, la foule observe la scène en silence. Le pompier Nolan hisse une deuxième échelle jusqu'au pompier Beckingham qui la superpose à la première. Même aboutées, les deux échelles sont toujours trop courtes. La foule manifeste sa déception. En haut à la fenêtre, les bras de Johanna, qui la soutiennent depuis 20 minutes, commencent à faiblir. Beckingham prend alors la décision de gravir le dernier barreau de l'échelle principale. Il s'adosse au mur et, dans un ultime effort, élève la seconde échelle à bout de bras jusqu'à ce qu'elle touche les pieds de la jeune O'Connor. En bas, la foule complètement médusée suit la manœuvre. Après avoir longuement hésité, Johanna accepte de confier son pied à l'équilibre instable de l'échelle que lui tend Beckingham. Pendant toute la descente, la jeune fille fait une pause à chaque barreau, la foule retient son souffle et Nolan en profite pour rejoindre Beckingham au sommet de l'échelle principale. C'est dans ses bras que la jeune Irlandaise à bout de forces s'effondre. La foule éclate en applaudissements et le pompier Nolan transporte Johanna O'Connor jusqu'à la rue sous les chants et les cris de joie.

La mort de l'Anglais qui parle français

Sir George-Étienne Cartier se décrivait comme un Anglais qui parle français et rêvait de finir ses jours à Londres. Ses vœux ont été exaucés. Il a expiré son dernier souffle dans la capitale de l'Empire britannique. Son cercueil et sa dépouille ont été rapatriés par bateau à Montréal, où plus de 50 000 personnes ont assisté à ses obsèques déclarées nationales. *Le gouvernement,* a commenté laconiquement *Le Pays*, *s'est transformé en entrepreneur de pompes funèbres.*

Le bâton disciplinaire du Chef Bertram n'a pas eu à rappeler qui que ce soit à l'ordre ce soir-là. Ses hommes ont réalisé leur exploit et respecté la règle que l'Écossais a établie: sauver une vie sans prendre de risques inutiles. *J'étais sur le point de m'évanouir,* a confié l'héroïne aux journalistes, *la glace était terrible et mes vêtements gênaient mes mouvements.* Ce que la jeune Irlandaise n'a pas dit? Elle se jure bien de ne plus jamais travailler dans un hôtel où il n'y a pas de sorties de secours!

1874

Si l'on se fie au nombre de récriminations que ses habitants adressent à son administration, Montréal a tout d'une grande ville. La liste des irritants est interminable. La nuit, on n'arrive pas à distinguer *une cheminée d'un tuyau de castor,* raillent les porteurs de haut de forme en goguette. Le diable n'y retrouverait pas les siens. *La Compagnie de gaz répartit démocratiquement de faibles lueurs qu'elle fait payer comme si c'était de la vraie lumière,* s'indigne *Le National.* Dès que le jour tombe, les rues sont aussi noires qu'un combat de Jésuites dans un tunnel et les maisons aussi obscures que l'origine des fonds qui remplissent la caisse électorale du Parti au pouvoir.

Malheur à ceux qui déambulent! Les trottoirs sont en bois et pleins de trous. On ne peut les emprunter sans prendre le risque de se casser une jambe. Quant aux *p'tits chars,* comme on appelle familièrement les tramways à chevaux, c'est la foire d'empoigne quotidienne pour y monter. Le transport en commun est à l'image du Québec: il manque de places pour y caser tout le monde. Dans les derniers 15 ans, environ 20 % de la population du Québec a émigré aux États-Unis, soit près de 1/4 de million de personnes. C'est une véritable saignée dans les campagnes. Tous les dimanches, aux portes des églises rurales, des familles vendent leurs meubles à l'encan pour amasser les fonds nécessaires à leur installation *in the land of opportunity.* Les cultivateurs quittent leurs terres pour aller s'engager comme *weavers, frame spinners, spoolers* ou *warpers* dans les *factories* de la Nouvelle-Angleterre. Une fois dans leur nouvel habitat, le premier geste collectif des Canadiens français est de s'organiser en paroisses. Le second, de fonder une Union ou une Société Saint-Jean-Baptiste calquée sur celle de Montréal. Le troisième, de créer un journal pour entretenir le souvenir du pays natal.

Cette année, les Montréalais ont eu raison de se plaindre de tout, comme à l'accoutumée, sauf de la fête de la Saint-Jean. C'est le quarantième anniversaire de l'Association Saint-Jean-Baptiste. Pour rappeler le banquet organisé par Ludger Duvernay en 1834, la direction a conçu le projet d'un vaste rassemblement des Canadiens français du Canada et des États-Unis le 24 juin. Sitôt lancée par Laurent-Olivier David et ses amis, l'invitation a reçu un accueil enthousiaste. C'est l'occasion rêvée pour les émigrés de prouver à tous leurs détracteurs qu'ils n'ont pas perdu leur langue, renié leur foi ou trouvé le chagrin et la misère aux États-Unis. Ainsi, de Lewiston à Woonsocket, de Detroit à Chicago, chacun a rassemblé ses économies pour faire le voyage à Montréal. En Nouvelle-Angleterre, c'est le branle-bas de combat. En plus d'organiser des trains d'excursion à tarif réduit, le Vermont Central annonce qu'il y aura des conducteurs canadiens sur chaque train qui se rendra à Montréal du 19 au 24 juin. Ceux et celles qui ne parlent pas l'anglais pourront obtenir tous les renseignements désirés en français. *Anything to please the Canucks for a buck!*

Dans la métropole, l'Association Saint-Jean-Baptiste assure la décoration des rues, l'illumination des squares et le logement de la visite des États. Déjà assez américanisés pour avoir le sens du *show-off*, les délégués sont piqués par le démon de la démesure. C'est à qui sera représenté par la délégation la plus nombreuse et la fanfare la plus fanfaronne. À Fall River, toute la ville se rend à la gare pour saluer son corps de musique et les quelque 600 personnes qui partent pour Montréal en 2 convois spéciaux. *All aboard!* Plus le 24 juin approche, plus les Montréalais ont le moton dans la gorge et les yeux dans la graisse de bines. C'est le mouvement retrouvailles à l'échelle de la nation tout entière. À la gare Bonaventure, l'arrivée des convois est ininterrompue. Plus de 250 wagons, 49 délégations et 18 000 Canadiens des *States.* C'est l'euphorie et l'orgie des fanfares! *Vive la Canadienne! vole mon cœur vole!* Les musiciens éblouissent avec leurs uniformes à brandebourgs, leurs ceinturons dorés et leurs shakos à plumet. Quant aux dignitaires des Sociétés Saint-Jean-Baptiste, on les reconnaît à leur écharpe de velours violet.

Le jour de la Saint-Jean, Monseigneur Édouard-Charles Fabre chante la messe à Notre-Dame et la procession se forme au Champ de Mars. Il y a presque autant de participants qu'il y aura de spectateurs le long du parcours. La marche s'ouvre sur un déploiement de 1 000 bannières. Une centaine de zouaves pontificaux emboîtent le pas. Ensuite, c'est la section du barreau de la Saint-Jean-Baptiste de Montréal, celle des médecins et celle des notaires. Le Président Coursol et ses Vice-Présidents complètent la délégation des hôtes. La direction est aussitôt suivie par Monseigneur Fabre et son clergé, lesquels précèdent les ministres et les chefs politiques. Les corps de métiers sont également de la fête et leur présence ne passe pas inaperçue. Les tailleurs de pierre, les tanneurs et cordonniers, les peintres et forgerons, les carrossiers, les charrons, les typographes, les plombiers et ferblantiers, les briquetiers, les menuisiers et charpentiers, les bouchers ont pris l'initiative de créer 10 chars allégoriques qui provoquent l'enthousiasme de la foule. Le défilé s'étend sur 2 milles et demi. La nation canadienne-française ne s'est jamais sentie aussi nombreuse et aussi solidaire.

GUIBORD RESSUSCITE

Nouveau rebondissement dans l'affaire Guibord. Londres a rendu son jugement. Le Conseil privé intime à la fabrique de Notre-Dame de laisser inhumer l'ex-membre de l'Institut canadien dans son caveau du cimetière de la Côte-des-Neiges. Il y reposera auprès de sa femme qui est morte entre-temps. La réaction de Monseigneur Bourget a été péremptoire. *Pas question d'enterrer Guibord en terre sainte,* a décrété le Révérendissime qui en a perdu sa sérénissimité.

On nage dans les superlatifs! Mille deux cents convives assistent au banquet de l'Hôtel de ville. Le lendemain, on organise un pique-nique à l'île Sainte-Hélène et un grand concert de fanfares au carré Viger. Le clou du rassemblement, cependant, est la Convention générale des Canadiens français. Quatre cents délégués se réunissent à la salle académique du collège des Jésuites et y adoptent le principe d'une Union nationale canadienne-française de l'Amérique dont le siège sera fixé à Montréal.

C'est Charles Thibault qui a su le mieux traduire le sentiment général des congressistes. *Il y a un si grand nombre des nôtres par-delà la ligne quarante-cinquième,* s'écrie-t-il dans un élan d'euphorie, *qu'on ne sait plus pour ainsi dire où se trouve la patrie!*

1875

Depuis 112 ans, confirme le registre officiel des relevés météorologiques, il n'a jamais fait aussi froid que -27,8 °C en novembre. Avant, on l'ignore, faute de registre. L'intensité du froid est bien la seule calamité dont on ne puisse accuser les politiciens. Les Partis ont pourtant tout fait pour réchauffer l'atmosphère. On pourrait même dire la chauffer à blanc.

Depuis que le gouvernement de John A. Macdonald a démissionné à cause d'une juteuse affaire de corruption électorale, le Scandale du Pacifique, il semble que le ciment du parlementarisme canadien se soit effrité. Autrement dit, s'enrichir par le vol n'est plus une activité qui s'élève au-dessus de la partisanerie. Faisant fi de la règle tacite de la démocratie britannique qui veut que chacun des Partis politiques adopte une attitude de non-intervention et de non-ingérence face aux magouilles de l'autre, les bleus comme les rouges se sont engagés dans une poque-la-mailloche suicidaire. Bref, depuis un an, c'est le *free for all*. D'abord, ce fut l'Affaire des tanneries. Les Anglais de Montréal réclamaient un hôpital protestant. Le gouvernement provincial leur a offert un emplacement, celui de la ferme Leduc, un terrain qu'il a préalablement acquis en échange d'un lot de terre dont il était propriétaire dans le quartier des tanneries. Jusque-là, il n'y a pas de quoi fouetter un chat! La superficie de la ferme est même plus grande que celle du lot. Le hic, c'est que le terrain des tanneries est coté à 25 sous le pied carré. Celui de la ferme Leduc ne l'est qu'à 1 cenne. Le lendemain de l'échange des terrains, le compte en banque du grand argentier des conservateurs, Arthur Dansereau, s'est brusquement enrichi d'un inconvenant 65 000 $. À la suite de ces révélations gênantes, le Premier Ministre conservateur du Québec, Gédéon Ouimet, a dû céder sa place à Charles-Eugène Boucher de Boucherville, un bleu qui a meilleur teint et qu'on surnomme le *Grand chrétien*.

En mars, les bleus ont rendu aux rouges la monnaie de leur pièce. Le journal *La Minerve* révèle alors les dessous de la djobbe du canal Lachine. Œil pour œil, dent pour dent et terrain pour terrain. Le 27 avril dernier, plusieurs rouges éminents, dont L. A. Jetté, ont fait l'acquisition de

1 172 913 pieds carrés de terre en bordure du canal Lachine. Le lendemain, le 28 avril, le gouvernement fédéral, que dirigent les rouges, annonçait l'élargissement dudit canal. Quelle coïncidence! Six mois plus tard, Jetté et ses associés se laissent exproprier pour la modique somme de 425 480 $: une excellente affaire pour un terrain qui n'a coûté que 102 000 $, dont seulement 2 750 $ ont été versés comptant. Pour peu qu'on farfouille, tous les nouveaux riches ont un squelette caché dans leur placard.

Ces jours-ci à Montréal, le squelette le plus célèbre est celui de ce pauvre Guibord. Dans son caveau du cimetière protestant, il attend depuis six ans qu'on le ramène parmi les siens au cimetière catholique de la Côte-des-Neiges. Entre Rome et Londres, d'appel en appel et de procès en procès, le fantôme de Guibord est devenu le symbole d'une lutte à mort entre l'obscurantisme et la liberté de penser. *To bury or not to bury* n'est plus vraiment la question. Le Conseil privé a tranché. Guibord était propriétaire d'un terrain au cimetière, il a donc tous les droits d'être enterré chez lui.

Monseigneur Bourget ne l'entend pas de cette oreille. Prêt à s'étendre visage contre terre au moindre soupir du Pape, il n'a pas l'intention de perdre la face devant l'État et encore moins devant l'Institut canadien de Montréal. Joseph Doutre est tout aussi buté. Lorsqu'il se présente à Notre-Dame pour obtenir la permission d'inhumer Guibord, la réaction ecclésiastique est prévisible. *Pas question!* lui rétorque le curé Rousselot. *La levée de l'excommunication ne relève pas du Conseil privé de Londres!* L'affrontement est inéluctable. Le Président de l'Institut n'est pas homme à plier l'échine ou le genou. Ce n'est plus tellement ce pauvre Guibord mais l'Église elle-même qu'il veut ensevelir sous six pieds de terre sainte. Ira-t-elle jusqu'à la désobéissance civile pour défendre l'exclusivité de son droit sur les âmes et les cadavres? Doutre n'a pas l'intention de lui laisser le choix.

Le 2 septembre, accompagné de tout ce que Montréal peut compter de libres penseurs, de radicaux et d'anticléricaux, le Président de l'Institut se rend au charnier du cimetière protestant pour prendre livraison du cercueil de Guibord. Doutre et ses amis le drapent dans la légitimité d'un drapeau britannique, le hissent sur un corbillard et se mettent en marche vers la Côte-des-Neiges. Une foule hostile les attend de pied ferme. Les grilles du cimetière sont cadenassées. Les huées catholiques fusent, les coups de sifflet vrillent et une pluie de projectiles évangéliques s'abat sur le cortège funèbre de l'*Excommunié.* La libre pensée n'a d'autre alternative que de battre en retraite. La rage au cœur, les rouges ramènent la dépouille de Guibord à son point de départ. Ce n'est que partie remise. Doutre a les cornes tout aussi bien vissées au front que Bourget a sa mitre plantée sur la tête.

Condamné par *Les Mélanges religieux* pour avoir écrit *une œuvre assez immorale pour que les pères en défendent la lecture à leurs enfants et pour que la femme qui en commence la lecture ne puisse s'empêcher de rougir et de rejeter loin d'elle une pareille production*, l'auteur des *Fiancés de 1812* ne désarme pas facilement. Doutre s'est battu en duel contre George-Étienne Cartier qu'il a vilipendé dans un libelle, *La Tuque bleue*. N'a-t-il pas déjà écrit *Honneur soit rendu aux sauvages de ce continent qui avaient commencé à supprimer du sol canadien la première semence de la sainte Société de Jésus!* L'impie fixe de nouvelles obsèques au 16 novembre et demande la protection de la police. Le Maire William Hales Hingston est un Irlandais catholique. Il s'esquive en prétextant que le cimetière est en dehors des limites de la Corporation municipale. Doutre passe outre. Il se tourne vers Ottawa la rouge. Il obtient gain de cause. L'armée prêtera main-forte aux libres fossoyeurs. Ainsi, le matin du 16 novembre, 1 200 soldats anglais sont réunis sur le Champ de Mars. *We'll bury old Guibord / In the consacrated ground*, chantent-ils en se mettant en marche vers la Côte-des-Neiges.

QUI CHÂTIE BIEN PEND BIEN!

Le cas du Juge Isaac Parker est unique dans les annales judiciaires américaines. Il a pendu lui-même 60 des 79 criminels récemment condamnés à mort dans le territoire indien où il siège. Pour s'assurer que la corde des pendus ne glisse pas, Parker la choisit personnellement. La préférence du Juge-bourreau va aux cordes enduites de poix et tressées à la main. Jamais l'expression consacrée *le bras de la loi* n'a été prise dans un sens aussi littéral.

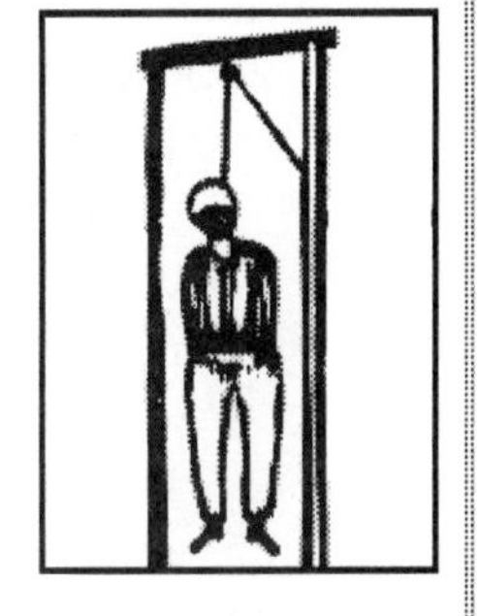

Cette fois, le cortège funèbre ne rencontre aucune obstruction. Seulement des curieux et 100 constables finalement mobilisés pour voir à l'exécution du jugement du Conseil privé. On a glissé le cercueil de Guibord dans une boîte peinte en rouge. Dès qu'elle a touché le fond de la fosse, les terrassiers s'empressent de la recouvrir de 4 pieds de ciment armé. Ce que d'aucuns ont appelé *la terre sainte de la liberté de pensée*.

1876

La récession perdure. Depuis deux ans, la situation économique du Dominion est catastrophique. Les prix piquent du nez, le crédit se resserre et la plupart des industries ont réduit le salaire de leurs ouvriers pour ne pas fermer leurs portes comme la raffinerie de sucre Redpath ou faire faillite. Les récessions ne sont pas connues pour favoriser les solutions imaginatives.

Montréal ne sait plus à quel saint se vouer. Dans les filatures et les fabriques de chaussures, les heures sont réduites. Les tisserands et les cordonniers qui ne sont pas au chômage ne travaillent plus qu'une partie de la semaine. L'un des plus anciens syndicats de la métropole a dû rendre son tablier. Faute de cotisations et de membres, l'Union des cigariers n'est plus. La Saint-Vincent-de-Paul ne suffit pas à la tâche pour nourrir et vêtir les pauvres. Rome aurait-elle inventé un saint patron pour retrouver les djobbes perdues? On pourrait illuminer le tout nouveau carré Saint-Louis, rue Saint-Denis, de la seule lumière des lampions allumés devant sa statue!

Pour alléger le chômage, la Ville de Montréal a entrepris d'aménager le parc du mont Royal. Une tâche dont elle a confié la direction au garde forestier McGibbon. Dans un premier temps, il s'agit de construire des routes d'accès. McGibbon a donc engagé des chômeurs pour travailler au pic et à la pelle. Le tarif est de 63 sous pour une journée de 9 heures. Quant aux charretiers, homme et cheval compris, ils touchent 1,25 $. Le garde forestier surveille les travaux du haut de sa jument blanche. Il n'a rien d'un négrier ou d'un boulé de chantier, c'est un homme clairvoyant.

Dans la mesure du possible, McGibbon cherche à rendre le labeur de ses terrassiers d'occasion moins pénible. Ces derniers se présentent à l'ouvrage le matin avec leur repas enveloppé dans un journal sous le bras. On est en hiver. À l'heure du dîner, leur quignon de pain complètement gelé est immangeable. McGibbon s'en inquiète. Il s'informe et déniche un ancien couque de l'armée française parmi ses journaliers. Il le met en charge d'une cantine et lui procure tout ce dont il a besoin pour fricoter une cuisine simple: des pois à la poche, de l'orge au baril, de la viande à

2 sous la livre, une bouilloire de 75 gallons, une demi-douzaine de louches, des assiettes et des cuillères. Dorénavant, les journaliers du mont Royal pourront tremper leur pain gelé dans un bol de soupe chaude. Inutile de dire que le geste du garde forestier est apprécié.

McGibbon n'est pas uniquement un excellent meneur d'hommes, c'est également un excellent planificateur. Pour limiter la distance que ses journaliers ont à parcourir de leur domicile au chantier, il a affecté au versant est de la montagne les ouvriers qui habitent les quartiers de l'est, donc majoritairement des Canadiens français. De même, il a réservé le versant ouest à ceux qui habitent les quartiers de l'ouest, donc majoritairement des Irlandais. Ce qui n'est pas sans créer certaines frictions. Lorsqu'un Irlandais résidant à l'est se présente à l'embauche, il constate que tout le monde parle français. Inversement, lorsqu'un Canadien français habitant l'ouest se présente pour travailler sur son versant, il remarque pour sa part que tous parlent anglais. Dès lors, le premier est convaincu que le *ranger* n'engage que des maudits Français et le second que le garde forestier ne donne de la djobbe qu'aux maudits Irlandais! À la décharge de McGibbon, on doit dire qu'il n'a pas été engagé pour refaire la ville mais pour aménager le parc du mont Royal.

À Montréal, tout est double, tout est français ou anglais, catholique ou protestant. Rien ne se complète, tout s'oppose et se compare. Même le taux de mortalité n'y échappe pas. Au dire de *L'Union médicale du*

Canada, il est plus fort chez les catholiques que chez les protestants. Une affirmation qui n'a pas été sans susciter une riposte immédiate de la même publication. *Depuis plusieurs années, des observateurs plus préjugés qu'impartiaux se sont efforcés de dénigrer la population canadienne-française, en criant bien haut le chiffre élevé de la mortalité chez elle et en en déduisant des conclusions erronées*, peut-on lire dans l'édition de juillet. *Ces observateurs devraient savoir que c'est chez cette population française que se recrute surtout la classe ouvrière qui, dans toutes les villes, fournit toujours le plus fort contingent de mortalité parce que cette classe habite les quartiers et les maisons les moins salubres de la ville.*

En 1875, le taux de mortalité par 1 000 habitants de Montréal était de 42 chez les Canadiens français, convient l'auteur de la riposte, *de 23,26 chez les Irlandais catholiques et seulement de 21,86 chez les protestants. Cependant, pour la même période,* précise-t-il en embouchant la trompette de la victoire, *le même rapport spécifie que le taux de natalité était de 32 par 1 000 habitants chez les Irlandais catholiques, de 32,07 chez les protestants et de 65,01 chez les Canadiens français.* Bref, on est peut-être les plus morts mais on est également les plus vivants!

PLUS DE FLOCONS, MOINS DE POUPONS!

John Harvey Kellog, le nouveau Directeur de l'Institut pour la réforme sanitaire de la secte des adventistes du septième jour, déconseille la consommation d'alcool, de thé, de café et de tabac. Il fait également la promotion de flocons de céréales de sa fabrication. Leur première qualité, selon Kellog, est de contribuer à diminuer l'énergie sexuelle.

1877

Le grand pourfendeur des rouges a pris sa retraite. Âgé de 68 ans, Monseigneur Bourget égrène son chapelet au Sault-au-Récollet en sombrant doucement dans la simplicité d'esprit comme d'autres retombent en enfance. Ses admirateurs y voient un signe évident de sainteté.

Le dernier geste d'éclat de Sa Grandeur aura été d'avoir le dernier mot dans l'affaire Guibord. Pas question de le laisser à l'Institut ou au Conseil privé! Sa Révérence a donc procédé à la déconsécration de la terre qui recouvre la dépouille de l'impie. Une entreprise délicate. Le cercueil de *l'Excommunié* repose par-dessus celui de son épouse. Elle a initié la poursuite mais était en règle avec l'Église au moment de son décès. Grave dilemme pour un Évêque tatillon. Le prélat a tranché en officiant en surface et à l'horizontale. Dorénavant, au cimetière de la Côte-des-Neiges, la terre n'est sainte qu'autour et au-dessous de l'infâme. Reste à savoir si les fleurs pousseront mieux dans le fumier du paradis.

Les héritiers de Bourget ne sont pas moins véhéments dans leur lutte contre les rouges. Leur constante intervention dans les élections, dite *influence indue*, est tout aussi dévastatrice que l'invasion des tordeuses de bourgeons d'épinette qui ravage les campagnes. *Il n'y a pas de conciliation possible entre la vérité et l'erreur. Ceux qui tiennent ce langage montrent par là qu'ils sont du parti de l'erreur, car personne qui possède la vérité n'est justifiable de l'abandonner pour faire la paix avec celui qui la combat,* écrit l'un des thuriféraires de celui qui incarne la position exacerbée des bêtes à bon Dieu, Monseigneur Laflèche. *On se réconcilie avec un homme qui nous avait fait du tort, on pardonne à un ennemi,* poursuit le zélote, *mais quand celui qui professait de fausses doctrines les abandonne pour accepter la véritable, il ne fait pas acte de conciliation, il se convertit.* Bref, on ne traite pas avec le diable. On l'exorcise à coups de goupillon comme les bêtes à patates dans les champs.

L'antagonisme grandissant entre l'Église et l'État inquiète Rome. Le Vatican a dépêché un délégué apostolique pour enquêter sur place. Dès son arrivée, Monseigneur George Conroy a été l'objet d'une cour effrénée autant de la part des rouges que des bleus. C'est le discours d'un jeune Député fédéral, Wilfrid Laurier, qui a retenu son attention. *Le 26 juin, à l'Académie de musique de Québec, il y avait plus de 2 000 personnes qui tenaient le plus profond silence afin de ne rien perdre des paroles qu'ils venaient entendre*, rapporte *L'Événement.* Et pour cause! Devant une salle bondée, Laurier a pris sur lui d'enfoncer le balustre dans la gorge de ceux qui se font une gloire de le ronger. *Je ne me fais pas d'illusion sur la position du Parti libéral dans la province de Québec et je dis tout de suite qu'il y occupe une position fausse au point de vue de l'opinion publique*, lance tout de go le jeune orateur de 36 ans. *Je sais que pour un grand nombre de nos compatriotes le Parti libéral est composé d'hommes à doctrines perverses et à tendances dangereuses, marchant sciemment et délibérément à la révolution. Pour moi, j'appartiens au Parti libéral. Si c'est un tort d'être libéral, j'accepte qu'on me le reproche. Si c'est un crime d'être libéral, ce crime, j'en suis coupable. Pour moi, je ne demande qu'une chose, c'est que nous soyons jugés d'après nos principes.*

Il importe avant tout de s'entendre sur la signification, la valeur de ce mot libéral, *et de cet autre mot* conservateur, poursuit l'ancien radical, disciple d'Antoine-Aimé Dorion, admirateur de Papineau, adversaire de la Confédération et ex-Vice-Président de l'Institut canadien de Montréal. *Quelle idée cache ce mot de* libéral *qui nous a valu tant d'anathèmes? Quelle idée cache ce mot de* conservateur, *qui semble tellement consacré qu'on l'applique modestement à tout ce qui est bien? L'un est-il, comme on l'affirme tous les jours, l'expression d'une forme nouvelle de l'erreur? L'autre est-il, comme on semble constamment l'insinuer, la définition du bien sous tous ses aspects? L'un est-il la révolte, l'anarchie, le désordre? L'autre est-il le seul principe stable de la société?* La conversion de Laurier à l'électoralisme est pragmatique. Pour prendre le pouvoir, il faut mettre de l'eau dans le vin rouge du radicalisme.

Il est vrai qu'il existe en Europe, en France, en Italie et en Allemagne, une classe d'hommes qui se donnent le titre de libéraux, mais qui n'ont de libéral que le nom, argumente non sans justesse l'avocat d'un libéralisme acceptable. *Ce ne sont pas des libéraux, ce sont des révolutionnaires; dans leurs principes, ils sont tellement exaltés qu'ils n'aspirent à rien de moins que la destruction de la société moderne. Avec ces hommes, nous n'avons rien de commun; mais c'est la tactique de nos adversaires de toujours nous assimiler à eux.* Le tribun n'est pas un mou. Il frappe d'estoc. *Encore une fois, conservateurs, je vous accuse de ne comprendre ni votre pays ni votre époque*, tonne-t-il. *Vous voulez organiser tous les catholiques comme un seul parti, sans autre base que la communauté de religion, mais n'avez-vous pas réfléchi que, par le fait même, vous organisez la population protestante comme un seul parti et qu'alors, au lieu de la paix et l'harmonie, vous amenez la guerre la plus terrible de toutes, la guerre religieuse.*

Au nom de quel principe les amis de la liberté voudraient-ils refuser au prêtre le droit de prendre part aux affaires politiques? s'interroge l'orateur avec une sincérité indiscutable. *Au nom de quel principe le prêtre n'aurait-il pas le droit de dire que si je suis élu, moi, la religion est menacée, lorsque j'ai le droit, moi, de dire que si mon adversaire est élu, l'État est en danger? Que le prêtre parle et prêche comme il l'entend, c'est son droit. Jamais ce droit ne lui sera contesté par un libéral canadien.* Laurier a établi l'accord parfait, la base d'harmonie. Maintenant, les bémols. *Cependant, ce droit n'est pas illimité,* rappelle-t-il sur un ton qui exclut toute discussion. *Nous n'avons pas parmi nous de droits absolus. Les droits de chaque homme, dans notre état de société, finissent à l'endroit précis où ils empiètent sur les droits des autres. Le droit d'intervention en politique finit à l'endroit où il empiéterait sur l'indépendance de l'électeur.*

On ne peut pas être à demi démocrate. *Il est donc parfaitement permis de changer l'opinion de l'électeur, par le raisonnement et par tous les autres moyens de persuasion,* enchaîne Laurier qui n'a pas perdu sa cible de vue, *mais jamais par l'intimidation.* Dans une démocratie, ce qui est bon pour l'Église ne l'est pas nécessairement pour l'État. Faut-il le rappeler? *La constitution entend que l'opinion de chacun soit librement exprimée comme il la conçoit, au moment qu'il l'exprime,* martèle le tribun, *et la réunion collective de chacune de ces opinions individuelles, librement exprimées, forme le gouvernement du pays. Nous sommes un peuple heureux et libre et nous sommes heureux et libres grâce aux institutions libérales qui nous régissent,* s'émeut l'orateur qui se voue dorénavant à la défense de la Confédération. Le but de son discours est de dérougir les rouges. *Protéger ces institutions, les défendre et les propager,* rassure Wilfrid Laurier, *telle est la politique du Parti libéral, il n'en a pas d'autre.*

LES BLEUS VOIENT ROUGE

La dernière campagne électorale a été sanguinolente. Les bleus ont parcouru la circonscription de Québec-Est en brandissant l'épouvantail de la révolution. *Avec le libéralisme,* prophétisaient-ils, *on en arrivera à marcher jusqu'aux genoux dans le sang des prêtres. Ça fait rien!* leur a rétorqué un vieux cordonnier partisan de Laurier. *J'vous chausserai pour!*

Comme l'Institut canadien de Montréal, le radicalisme a vécu! La boucle est bouclée. En faisant à nouveau confiance au libéralisme britannique, Laurier retourne là où le jeune Papineau a débuté, 70 ans plus tôt. *Le même libéralisme,* ferait remarquer le Chef patriote, *que celui de Lord Durham!*

LAURIER

1878

La vanité montréalaise vient d'en prendre pour son rhume. Pour les Londoniens, la métropole évoque désormais une ville provinciale, pudibonde et inculte. C'est une distinction que lui a décernée Samuel Butler dans un poème satirique publié dans *The Spectator* et intitulé *Le Psaume de Montréal.*

SAMUEL BUTLER

L'auteur de *Erewhon*, anagramme de *Nowhere*, est un critique virulent du conformisme victorien. Il y a trois ans, l'émule de Swift se trouvait à Montréal dans le but illusoire de récupérer une somme importante investie dans une tannerie de Saint-Henri. Le Canada n'est pas la Nouvelle-Zélande. Le romancier qui a fait fortune dans l'élevage des moutons a dû en prendre son parti. Pendant son séjour, il visite le musée de la Montreal Natural History Society par désoeuvrement. C'est la seule explication plausible.

En furetant dans une arrière-salle, Butler découvre deux moulages de statues grecques au milieu d'un entassement hétéroclite de peaux, de bêtes, de plantes, de serpents et d'insectes. Couverts de toiles d'araignée, les deux plâtres, l'un d'Antinous et l'autre du Discobole, font face au mur. Le Britannique s'étonne que les statues ne soient pas exposées à la vue du public. Le Conservateur, qui est à empailler un hibou, en demeure interdit. Comment peut-on ne pas se rendre compte que ces statues n'ont ni redingote ni pantalon pour se couvrir? *My dear man,* laisse échapper le Conservateur-Empailleur scandalisé, *leur vulgarité choquerait!* De retour en Angleterre, Butler a fait un poème de l'incident. Son refrain *O God! O Montreal!* établit que la métropole se situe un peu en deçà de *Erewhon. Un Montréalais, un vrai de vrai, m'a fait part de son intention de s'éloigner de la civilisation,* raconte l'humoriste. *Je n'ai pas pu m'empêcher de lui faire remarquer que, parfois, on a déjà atteint son but sans s'en douter.*

Pendant qu'on se gausse du provincialisme de la métropole à Londres, le Conseil municipal, lui, donne ses lettres de noblesse à

Montréal en mettant la touche finale à une réplique de l'hôtel de ville de Paris. C'est fait! La construction est terminée. En mars, le Maire Beaudry, réélu par acclamation, inaugure l'hôtel de ville de Montréal avec ses 4 tours d'angle et son campanile. Pour l'occasion, il porte le collier du Premier Magistrat et ses Conseillers, la fleur à la boutonnière et l'habit de gala. Dans l'enceinte de la nouvelle salle du Conseil, on a réservé des fauteuils aux dames. On a voulu une première séance solennelle. Il y a de quoi déboucher le champagne! Le bâtiment a coûté 419 000 $ sans tenir compte d'un déboursé de 30 000 $ pour le terrain. Personne ne s'en offusque! L'original a coûté plus cher que la copie! L'économie se porte toujours aussi mal et la crise s'étire en longueur mais Jean-Louis Beaudry, dont le frère Prudent a été Maire de Los Angeles, ne s'inquiète pas outre mesure. *De tous les livres du monde, celui qu'il affectionne le plus est son livre de caisse*, a-t-on écrit de lui dans *L'Opinion publique.* Pourquoi une grande ville devrait-elle attendre la reprise économique pour se mettre en beauté? Beaudry n'est pas le seul à le penser. En janvier, l'*Hôtel Windsor* a ouvert ses portes. Andrew, le frère de Sir Hugh Allan, a formé une compagnie pour le construire face au carré Dominion. Il en est *natur*allan*ement* le principal actionnaire. *On ne trouve pas de plus bel édifice sur notre continent*, pontifie le *Canadian Illustrated News* dès l'inauguration. *Montréal peut à juste titre s'enorgueillir de posséder une telle institution qui d'ores et déjà surclasse toutes ses rivales.*

Pour le Gouverneur général, le nouvel hôtel n'est rien de moins qu'un véritable palais. Lord Dufferin aime les soirées mondaines où il peut briller et lancer des mots d'esprit. Lors d'une exposition récente de l'Art Association, il a choisi de répondre au mot de bienvenue de son Président par écrit. *Chaque mot qui se trouve sur ce papier a été pesé et soupesé*, a-t-il précisé en glissant un chèque de 100 $ dans la main de son hôte. *Vous pouvez vérifier, il n'y a pas un mot de trop et pas un seul d'écrit trop petit. Du moins, je l'espère!*

Lord Dufferin a la fâcheuse tendance de prononcer des discours où l'on ne sait plus trop bien s'il dépasse sa pensée ou si c'est cette dernière qui le dépasse. *Votre passé n'a pas voulu mourir, sa vitalité était trop exubérante,* a-t-il confié suavement aux membres de l'Association Saint-Jean-Baptiste de Québec. *Sans vouloir faire une époque dans l'histoire de cette colonie du changement de régime, le gouvernement et le peuple anglais, par un sentiment qui les honore autant qu'il vous honore vous-mêmes, ont préféré adopter votre passé, à condition que vous partagiez leur avenir,* poursuit le Gouverneur général devant ses auditeurs ébahis. *À la vue des Capitaines français, des pères jésuites dans leurs découvertes héroïques et dans les splendeurs semi-féodales de vos Vice-Rois, il n'y a pas un Canadien d'origine anglaise qui n'éprouve pas autant d'orgueil et de plaisir, qu'aucun Canadien français parmi vous,* s'emballe Dufferin. *Quant à moi,* déclare-t-il à son auditoire stupéfait, *je puis vous assurer que je me crois aussi bien le successeur direct de ces braves et chevaleresques Vice-Rois que je suis le successeur de Lord Monck ou de Lord Elgin.*

On hallucinerait à moins! La logique du Gouverneur général est imprenable. *Wolfe et Montcalm, même combat!* n'a-t-il pas déclaré en substance dans un autre discours enflammé. Dommage que Samuel Butler ne l'ait pas rencontré! Il aurait sûrement ajouté un autre refrain à son poème: *O God! O Dufferin!*

BELL PÈRE, BELL FILS

C'est le père de Graham Bell qui commercialise l'invention de son fils à Montréal. Le premier appareil de téléphone a été loué à la Shedden Company dont l'exemple a été suivi par plusieurs autres firmes commerciales. Le coût de location est de 5 $ par an. Celui d'une cabine téléphonique de 10 $.

1879

Dans un pays qui entretient des relations incestueuses avec la Grande-Bretagne, le poste de Consul de France laisse des temps libres. Monsieur Lefaivre a profité des siens pour arpenter les rues de la métropole. L'expérience n'a pas été exaltante.

Montréal renferme des quartiers élégants et quelques constructions monumentales assez réussies, écrit l'ancien Consul dans un article à son retour en France. *Malheureusement, les plus belles rues sont déparées par une bigarrure d'églises qui combinent les effets les plus disgracieux et qui appartiennent à tous les cultes possibles, anglican, méthodiste, presbytérien, baptiste, unitarien, universaliste. Ici, des tours gothiques terminées en clochetons surmontent d'informes bâtisses aux murailles tristes et nues,* s'indigne l'homme de goût. *Là, des fioritures italiennes, de petites coupoles écrasées. Plus loin, des portiques grecs fraternisent avec l'arabesque mariant Le Parthénon avec l'Alhambra. Tous les pays, tous les siècles, ont été mis à contribution. Tous exhibent leur défroque dans cette friperie architecturale.* À cet égard, Montréal ne diffère pas des autres grandes agglomérations nord-américaines. C'est une ville de parvenus où le besoin de respectabilité et l'architecture à l'ancienne s'allient pour faire oublier la nouveauté de la richesse. *Devant cette promiscuité, l'Anglo-Saxon est heureux,* juge l'observateur à la lumière de ses propres préjugés. *Il triomphe des vieilles civilisations et entrevoit sa grandeur à venir. Mais le connaisseur éprouve une véritable tristesse.* Malgré son chauvinisme, l'accablement de l'ancien Consul n'est pas injustifié. *Quel goût étrange,* s'interroge-t-il, *a donc réuni sur un point tant de difformités esthétiques comme pour attester aux générations futures l'ignorance et la stérilité présomptueuse de notre siècle?*

Qu'en est-il de ceux et celles qui ont pour fonction de libérer la société de l'ignorance? Leur sort est déplorable. Le salaire des institutrices est insuffisant, constatait Césaire Germain il y a 8 ans. *Comment tant de dévouement, d'abnégation et de labeur peuvent-ils se donner à si bas prix?* se demandait l'Inspecteur d'écoles de Saint-Vincent-de-Paul. Son bilan de la situation de l'enseignement n'a malheureusement pas pris une ride. Il aurait même empiré. *Depuis 10 ans, le prix des choses a doublé.*

Or, voici deux choses qui ont augmenté du tout au tout: la tâche des instituteurs et la cherté de la vie. En face de ce double accroissement, le traitement est resté exactement le même là où il n'a pas baissé. Cet état de choses est plus que de l'injustice, c'est de la cruauté, peut-on lire dans le *Journal de l'Instruction publique. Dans la plus petite ville, on donne à sa fille de chambre 4 $ par mois, à sa cuisinière de 6 $ à 10 $; l'une et l'autre reçoivent en outre le logement et le blanchissage. À ceci, nous opposerions simplement le fait que dans plusieurs municipalités des institutrices ont 40 $ pour l'année scolaire, soit 4 $ par mois; avec cela, elles sont tenues de se nourrir, de se chauffer et de s'éclairer et, lorsque le traitement est un peu plus élevé, de chauffer la maison d'école.*

En février, les Commissaires des écoles catholiques de Montréal ont résolu de diminuer la rémunération des professeurs qui enseignent à l'école du Plateau. Les salaires et octrois de 600 $ et moins sont réduits de 5 % et ceux qui dépassent cette somme, de 10 %. C'est bien triste, mais tout est relatif. Pour une institutrice de campagne, la somme de 600 $ représente 15 ans de salaire. Le *Journal de l'Instruction publique* n'a pas tort de parler non pas d'injustice mais de cruauté dans leur cas. Césaire Germain a établi dans son rapport que *le secret du parfait instituteur est de créer l'amour de l'école, donner de l'intérêt aux leçons et jeter ainsi de l'attrait sur ce qui est aride de sa nature.* C'est de l'utopie. La pédagogie est un luxe quand le nécessaire manque. Non seulement les instituteurs sont mal payés mais ils ont peu de soutien dans la population. Règle générale, les parents leur préfèrent les enseignants religieux.

JULES FERRY

La France voit l'éducation par l'autre bout de la lorgnette. Le Ministre Jules Ferry a saisi la Chambre des députés de deux projets de loi qui ont créé une commotion chez les bien-pensants. Le premier porte sur le Conseil de l'enseignement supérieur et le second sur la liberté d'enseignement. C'est le deuxième qui a mis le feu aux poudres. Il y a de quoi! L'article 7 de la loi interdit aux congrégations non autorisées d'enseigner. Le monde catholique est sens dessus dessous, mais Ferry n'en a cure. Il revient à la charge deux mois plus tard avec un nouveau projet de loi qui détermine les capacités requises pour enseigner dans les écoles primaires. La simple lettre d'obédience de l'Évêque ne suffit plus. Désormais, les membres de l'enseignement libre, c'est-à-dire confessionnel, doivent passer un examen. La riposte est cinglante. *L'école sans le prêtre,* décrète l'opinion catholique, *c'est l'école sans Dieu!*

La réponse anticléricale est féroce. *Les Jésuites sont aussi nuisibles que les insectes qui attaquent la vigne. Pour le* phylloxera *nous avons le sulfure de carbone,* rugit un défenseur du Ministre Jules Ferry, *pour les Jésuites, la* Loi de la liberté d'enseignement. *Si l'article 7 ne suffit pas,* menace-t-il, *nous n'hésiterons pas à chercher un autre insecticide plus énergique pour sauver la France.*

VOUS AVEZ DIT BOYCOTT?

Infatigable, Charles Parnell poursuit sa lutte pour libérer l'Irlande de l'étau britannique. Le Papineau irlandais a invité ses compatriotes à faire la grève sur le tas. La première victime de la révolte des tenanciers excédés de payer des fermages élevés a été un certain Capitaine Boycott. Mis en quarantaine par ses paysans, il a tout d'abord recruté des Irlandais protestants de l'Ulster mais a dû se résoudre à l'exil. Boycott n'a laissé derrière lui que le souvenir d'avoir été, comme on dit depuis, *boycotté.*

1880

Louis Riel

C'est l'année de l'amour de la France, qui pour une fois nous paye de retour. Du sérieux, pas une aumône diplomatique, des gros sous! La Banque de Paris et des Pays-Bas a consenti un prêt de 4 millions à un taux d'intérêt annuel de 5 % au gouvernement de la province de Québec.

C'est une première! Le Premier Ministre Chapleau en a eu l'initiative. Ottawa l'a mal pris. On a tenté bien sûr de mettre des bois dans les roues. Sans grand résultat. L'attirance était naturelle. *Le Bas-Canada est resté telle une province française qu'il nous est permis de regarder les membres de sa population actuelle comme des compatriotes d'outre-océan,* s'est ému *Le Gaulois* lors de l'annonce du prêt à Paris. *Dès lors, on ne peut ranger les titres du nouvel emprunt du gouvernement de Québec parmi les fonds étrangers.* La presse du Québec est toute retournée à son tour. *Les capitaux français ne ressemblent pas aux capitaux ordinaires. Ils sont susceptibles de subir l'influence des sentiments,* a-t-on pu lire dans *L'Opinion publique* en bleu sur blanc. *Ils font mentir le proverbe qui dit que les capitaux comme les corporations n'ont pas d'âme.* Même *La Patrie,* qui ne rate jamais une occasion de casser du sucre sur le dos de Chapleau, s'est laissée amadouer. *En nouant des relations avec ses congénères des bords du Saint-Laurent, la France continue de remplir son rôle civilisateur,* y a-t-on écrit rouge sur blanc. *C'est la voie du libre-échange que vont ouvrir les capitalistes français. Notre pensée se résume en quatre mots: l'amour de la France!*

Est-ce plus qu'un engouement passager? Tout porte à le croire! Après le prêt de la Banque de Paris, c'est maintenant un prix que l'Académie française décerne à Louis-Honoré Fréchette pour ses 2 derniers recueils de poésie, *Fleurs boréales* et *Les Oiseaux de neige.* Une autre première! Aucun écrivain canadien jusqu'à Fréchette n'a su retenir l'attention des hommes de lettres parisiens. Pour une littérature qui n'a pas 20 ans, c'est enivrant! Début août, Louis-Honoré s'est donc rendu à Paris pour recevoir le prix Montyon, que l'Académie remet lors de sa grande séance publique annuelle. La gloire et 2 500 francs, n'est-ce pas déjà un peu l'immortalité? *Tous les journaux de France ont célébré à l'envi le succès triomphal de notre compatriote,* rapporte L. O. David qui en remet un peu beaucoup, *et fait l'éloge du petit peuple resté si fidèle à son origine et à ses traditions françaises. Ce fut un spectacle inoubliable, grand et fier pour le Canada,* écrit-on en se pétant les bretelles, *que ce contact glorieux des feuilles de laurier aux feuilles de nos érables.* Partout dans la province, le couronnement de Fréchette dans *les vieux pays* a été perçu comme un événement national.

Quelques mois plus tard, gloire nationale oblige, le poète Fréchette est mandaté pour accueillir dans le grand style une autre gloire nationale et internationale. Après New York, Boston et Hartford, Sarah Bernhardt s'arrêtera à Montréal pour 4 représentations à l'*Académie de musique*, un théâtre situé là où le magasin Eaton's aura ultérieurement pignon sur rue. C'est la première tournée nord-américaine de *La Divine*. À New York, dès sa première apparition sur la scène du *Booth's Theater*, la tragédienne *à la voix d'or* a cassé la baraque et la tirelire. Les billets se sont vendus 20 $, 30 $ et 40 $. Une recette de 5 364 $. Un triomphe sans précédent. *Les griffes de la main gauche enfoncées dans le poitrail, la main droite, au bout du bras raide, s'appuyant au cadre de scène, penchant sous la charge des colliers et de la fatigue, peinte, dorée, machinée, étayée, pavoisée,* la plus grande actrice française a pu compter 27 rappels.

La Divine Sarah

Tous les soirs, ses admirateurs se réunissent sous les fenêtres de son hôtel. *Good night, Sarah!* lui serinent-ils. *Good night!* Son jeu éblouit. *Devant une telle perfection,* décrète le *Boston Herald, l'analyse est impossible.* Sa silhouette fascine. *Une poitrine bombée, pas de ventre du tout et une chute de reins très creuse avec un ressaut du cul,* détaille un connaisseur. *Le corps de Sarah Bernhardt est une véritable arabesque à laquelle les vêtements de théâtre s'adaptent admirablement.* L'Amérique s'est prise de passion pour la *Parisienne pervertie* que dénoncent les prédicateurs. C'est le délire! On vend des cigares, du savon, de la poudre de riz, des gants, des bas et même des lunettes *Sarah Bernhardt.* L'actrice n'en a pas besoin pour faire ses comptes. Les chiffres sont assez gros. Avant de quitter New York pour Boston, Hartford et Montréal, la recette de ses 27 représentations au *Booth's Theater* totalise déjà près de 117 000 $.

En décembre, lorsque Sarah Bernhardt arrive à la gare Windsor, elle est accompagnée par Honoré Beaugrand, le Sénateur Thibodeau et Louis Fréchette. Ils se sont rendus à Saint Albans pour faire escorte à

La première politique culturelle?

Calixa Lavallée a composé un nouveau chant patriotique pour la Convention nationale des Canadiens français qui s'est tenue à Québec. Sa musique sur les paroles du *Ô Canada* du Juge Routhier a été exécutée pour la première fois le 24 juin. La réception a été enthousiaste, mais un musicien ne vit pas que d'applaudissements comme semble le croire le gouvernement du Québec. Il y a deux ans, ce dernier a commandé une cantate à Lavallée pour saluer le passage du Gouverneur général Lorne dans la Vieille Capitale. Le compositeur a si bien rempli la commande qu'il a dû assumer de sa poche les frais de production et d'exécution de l'œuvre qui a reçu un accueil triomphal. Québec en a pris tout le crédit mais refuse toujours de rembourser Calixa Lavallée pour ses frais. *Singulier pays où les critiques sont des excommunications,* aurait pu commenter Sarah Bernhardt, *et où les artistes subventionnent l'État!*

La Divine. Le train stoppa et un bruit sourd, grandissant de seconde en seconde, me tint l'oreille au guet, raconte l'actrice elle-même dans ses *Mémoires, ce bruit se fit bientôt musique et c'est dans un formidable* Hurrah! Vive la France! *poussé par 10 000 poitrines soutenues par un orchestre jouant* La Marseillaise *que nous fîmes notre entrée à Montréal.* Après l'entrée en gare, *La Divine* préfère oublier la bienvenue officielle avec gerbes de fleurs par un froid de –22 °F. Qui oserait le lui reprocher?

Côté jardin, *qu'on se représente Sarah Bernhardt descendant d'un wagon dont le mouvement lui a donné le mal de mer, pâle ou plutôt jaune, lasse et plus maigre que jamais,* se délecte *La Minerve* en décrivant la scène. Côté cour, poursuit le reporter qui a le sens du ridicule, *Monsieur Fréchette essoufflé, boursouflé, riche en couleurs, met genou à terre et le front dans la poussière pour saluer l'actrice. On avouera que cette mise en scène ne laisse rien à désirer.* Pour un journal bleu, l'occasion de se moquer d'un poète rouge est inespérée. *Citons seulement quelques vers de son* Ode à la diva *que le lauréat a déclamée de sa voix tonnante,* propose le journaliste avec un brin de perfidie. *Salut, Sarah! Salut charmante Dona Sol! / Lorsque ton pied mignon vient fouler notre sol / Notre sol couvert de givre... Deux pieds de neige,* grommelle l'actrice

FRÉCHETTE

transsie, *vous appelez ça du givre?* Mais l'oiseau des neiges n'a d'ouïe que pour le chant de sa poésie et la fleur boréale s'épanouit par anticipation. *Oui, c'est au doux printemps que tu nous fais rêver / Oiseau des pays bleus,* scande Fréchette, *lorsque tu viens braver l'horreur de nos saisons perfides... Vos vers sont charmants, cher maître!* laisse échapper *La Divine* emmitouflée dans sa crémone. *Donnez-les-moi, je vous apprendrai à les lire!*

En s'arrêtant à Montréal, Sarah Bernhardt ne brave pas que le froid mais un froid, celui créé par le mandement fulminatoire de Monseigneur Fabre. *Pour me rendre ma gaieté,* se remémore l'actrice, *il a fallu la colère de l'Évêque de Montréal qui a défendu à ses ouailles de paraître au théâtre.* L'anathème a peu d'effet. La foule accourt de toutes parts et les quatre représentations prévues connaissent un succès colossal. *Adrienne Lecouvreur*, *Frou-frou*, *La Dame aux camélias* et *Hernani* donnent d'excellentes recettes. Le soir de la dernière, on dételle les chevaux du traîneau de Sarah. C'est l'euphorie! Les notables retrouvent leur vigueur de carabins pour le traîner et ramener *La Divine* à son hôtel en triomphe.

Un mois plus tard, un émule épiscopal de Monseigneur Fabre ne connaît guère plus de succès à Chicago. *Monseigneur, quand je viens dans votre ville, j'ai l'habitude de dépenser 500 $ pour la publicité,* lui écrit le *manager* de Sarah dans une lettre qu'il s'empresse aussitôt de publier dans les journaux. *Mais comme vous l'avez fait pour moi,* ajoute-t-il, *permettez-moi de vous envoyer 250 $ pour vos pauvres.* Les détracteurs de l'actrice ne la surnomment pas *Sarah Barnum* pour rien.

Lors de son séjour à Montréal, *La Divine* en a profité pour effectuer une *dangereuse expédition* à Caughnawaga. Son protecteur était Louis Fréchette. *Singulier pays où les sauvages sont civilisés et où les poètes sont gras!* a-t-elle laissé tomber de sa voix d'or à la diction impeccable. Étrange continent où, sauf à Montréal, les auditoires portent aux nues une actrice dont ils ne comprennent pas un mot des pièces qu'elle joue!

1881

A-t-on besoin d'une preuve que la récession économique est terminée? Mille débardeurs du port de Montréal ont déclenché une grève qui s'est soldée par une augmentation de leurs salaires. Après une négociation musclée, il va sans dire! Les employeurs n'ont pas perdu leurs habitudes. Ils ont fait appel à des briseurs de grève. La *Loi de l'émeute* a été promulguée et l'armée a dû intervenir. *Capitalism as usual*, quoi!

On fume à nouveau le cigare. Dissoute pendant la crise, l'Union des cigariers s'est reformée. Le tabac reprend de la feuille. En trois ans, Louis-Ovide Grothé s'est imposé. Sa fabrique de la rue Notre-Dame importe son tabac de Cuba ou des États-Unis mais ses ouvriers ont le tour de main canadien. Les marques de cigares Grothé, le *Boston* et le *Peg Top*, rivalisent en popularité avec *les p'tits cœurs* de la Macdonald Tobacco de la rue Ontario.

Fumée blanche pour fumée blanche, le port de Montréal accueille sensiblement le même nombre d'océaniques depuis 10 ans. Chaque année, on en compte pas moins de 700. Les voyageurs sont toujours aussi nombreux pour se rendre en Europe. Ils ont le choix entre la Beaver Line, la Donaldson Line et la Dominion Line. Le plus grand nombre préfèrent la Allan Line pour ses bateaux plus rapides et son organisation plus complète. Quant aux armateurs montréalais, ils s'inquiètent d'un nouveau venu dans le paysage maritime.

William Thomson se spécialise dans les cargaisons de fruits. Les importateurs américains ont constaté qu'ils arrivent en meilleur état au comptoir lorsqu'ils font la traversée par la route du Nord, qui est plus fraîche. Les bateaux de la Thomson Line chargent donc des oranges, des citrons et des raisins à Naples, à Marseille, à Malaga et à

Cadix. Ils les amènent ensuite à Montréal où ils sont vendus aux enchères à des commissionnaires de Boston, de New York et de Chicago. À partir de là, le Grand Tronc se charge de mener les fruits à destination par chemin de fer à des taux raisonnables. Une générosité que la compagnie ferroviaire n'étend pas aux fermiers de la région de Longueuil.

Propriétaire du Victoria Bridge, qui demeure la seule voie d'accès à la métropole, le Grand Trunk Railway tient la dragée haute aux cultivateurs de la Rive-Sud. L'été, ils peuvent toujours amener leur lait, leur beurre, leurs volailles et leurs œufs au marché Bonsecours par bateau. L'hiver, c'est une autre histoire. Ils doivent attendre le gel du fleuve pour s'y aventurer en traîneau sur un chemin balisé de sapins plantés dans la glace. Louis-Adélard Sénécal est l'homme de toutes les innovations et de toutes les combines. Il a pris l'initiative de remplacer les patins par des rails. Depuis l'an dernier, un chemin de fer fait la navette sur la glace du Saint-Laurent entre Hochelaga et Longueuil. Comme toutes ses entreprises, prophétisent les mauvaises langues, elle se soldera par une faillite au profit de Sénécal. Insolvable il y a peu, l'entrepreneur est devenu l'un des hommes les plus influents au Québec. La faillite, cette fois, est involontaire. Une locomotive de son chemin de fer d'hiver s'est engloutie dans le fleuve après avoir rompu la couche de glace.

Sénécal ne passe pas inaperçu. *C'est un homme dans la cinquantaine, grand, mince, osseux, long en col, haut en jambes, le front découvert, les os des joues proéminents, l'œil vif et la parole brève,* note un journaliste qui trace son portrait. *Il est toujours en mouvement. S'il s'arrête parfois, c'est en voiture, pour gagner du temps, déchiffrer 20 dépêches télégraphiques et y répondre.* Louis-Adélard Sénécal est l'homme de confiance du Premier Ministre Adolphe Chapleau, dont il a pris le parti par pur intérêt. *Toine, j'ai décidé de changer de Parti et de me mettre bleu,* confiait-il à un de ses intimes. *Avec les bleus, je vais faire bien plus d'argent et nous allons nous enrichir.* Pour en faire, bien sûr, il faut savoir en dépenser. Chapleau est son obligé. Il lui doit en grande partie sa victoire aux élections de 1879. Depuis l'arrivée des conservateurs à Québec, *Boss* Dansereau et Sénécal tirent toutes les ficelles. Le trio Chapleau-Sénécal-Dansereau forme incontestablement un gouvernement occulte qui réunit le Chef, le Trésorier et l'Organisateur du Parti.

La nomination récente de Sénécal à la surintendance du Québec, Montréal, Ottawa et Occidental inquiète les libéraux. Il faudrait être aveugle pour ne pas voir le loup dans la bergerie. Le chemin de fer appartient au gouvernement et Chapleau a chargé son bras droit de brader la voie ferrée au plus offrant. On prête au Surintendant Sénécal l'intention de la vendre au financier Sénécal et à ses amis pour la revendre ensuite au Grand Tronc. Ce que Sénécal va faire en touchant commissions et profits à chaque étape des transactions.

MONTREAL REDEVIENT MONTRÉAL

Au recensement de cette année, la population de la province de Québec est de 1 359 027. Celle de Montréal, qui est de 140 000, se répartit en 78 000 Canadiens français, 29 000 Irlandais et 33 000 Anglais. La majorité canadienne-française perdue en 1861 est récupérée.

Dans un éditorial non signé, le journal libéral *L'Électeur* sonne la charge et monte à l'assaut de ce qu'il définit comme *la caverne des 40 voleurs. Cette caverne que l'on croyait n'exister qu'au pays des légendes existe bien réellement chez nous. Elle n'est pas, comme on pourrait le croire, au fond des bois, protégée par des rochers inaccessibles, défendue par des sentinelles armées,* ironise le polémiste avant de rajuster son tir. *Les voleurs qui y cherchent refuge ne sont pas d'obscurs bandits, cachés le jour, rôdant la nuit. Bien au contraire, ils promènent leur effronterie au grand soleil. Ils se pavanent dans les rues. Ils boivent au comptoir des restaurants et la fumée de leurs cigares se retrouve partout.*

BOSS DANSEREAU

Du reste, ces voleurs ne sont pas les premiers venus. De tout voleurs qu'ils sont, il leur a été confié une tâche glorieuse, celle de restaurer les finances de la province de Québec, précise l'éditorialiste avant d'appuyer sur la gâchette et de faire feu sur la cible. *Cette caverne des voleurs, c'est l'administration des Chemins de fer du Nord et le chef de la bande s'appelle de son vrai nom Louis-Adélard Sénécal.* Carton! *Pour Monsieur Sénécal, toute la science de la finance se réduit à une formule:* Je pose zéro, je retiens tout! *L'administration du Chemin de fer du Nord aujourd'hui, c'est le vol érigé en système.* Il ne s'agit pas d'une accusation gratuite. *Le mot que nous employons n'implique ni violence de langage ni irritation d'humeur,* susurre le polémiste avant d'assener le coup de grâce, *nous ne faisons qu'appeler les choses par leur nom!*

LOUIS-ADÉLARD SÉNÉCAL

La réaction de Sénécal est aussi vive que celle des *sénécaleux,* pour qui il personnifie *le génie commercial et industriel du pays.* L'Ali Baba québécois intente sur-le-champ une poursuite à *L'Électeur* pour avoir *écrit et publié un libelle faux, scandaleux, malicieux et diffamatoire.* Le procès révèle le nom de l'auteur anonyme de *La Caverne des voleurs.* L'éditorial vitriolique a été écrit par Wilfrid Laurier.

1882

Majoritairement canadienne-française à nouveau, Montréal n'en demeure pas moins une ville résolument anglaise, *British to the very core.* Le rapprochement avec Paris amorcé par le gouvernement Chapleau n'y change rien. La conclusion s'est imposée d'elle-même à la délégation française qui a séjourné dans la métropole pour veiller à l'établissement d'un Crédit foncier franco-canadien au Québec.

JOSEPH-ADOLPHE CHAPLEAU

À moins d'être sourd, aveugle et muet, ce qui n'est assurément pas le cas d'un quarteron de Parisiens, nul ne peut ignorer la ferveur impériale qui anime la bourgeoisie coloniale. Les rues qui portent le nom d'un Gouverneur général, d'une ville d'Angleterre, d'une résidence royale, d'un homme politique ou d'une victoire militaire britannique ne se comptent plus. On cherche en tout à être plus britannique que les Britanniques eux-mêmes. *Je ne déteste pas les Français par une sorte d'antipathie naturelle pour les habitants d'une nation voisine,* écrivait Horace Walpole, *c'est leur insolence et leurs airs injustifiés de supériorité qui m'horripilent.* À l'*Hôtel Windsor* et à l'*Hôtel Saint-Louis* de Québec, les délégués parisiens n'ont fait que confirmer les préjugés walpoliens. N'ont-ils pas demandé à être servis en français? *Absolutely shocking!*

Que les Anglais de Grande-Bretagne, des États-Unis ou de Montréal n'entendent que leur langue n'étonne pas Jules-Paul Tardivel. Il est né au Kentucky. *Je suis un Anglais qui parle français!* se vantait Sir George-Étienne Cartier. Un Anglais qui parle anglais en français aurait été plus juste, soutient Tardivel qui est arrivé au Québec à l'âge de 17 ans. L'anglifié comme l'anglicisme donnent une signification anglaise à un nom ou à un mot français. N'est-ce pas là la plus pernicieuse des influences? Tardivel le croit. *Cette habitude que nous avons graduellement contractée de parler anglais avec des mots français est d'autant plus dangereuse qu'elle est généralement ignorée,* argumente-t-il dans *La Vérité. C'est un mal caché qui nous ronge sans même que nous nous en doutions. Du moment que les mots qu'on emploie sont français, on s'imagine parler français. Erreur profonde,* juge-t-il avec toute la rigueur que lui impose le nom qu'il a choisi pour son journal. *On entend dire tous les jours qu'un tel* a fait application *pour une place. C'est de l'anglais:* to make application for a job, a place, a post. *Pour bien parler et écrire le français, il est non seulement nécessaire d'employer des mots français, il faut de plus donner à ces mots leur véritable signification.* Pour Tardivel, la cause est entendue. *Massacrer la langue française avec des mots français,* tranche-t-il, *est un crime de lèse-majesté!*

OCTAVE CRÉMAZIE

En France, pour la jeune littérature canadienne, ce ne sont pas les anglicismes qui font problème mais l'usage même du français. *Ce qui manque au Canada, c'est d'avoir une langue à lui. Si nous parlions iroquois ou huron,* ironise amèrement Octave Crémazie de son lieu d'exil parisien, *notre littérature vivrait. Malheureusement, nous parlons et nous écrivons, d'une assez piteuse façon il est vrai, la langue de Bossuet et de Racine.* Le poète exprime sa désespérance lucide dans une lettre qu'il adresse à son ami l'abbé Henri-Raymond Casgrain, historien, conteur, critique et éditeur des *Œuvres complètes* d'Octave Crémazie parues cette année. *Nous avons beau dire et beau faire, nous ne serons toujours, au point de vue littéraire, qu'une simple colonie et quand bien même le Canada deviendrait un pays indépendant et ferait briller son* *drapeau au soleil des nations*, soupire l'ancien libraire dont l'arrière-boutique fut le foyer du renouveau littéraire en 1860, *nous n'en demeurerions pas moins de simples colons littéraires.*

Crémazie a trop aimé les livres. Sa librairie de Québec en achetait plus qu'elle n'aurait pu en vendre. Pour retarder une faillite inévitable, l'auteur du *Drapeau de Carillon* prend alors des licences poétiques avec la légalité. Comme on signe des dédicaces, il forge des signatures au bas d'innombrables billets promissoires. Les livres bien reliés l'inspirent plus que les livres de comptes bien balancés. Craignant d'être jeté en prison comme dans un roman de Dumas, il s'enfuit clandestinement à Paris comme dans un roman de Balzac. Jusqu'à sa mort au Havre en 1879, le poète-libraire vivra en France sous un nom d'emprunt comme dans un roman de Hugo. Le questionnement de Crémazie sur la viabilité d'une littérature authentiquement canadienne n'est pas le fait d'une dépression passagère. C'est le fruit d'une longue observation *in vivo* des mœurs littéraires françaises.

UNE HISTOIRE À PEU DE FRAIS

Les historiens ne sont pas aussi nantis que les historiés ou les historiables. Benjamin Sulte le sait d'expérience, il a fait partie du cabinet de Sir George-Étienne Cartier. *Nous sommes des amateurs qui publions à nos risques et périls des ouvrages dont les éditeurs en Europe, par exemple, achèteraient les manuscrits*, a-t-il déclaré lors de la parution du premier volume de son *Histoire des Canadiens français*. Pour Sulte, il en va de l'histoire comme de l'esprit, *tout est maigre et étroit chez nous!*

Voyez la Belgique qui parle la même langue que nous. Est-ce qu'il y a une littérature belge? s'interroge l'exilé dans sa lettre-fleuve à Casgrain. *Ne pouvant lutter avec la vieille France pour la beauté de la forme, le Canada aurait pu conquérir sa place au milieu des littératures du vieux monde si parmi ses enfants et avant Fenimore Cooper, il s'était trouvé un écrivain capable d'initier l'Europe à la grandiose nature de nos forêts et aux exploits légendaires de nos trappeurs et de nos voyageurs. Aujourd'hui,* reconnaît Crémazie sans cacher son dépit, *quand bien même un talent aussi puissant que celui de l'auteur du* Dernier des Mohicans *se révélerait parmi nous, ses œuvres ne produiraient aucune sensation en Europe. Il aurait l'irréparable tort d'arriver le second, c'est-à-dire trop tard!*

Hector Bossange

Pour Crémazie, c'est l'exil qui est arrivé trop tôt et son œuvre qui a pris le second plan. La fuite n'inspire pas autant que le bannissement. *Les poèmes les plus beaux,* se conforte-t-il, *sont ceux que l'on rêve et que l'on n'écrit pas.* Qui aurait pu prévoir que son exil serait définitif et qu'il vivrait 16 ans sous une fausse identité? Le seul lien que le poète conserve avec l'époque où il n'était pas encore *Jules Fontaine né à Richmond aux États-Unis*, c'est cette correspondance qu'il entretient avec l'abbé Casgrain. Comme Taché, Larue, Le May ou Fréchette dans leurs contes pour les journaux ou leurs souvenirs, Crémazie n'écrit bien que lorsqu'il n'écrit pas pour faire de la littérature. Foutue langue française! *Si nous parlions huron ou iroquois, les travaux de nos écrivains attireraient l'attention du vieux monde,* répète l'épistolier à son correspondant du Québec. *Cette langue mâle et nerveuse, née dans les forêts de l'Amérique,* satirise-t-il en anticipant le jugement de la critique, *aurait cette poésie du cru qui fait les délices de l'étranger.*

Depuis 20 ans, on publie chaque année en France des traductions de romans russes, scandinaves et roumains, atteste l'ancien libraire. N'est-il pas toujours du métier grâce à la générosité d'Hector Bossange, le libraire parisien qui a épousé la sœur du libraire montréalais Édouard-Raymond Fabre! *Supposez ces mêmes livres écrits en français par l'auteur russe, scandinave ou roumain,* poursuit Crémazie qui veut vider la question, *ils ne trouveront pas 50 lecteurs!* N'ayons pas d'illusions! La même règle s'applique à la littérature canadienne! *On se pâmerait devant un roman ou un poème traduit de l'iroquois tandis que l'on ne prend pas la peine de lire un volume écrit en français par un colon de Québec ou de Montréal!* Est-ce à dire que notre littérature y gagnerait en vérité ou en qualité? *La traduction a cela de bon,* répond Crémazie avec le cynisme de l'homme qui a beaucoup lu. *Si un ouvrage ne nous semble pas à la hauteur de sa réputation, on a toujours la consolation de se dire que ça doit être magnifique dans l'original.* Foutue langue française!

1883

Q*uand la goutte flottante aux rayons du soleil / Monte en bruine rose au sommet de la nue, / En veut-elle au ruisseau de l'avoir méconnue? / Non! Non!* Le poète Louis Fréchette a repris du service pour accueillir une autre *voix d'or* avec tout le pompon de circonstance. Née Emma Lajeunesse, la diva Albani est la première vedette internationale d'origine canadienne-française. Que la chanteuse d'opéra préférée de la Reine Victoria fût du cru, qui l'eût cru?

Pour énoncer en rimes fleuries qu'on est encore trop colon pour débusquer le rossignol sous la grive de Chambly, le Prince du toast de bienvenue s'est surpassé lors de la réception civique à l'hôtel de ville de Montréal. La palme du cucul toutefois lui a échappé. Elle est revenue à celui qui a eu l'idée d'imprimer l'adresse du barde national et le mot du Maire sur un mouchoir de soie rose. *Toute émue, la Diva a dû résister à la tentation de ne pas l'utiliser sur-le-champ pour sécher ses larmes,* a-t-on noté. La chanteuse plutôt marmoréenne est remuée par l'émotion que suscite son retour après 20 ans d'absence. La veille, à son arrivée à la gare Bonaventure, 10 000 personnes l'attendaient. *De nombreux membres de clubs de raquetteurs étaient venus à notre rencontre et se tenaient alignés le long des rues, flambeaux en mains,* racontera-t-elle dans ses *Mémoires. La foule des spectateurs rassemblés devant l'*Hôtel Windsor *était si dense qu'on a dû me porter au-dessus des têtes pour atteindre la porte d'entrée.*

Emma Albani n'a plus de canadienne-française que l'origine. Épouse d'Ernest Gye, le fils du Directeur du *Covent Garden*, la plus grande maison d'opéra londonienne, la Diva est totalement britannifiée et intégralement victorienne. Un jour, lorsqu'un metteur en scène l'invite à faire un pas vers *Tristan* après avoir bu le filtre d'amour, Albani, qui interprète *Iseult* dans l'opéra de Wagner, s'objecte. *Je ne peux pas!* proteste-t-elle. *Je ne peux pas faire les premiers pas! C'est contraire à toute ma morale et à toute mon éducation!* Il y a 10 ans, Montréal n'était pas à l'agenda de sa première tournée nord-américaine. La cantatrice réserve ses plus hautes notes pour d'autres sentiments que le mal du pays. Cette fois-ci, elle n'a trouvé le chemin de la métropole qu'après Chicago, Washington, Baltimore, New York, Toronto, Brooklyn et encore Toronto. Son triomphe *national* sur la scène du *Queen's Hall* est le fruit d'un malentendu.

EMMA ALBANI

Si son chant avait été médiocre, elle aurait été reçue avec plaisir, mais il n'en était pas ainsi, rapporte un critique qui assiste à la première des trois représentations. *Pour la plupart de ceux qui étaient là, ce fut une révélation. Mais le moment suprême de la soirée est survenu lorsqu'elle a chanté la chanson française* Souvenirs du jeune âge. Un moment qui n'était pas prévu au programme. *Quand on m'a rappelée en scène après l'air de folie de* Lucia, se remémore la Diva, *je me suis demandé ce que je pourrais bien chanter qui aurait le don de plaire à tous. Alors, je me suis souvenue d'une vieille chanson française, un extrait de l'opéra* Le Pré aux clercs. *J'ai été alors vraiment inspirée,* s'étonne encore la chanteuse, *car l'impression fut si forte lorsque je suis arrivée au dernier vers,* Rendez-moi ma patrie ou laissez-moi mourir! *que l'auditoire s'est levé d'un coup et m'a acclamée pendant cinq bonnes minutes.*

Il m'a fallu répéter la chanson, poursuit Albani, tout aussi médusée qu'inconsciente, *avant de chanter* Home! Sweet Home! Une douche froide que le public a choisi d'ignorer puisque la chanson de Hérold a été rééditée. *Avec ma photographie sur la couverture,* se vante la Diva, *et elle est devenue une chanson nationale.* Sait-elle seulement pourquoi? Une femme qui sait se tenir dans la société victorienne, répondrait-elle sûrement, ne discute ni de sexe ni de politique! En revanche, personne ne reprochera à Emma Albani un excès de sentimentalisme pour son patelin natal de Chambly ou pour son *alma mater* du Sault-au-Récollet. *Ma grande joie n'est pas de voir que l'on a surtout accueilli l'artiste que je peux être,* déclare-t-elle avec des trémolos qui évoquent l'*Ave Maria* qu'elle a chanté dans la chapelle du Couvent du Sacré-Cœur, *mais la Canadienne, un enfant de chez nous, qui s'est efforcée de faire apprécier davantage à l'étranger le beau pays où je suis née.* Home! Sweet Home!

Si l'opéra est un art qui englobe tous les autres, en politique c'est l'assemblée contradictoire. Au Québec, les ténors ne poussent pas l'aria devant l'orchestre mais sur les hustings. Joseph-Alfred Mousseau n'est pas un ténor. C'est un choriste né. Chapleau, qui a troqué son poste de Premier Ministre du Québec pour un fauteuil de Ministre au cabinet fédéral, l'a nommé d'office à sa succession mais *le gros* Mousseau n'arrive pas à se faire élire. Sa première victoire aux élections a été contestée et il doit se représenter dans le même comté. La doublure est attaquée de tous les côtés aussi bien par les ultraconservateurs du *Grand Vicaire* Trudel que par les libéraux d'Honoré Mercier. Chapleau doit venir à la rescousse de son protégé. Il entre en lice dans une assemblée contradictoire monstre. Devant une foule de 6 000 personnes réunies à Saint-Laurent, les meilleurs orateurs conservateurs et libéraux se passent le crachoir pour se crêper le chignon à tour de rôle. Après que les ténorinos ont planté les banderilles, les ténors se chargent de la mise à mort.

Dès l'entrée, Chapleau se lance dans une attaque à fond de train contre les ultraconservateurs, ses anciens alliés politiques, qu'il affuble du sobriquet de *castors.* C'est du grand art. L'orateur fait mouche à chaque touche. *Qu'est-ce qu'un castor? S'agit-il de cet animal intelligent et industrieux qui, avec la feuille d'érable, nous sert d'emblème national?* demande-t-il à l'assistance qui frétille déjà de plaisir. *Non, nos adversaires politiques ne sont pas assez patriotes pour cela. Qu'est-ce donc qu'un castor?* reprend-il en offrant une nouvelle définition. *L'ouvrier des villes appelle castors ceux qui prétendent beaucoup et ne peuvent pas grand-chose, les hâbleurs, les parasites du métier.* Ses partisans hurlent de joie. Chapleau poursuit implacablement sa déclinaison. *À la campagne, on appelle aussi castors ces petites bêtes noires qui vivent par bandes à la surface des eaux croupissantes et répandent une odeur rien moins qu'agréable,* les punaises d'eau *enfin.* L'auditoire est conquis. L'orateur n'a plus à retenir ses coups.

Les castors politiques sont un peu de tout cela, et quelque chose de moins bon encore, enchaîne Chapleau en piquant là où la touche blesse. *Leur Parti comprend toutes les médiocrités ambitieuses qui ne peuvent arriver par les voies ordinaires: tous les désappointés et un bon nombre d'hypocrites qui se prétendent religieux et conservateurs pour mieux détruire chez le peuple le vrai sentiment religieux dont la base fondamentale est le respect à l'autorité et l'amour du prochain.* La foule est prête pour l'estocade. L'orateur s'arrête un instant avant d'enfoncer le fer jusqu'à la garde. *Ils n'ont du reste qu'un trait de ressemblance avec le vrai castor. Ils font leur ouvrage avec de la boue, ils détruisent les chaussées des bons moulins pour construire leurs tanières et ne sont utiles que*

On est toujours le Chinois de quelqu'un

Jusqu'à maintenant, le Québec semblait être le seul à percevoir l'émigration aux États-Unis comme une menace. Frank K. Foster s'est chargé de remettre les montres à l'heure dans son témoignage devant la Commission du travail et de l'éducation. *Les Canadiens français sont à la Nouvelle-Angleterre ce que les Chinois sont à la Californie,* a-t-il déclaré à Washington. Le racisme n'est pas une exclusivité des orangistes. Pour Foster, les *Chinois de l'Est* sont des êtres inférieurs. *Leur moralité est d'un degré plus bas,* apporte-t-il comme preuve, *ils achètent moins de choses nécessaires à la vie et leur seul but semble être d'enlever le plus d'argent possible au pays.*

lorsqu'on vend leur peau. Le sobriquet va demeurer. Castors ils étaient, castors ils sont, castors ils seront!

La riposte ne vient pas des troupes du *Grand Vicaire* Trudel mais d'Honoré Mercier. Elle est assassine. *Quand Monsieur Chapleau a-t-il dit la vérité?* lance-t-il sans autre préambule. Au changement de ton, la foule comprend que l'attaque ne se fera pas au fleuret. L'orateur ne vise pas le Parti mais l'homme. Il charge en faisant virevolter la masse d'armes. *Les autres s'appauvrissent dans la politique et Monsieur Chapleau s'y enrichit.* Et d'un! *Si l'honorable Secrétaire d'État était pauvre il y a 18 mois, comment se fait-il qu'il soit riche maintenant?* Et de deux! *Je constate une chose! L'ex-Premier Ministre du Québec se trouve riche au moment même où Monsieur Sénécal le devient.* Et de trois! *Riche au moment même où la province est plus pauvre que jamais.* La foule applaudit à tout rompre.

Mercier la prend à témoin en pointant son adversaire. *Monsieur Chapleau n'aime pas les castors. C'est connu! Il trouve qu'ils sont incommodes. C'est vrai! Il affirme qu'ils font leur œuvre avec de la boue.* L'orateur soupire. Il semble hésiter avant de s'engager sur un terrain qu'il n'a pas choisi. *Comment pourrait-il en être autrement? Peuvent-ils rejoindre leurs adversaires en passant ailleurs que dans la boue?* La foule se délecte du revirement. Mercier sourit. Il n'a plus besoin de la masse d'armes. Son adversaire n'est pas digne de l'arme blanche. *Monsieur Chapleau, avec ce ton doctoral qu'on lui connaît, dit bien haut que le pays ne veut pas des castors. Dieu sait pourtant qu'un peu d'huile qui porte ce nom ne nuirait pas à la constitution délabrée de la province qui requiert une bonne purgation!* L'auditoire trépigne d'aise. Avec les rieurs de son côté, Mercier n'a plus qu'à mettre la foule dans la poche de son Parti. *Et avouons que le jour où cette purgation sera assez forte pour chasser du Ministère le sénécalisme qui l'étouffe sera un jour de triomphe pour tous les honnêtes gens!* C'est le délire! La purgation de Mercier a eu raison de la correction de Chapleau!

JOSEPH-ALFRED MOUSSEAU

Sénécaleux, *le gros* Mousseau sera élu avec l'argent de Sénécal mais *le beau* Chapleau a perdu ses culottes en public. Il n'est pas près de le pardonner. Les ténors ont la mémoire longue.

1884

La majorité canadienne-française a augmenté de 9 000 électeurs avec l'annexion des villes d'Hochelaga et de Saint-Jean-Baptiste. La réélection du Maire Jean-Louis Beaudry est assurée. Du moins le croit-il. Il a donc pu consacrer toutes ses énergies à l'organisation de son Carnaval d'hiver, dont la première édition a attiré plusieurs centaines de touristes américains l'an dernier.

Celui de cette année sera encore plus éblouissant, a promis le Premier Magistrat, qui a un faible pour l'emphase démagogique. Beaudry ne s'est pas trompé. Les hôtels archicombles ont dû refiler les adresses de pensions improvisées pour accommoder tous les visiteurs. Qu'est-ce qui peut bien amener des milliers d'Américains dans la métropole et leur imposer de camper chez l'habitant en plein hiver? La réponse est ce qui donne son cachet particulier au Carnaval de Montréal. L'omniprésence des clubs de raquetteurs de la Nouvelle-Angleterre et du Québec pendant toute la durée des fêtes.

Plutôt gris banque et rouge manufacture pour l'œil, Montréal n'a jamais été aussi colorée que durant son Carnaval. Les tuques rouges, bleues, rayées ou bariolées des raquetteurs envahissent les rues. Chaque club se distingue des autres par son couvre-chef et son costume. L'Union commerciale de Québec affectionne le gris de l'étoffe du pays. Le Trappeur opte pour le bleu pâle liséré de blanc. L'orgueil de Saint-Henri, Le Canadien, arbore le tricolore. De tous les accoutrements, c'est le plus voyant avec sa tuque bleue et rouge, son gland bleu, sa capote blanche, ses culottes blanches et ses bas bleus.

Il n'y en a pas que pour les yeux, il y en a également pour toutes les oreilles. On se croirait dans une ville d'opérette. En tout temps et tout lieu, les raquetteurs s'égosillent comme dans un opéra-bouffe d'Offenbach. De Louis Fréchette à Calixa Lavallée, poètes et compositeurs ont été mis à contribution pour célébrer les joies de la raquette. Chaque club se fait un point d'honneur d'avoir un chant original. *Le bleu, blanc, rouge est notre emblème,* brament les lurons du Canadien pour les daltoniens. *Nous sommes tous de bons vivants, / Nous ne faisons jamais carême, / Et nous chantons par tous les temps!*

Il faut prouver à l'étranger que la vie au Canada pendant les mois d'hiver n'est pas seulement supportable mais agréable, prône le Maire Beaudry. Il n'a pas prêché dans une poudrerie. En février, c'est l'hiver en fête. Tous les Montréalais sont invités à se geler le nez et à se dégourdir le canayen dans de grands parcs d'amusement où on trouve une patinoire immense et des montagnes russes. Au carré Dominion, ils peuvent admirer et visiter la merveille des merveilles, le joyau du Carnaval d'hiver de Montréal, un palais de glace avec des tourelles aux angles, des flèches et une tour de 80 pieds. La ville n'a jamais été aussi folle! Lorsque le Marquis de Lansdowne fait son entrée en ville dans une calèche traînée par six chevaux caparaçonnés, le grotesque se confond avec le féerique. Place Victoria, au carrefour des rues McGill et Saint-Jacques, le Gouverneur général ébaroui passe sous un arc de triomphe vivant de raquetteurs multicolores juchés les uns sur les autres qui se cramponnent à une carcasse de métal et qui chantent *Vive la Canadienne!* à l'unisson.

Les fanfares et les cortèges se suivent. Les concours se succèdent. Lorsqu'on ne chante pas, on danse au bal des entrepreneurs, des étudiants, de la garnison, de l'*Hôtel Windsor*. Les mascarades attirent des milliers de travestis et de masques. Montréal est la Venise du Nord! Il ne manque plus à son Carnaval qu'une finale grandiose. C'est l'attaque et la défense du palais de glace qui marquent la clôture des festivités et leur apothéose. Après un échange de pétards, de fusées et de bombes qui éclatent en gerbes de feu, les raquetteurs qui défendent la forteresse capitulent de bonne grâce et accueillent leurs assaillants dans la bonne humeur. Ensemble, ils grimpent ensuite jusqu'au sommet du mont Royal à la lueur des flambeaux, escortés par tous les clubs de raquetteurs en grand costume. Par un froid de loup et une nuit claire, le Carnaval d'hiver de Montréal s'est alors éteint dans un dernier feu d'artifice.

La guerre n'est pas qu'un jeu d'hiver. En septembre, 386 voyageurs canadiens ont quitté Montréal pour la guerre du Soudan. Une guerre coloniale comme l'Empire les aime avec des rebelles fanatiques et un héros britannique sans peur et sans reproche. Le Général Gordon, dit *le Chinois* pour avoir incendié le palais d'été de l'Empereur de Chine à Pékin, s'est métamorphosé en *Gordon Pacha* sous le ciel d'Égypte. Les voyageurs ont été recrutés pour exercer leur métier de pagayeurs émérites sur le Nil. Le corps expéditionnaire du Général Wolseley doit remonter le fleuve jusqu'au Soudan. Londres s'est enfin décidée à porter secours à Gordon qui refuse d'évacuer

Khartoum assiégée par les fidèles d'un Calife musulman mystique, le Mahdî Mohammad Ahmad 'Abd Allah.

Le Nil compte 40 cataractes, rappelle Gaston P. Labat. *C'est une série de rapides de 2 lieues de long absolument infranchissables.* Jusqu'à ce que les voyageurs prouvent le contraire! Le Sergent Labat fait partie du corps médical qui accompagne le contingent canadien. Il note ses impressions de guerre dans une série de lettres qu'il publiera à son retour sous le titre de *Quatre-vingt-dix jours avec les crocodiles.* Tout comme ses compagnons, les motifs politiques de l'expédition militaire l'indiffèrent. Il a l'œil vif, l'esprit curieux et la plume humoristique. *Quoique notre voyage ne soit pas des plus plaisants, nous voyons tout en bleu et nous mangeons tout en bleu,* souligne-t-il avec verve, *cela grâce à l'obligeance de Monsieur Laurance, l'opticien qui nous a fourni gratuitement des lunettes bleues. Il ferait vite fortune en Égypte, où presque tous les habitants ont mal aux yeux,* commente Labat qui ne sait pas résister à un calembour, *jusqu'au Nil lui-même qui a des cataractes à opérer.*

L'ANCÊTRE DU SAC VERT

Un nouveau règlement risque fort de transformer le paysage urbain de Paris. *Le propriétaire de chaque immeuble devra mettre à la disposition de ses locataires,* précise-t-il, *un ou plusieurs récipients communs pour les résidus de ménage.* L'arrêté a été signé par le Préfet de police Eugène Poubelle.

Les voyageurs canadiens sont-ils insubordonnés comme l'a prétendu le *Morning Post* de Londres? Pour Labat, il s'agit plutôt de blagues et de lazzis. *Ils aiment la gaudriole, à se battre, à rire, à chanter,* écrit-il d'une plume qui leur est acquise, *et c'est ce que deux de nos gaillards ont fait, lors de notre passage à Gibraltar, en mettant la police en déroute et en s'écriant:* Nous avons vaincu Gibraltar! Leur indéniable talent de canotiers n'en force pas moins l'admiration. *À les voir sillonner le Nil, on dirait des guerriers arabes montés sur des cavales blanches du désert,* s'émerveille leur compagnon de route, *à les voir traverser les rapides, on dirait des serpents de feu fendant l'onde pour se rafraîchir! Les pierres aiguës ouvrent les bateaux, la sueur ruisselle de leurs fronts, mais ils passent. On leur a dit:* Allez! *Ils se taillent une route! Et on entend toujours une voix goguenarde s'écrier:* Tiens fort, Baptiste! Y en a encore cinquante à sauter!

Au camp de Gemai, *grande rôtissoire de jour et oasis délicieuse de nuit,* Labat assiste à un colloque qui le ravit d'aise. Deux soldats britanniques en ont marre de voyager à dos de chameau. *Puisqu'on a fait venir des Canadiens pour diriger les bateaux,* dit le premier, *on aurait bien pu faire aussi venir des* raquettes! – *C'est quoi ça?* demande le second. *C'est y les filles qui s'appellent comme ça dans leu pays? – Ben non, épais! c'est une espèce de grand soulier qu'ils mettent aux pieds pour marcher dans leur désert de neige molle. – Pis?* rétorque l'autre. *Qu'est-ce qu'on ferait avec ça ici? – On pourrait traverser le sable mou du désert sans s'enfoncer. Vite et sûrement!* reprend le premier, soudainement exalté. *On pourrait les faire en fil de fer pour que la chaleur ne brise pas les cordes. En nous voyant avec ça aux pattes, les Égyptiens, les chameaux, le Mahdî et toute la boutique fuiraient de peur! – T'es sûr que le soleil t'a pas tapé sur la coloquinte?* s'inquiète le second, incrédule. On n'ose pas imaginer ce que provoquerait une troupe de raquetteurs des sables montant à l'assaut, le flambeau au poing et *Vive la Canadienne!* aux lèvres. Une reddition sans condition?

La guerre du Soudan n'a rien de féerique. *Plusieurs officiers et soldats anglais se sont suicidés. Oui! Suicidés!* témoigne Labat qui tente de s'expliquer leur geste. *Je veux croire que la haute température prédispose à cette triste fin. La tête éclate! Que sera-ce donc dans les grandes chaleurs d'avril et mai?* Le Sergent et les voyageurs n'en sauront rien puisque pour eux l'expédition s'est terminée en mars. Fidèles à leurs traditions, les voyageurs canadiens ont rempli leur engagement de six mois jusqu'au dernier jour. Après? C'est votre guerre! Nous, on retourne chez nous! *Je suis en Terre promise et je pense à vous qui m'êtes promise,* écrivait l'un d'eux à sa blonde. *J'ai cherché partout une médaille que je voulais vous envoyer pour vos étrennes. Hélas! déception cruelle! je n'ai rien trouvé. Car ici, il n'y a ni prêtres, ni Dieu, ni vierges, ni saints, ni saintes.* Mais il y a un Messie musulman, *celui qui est guidé par Dieu,* le Mahdî.

1885

Depuis que Louis Riel a été condamné à être pendu, la métropole vit à l'ombre du gibet de Regina. Faut-il en conclure que Montréal est acquise à sa cause et qu'elle a appuyé le dernier soulèvement de ses partisans?

Le contraire serait plutôt vrai! En juillet, on perçoit toujours la révolte des Métis comme une rébellion et leur Chef comme *un halluciné de premier ordre.* Le jour même de l'ouverture du procès pour haute trahison de Riel devant un jury exclusivement anglophone, les Montréalais se rendaient par milliers pour accueillir chaleureusement *les vainqueurs de Batoche* à la gare Bonaventure. Les mêmes soldats du 65e bataillon dont, trois mois plus tôt, les mêmes Montréalais ont salué tout aussi chaleureusement le départ pour rétablir la loi et l'ordre fédéral en Saskatchewan.

Montréal est en fête pour célébrer le retour de ses glorieux enfants, claironne *La Patrie, nos braves petits soldats du 65e nous reviennent après une campagne remplie de dangers et de difficultés.* Huit cent cinquante soldats qui se livrent à un pillage éhonté après avoir écrasé 200 Métis mal armés, il n'y a pas de quoi se vanter! Qu'importe! Montréal, comme l'Empire, raffole des uniformes et des militaires. *Tous, sans distinction de race ou de croyance, les acclament,* exulte le chroniqueur militariste. *Leurs figures bronzées par le grand air, leurs uniformes en lambeaux, leur attitude martiale et l'air crâne, tout contribue à nous les faire aimer, respecter et admirer davantage.* L'article est signé Honoré Beaugrand. En plus d'être journaliste, Beaugrand est Maire de Montréal. Porté sur le faste civique et l'hyperbole dithyrambique, il adore se pavaner en public avec le collier doré de sa fonction. Plutôt maigrichon, son pendentif l'écrase. *Nous avons trop de collier,* en a conclu l'humoriste Hector Berthelot, *et pas assez de Maire!*

Honoré Beaugrand est l'ami de Wilfrid Laurier et d'Honoré Mercier. Égaré un instant par sa propension aux flonflons, il s'est ravisé. L'ombre du gibet de Regina est un puissant révélateur. Pour l'Ontario, Louis Riel c'est le Québec. *Étrangler Riel avec le drapeau français,* clame le *News* de Toronto avant le procès, *c'est le seul service que peut rendre cette*

guenille au pays. Si Riel n'est pas pendu, l'échafaud sera triché de son dû, surenchérit le *Sherbrooke News* après la condamnation, *et à l'avenir la rébellion sera grandement encouragée.*

Pour le *Mail* de Toronto, la coupe est pleine. *Plutôt que de se soumettre au joug des Canadiens français, l'Ontario briserait la Confédération,* peut-on y lire quelques jours avant la date prévue pour la pendaison. *Le Bas-Canada peut en être assuré,* l'assure-t-on, *si nous devons nous battre à nouveau pour la conquête, cette fois, il n'y aura pas de traité de 1763. Le peuple canadien-français perdra tout!* Sir John A. Macdonald, pour une rare fois, a été on ne peut plus clair. *Même si tous les chiens du Québec aboient,* a-t-il grommelé, *Riel sera pendu.*

Le 16 novembre, à 8 heures et demie du matin, c'est fait! La chute fatale a été de 8 pieds. Le corps était encore chaud qu'on brûlait déjà la

corde dont le bourreau s'était servi. On a dû croire qu'en supprimant les reliques on supprimerait le souvenir de son martyre. Louis Riel a été pendu haut et court jusqu'à ce que mort s'ensuive! La nouvelle a rejoint Montréal vers 11 heures. Dix minutes plus tard, il y a foule dans les rues. *Ils l'ont pendu!* est la seule phrase qu'on entend répéter inlassablement sur tous les tons. De la stupeur à l'indignation, de la consternation à la fierté blessée, de l'abattement à la colère, du deuil à la révolte, de l'humiliation à la provocation. *Nous sommes tous des Louis Riel!* Mort, le Chef métis s'est métamorphosé en symbole. Le sens du geste qu'on a posé n'échappe à personne.

Une amende pour s'amender

Monsieur Poitras du Bout-de-l'Île n'en revient pas! Il a dû s'acquitter d'une amende de 5 $ plus 1,50 $ de frais. Le Marguillier sortant de charge Lebeau remarque que Poitras contrevient à un des règlements de l'église durant la messe. Il en avise sur-le-champ le Marguillier en charge. Ce dernier s'empresse sur l'heure de requérir un mandat d'arrestation contre le fidèle Poitras. L'accusation? Irrévérence dans l'église. Poitras ne s'est pas agenouillé sur les 2 genoux pendant le *sanctus*! C'est le bout de l'île!

Riel n'expie pas seulement le crime d'avoir réclamé les droits de ses compatriotes, il expie surtout et avant tout le crime d'appartenir à notre race, confirme *La Presse*. Désormais, il n'y a plus ni conservateurs, ni libéraux, ni castors. Il n'y a que des patriotes ou des traîtres. Le Parti national et le Parti de la corde. *L'échafaud de Regina grandira, grandira toujours, et son ombre sinistre se projettera de plus en plus menaçante sur le pays,* prophétise Tardivel dans *La Vérité*. *Toujours l'image de ce cadavre d'un pauvre fou pendu pour de misérables fins de Parti, pendu pour maintenir un homme au pouvoir, pendu en haine du nom* Canadien français, *toujours l'image de ce cadavre de Louis Riel sera là, se balançant entre ciel et terre, devant les yeux de notre population.*

Pour la première fois de son histoire, le Québec s'éprouve collectivement comme une nation. Le 22 novembre, un dimanche, près de 50 000 personnes s'attroupent sur le Champ de Mars pour manifester leur solidarité avec le pendu de Regina. On vend le portrait de Riel par milliers. On a dressé 3 estrades. Plusieurs orateurs de tous les Partis y prennent la parole à tour de rôle par un froid sec qui donne à l'air une résonance de cristal. Lorsque Wilfrid Laurier débute son discours, l'émotion monte d'un cran. Il ne déçoit pas. *Si j'étais né sur les rives de la Saskatchewan,* confesse-t-il, *j'aurais moi-même épaulé un mousquet pour lutter contre la négligence du gouvernement et contre la honteuse rapacité des spéculateurs.*

Honoré Mercier est le dernier à parler. Il incarne un mouvement national dont il a bien l'intention de faire un Parti. Sa voix traduit toute la nation. *Riel notre frère est mort, victime de son dévouement à la cause des Métis dont il était le Chef, victime du fanatisme et de la trahison,* psalmodie l'orateur, *du fanatisme de Sir John et de quelques-uns de ses amis; de la trahison de trois des nôtres qui, pour garder leur portefeuille, ont vendu leur frère.* Les mots portent dans le silence. *En face de ce crime, en présence de ces défaillances, quel est notre devoir?* demande Mercier avec gravité. *Nous unir! Oh! que je me sens à l'aise en prononçant ces mots! Voilà 20 ans que je demande l'union des forces vives de la nation!* La foule et l'orateur sont frères en Riel. *Et il fallait le malheur national que nous déplorons, il fallait la mort de l'un des nôtres pour que ce cri de ralliement soit enfin compris!*

Vivant, Riel gênait. Mort, il devient gênant. Le temps est venu pour le Québec de n'être plus l'ombre d'Ottawa comme Mousseau l'a été du pendard Chapleau. Vive Mercier! Vive le Québec!

1886

Le 28 juin, il y a encore une fois *plus de collier que de Maire* sur le quai mais la foule entend néanmoins Honoré Beaugrand déclarer le moment historique. Son Honneur n'a pas tort. Sur le coup de huit heures, le premier train à destination de Vancouver quitte la gare Dalhousie. *A mari usque ad mare!* Enfin!

Au moment où la locomotive s'est mise en branle vers les Rocheuses, la batterie de campagne du Colonel Stevenson a tiré une salve d'une quinzaine de coups de canon, relate *La Presse.* De son côté, la foule pousse des hourras enthousiastes et agite des mouchoirs. Sans le collier doré du Maire, la batterie de Stevenson, les hourras et les mouchoirs, qui se douterait que ce départ est le point final d'une aventure où on a englouti et empoché des millions? Le premier train est modeste: un wagon de première classe, un wagon-restaurant baptisé *Holyrood*, 2 wagons-lits, le *Yokohama* et le *Honolulu*, des wagons d'émigrants, 2 wagons à bagages, un wagon pour les malles. Cinq jours et demi plus tard, le train arrive à Port-Moody, à l'heure prévue, avec ses 150 voyageurs. C'est un exploit! *Que le Pacifique Canadien doit en grande partie à Louis Riel,* a commenté cyniquement son Directeur général, Cornelius Van Horne. *La compagnie devrait lui faire ériger une statue,* ajoute-t-il, *il la mérite bien.* Sa boutade n'est pas gratuite.

À Ottawa

L'homme fort du Québec à Ottawa ne peut plus prendre la parole en public. Chaque fois qu'Adolphe Chapleau s'adresse à une foule, celle-ci le fait taire. *Honte! Honte!* lui crie-t-elle. *Pendard! Vous avez du talent, Monsieur Chapleau,* lui a lancé un député, *mais vous n'avez pas de cœur!*

Van Horne n'a pas oublié qu'il y a un an le Pacifique Canadien courtisait la banqueroute. La construction de la voie ferrée est un gouffre financier que seul le gouvernement fédéral peut alors combler. Mais John A. Macdonald et ses amis se font tirer l'oreille pour garantir un nouvel emprunt. Une façon élégante de dire qu'ils font monter les enchères des pots-de-vin. Lorsque la nouvelle d'un soulèvement métis éclate en 1885, *Old Tomorrow* tergiverse encore. Van Horne réagit immédiatement. Il a compris que Louis Riel cherche à répéter le coup du Manitoba en Saskatchewan. C'est l'occasion ou jamais de prouver l'absolue nécessité d'un chemin de fer intercontinental. Le Pacifique Canadien met aussitôt toutes ses ressources au service de l'armée du Général Middleton. Van Horne se surpasse. En un temps record, il transporte 3 000 soldats sur une ligne inachevée. Le premier contingent des troupes atteint Winnipeg en 7 jours. Le coût? Un million! Remboursable? Bien sûr! Mais quand?

La situation financière du Pacifique Canadien est désespérée. Tous se sont désistés. Même la Bank of Montreal refuse un nouveau prêt de 500 000 $. La caisse est vide. *INCAPABLE PAYER SALAIRES* – télégraphie Van Horne – *SANS SECOURS IMMÉDIATS* – poursuit le message qu'il adresse au Président George Stephen – *DOIS INTERROMPRE OPÉRATION.* INFORM PRIME MINISTER IF YOU PLEASE. Ce n'est pas un bluff. Sans garantie d'emprunt, la compagnie dépose son bilan. Stephen joue sa dernière carte. La faillite! Soudainement, Macdonald se réveille. Une façon élégante de dire qu'il dessoûle. Les insurgés métis sont en fuite mais la ruine du Pacifique Canadien entraînerait la chute de son gouvernement. Cela suffit pour rendre Macdonald éloquent et lui donner la vision de ce que sera le Canada maintenant que Louis Riel est sous les verrous grâce à l'intervention de Van Horne.

Les récents événements nous ont démontré que le chemin de fer fait de nous un seul peuple, déclare-t-il aux Communes, créant du coup le nationalisme ferroviaire. *Ce lien d'acier nous a désormais si bien réunis que nous pouvons dominer tous les aléas de la malchance et que nous pouvons rassembler toutes les forces du Canada,* enchaîne Macdonald dans un élan de lyrisme éthylique, *pour faire face à n'importe quel ennemi étranger, soulèvement intérieur ou insurrection.* À l'écouter et à lire les journaux de Toronto, on croirait que la reddition de Batoche est la déroute de Waterloo. C'est tout au plus la consécration de la défaite des cavaliers des plaines par le cheval de fer. Le Pacifique Canadien a planté le dernier crampon de la voie ferrée qui relie l'Atlantique au Pacifique neuf jours avant que Riel ne termine son règne au bout d'une corde.

Les amis du pouvoir vous diront que Sir John réserve l'avenir lointain pour ses discours et qu'il réserve l'avenir immédiat pour lui.

Pour assurer son appui, le Pacifique Canadien ne l'a pas oublié. Quelle délicatesse que ce collier de 40 000 livres généreusement offert à Lady Macdonald! Sans oublier un million en pots-de-vin partagé entre les amis de Sir John. Un autre synonyme élégant pour désigner une bande de voleurs.

Si Van Horne est le débiteur du Chef métis, Honoré Mercier est l'héritier politique de Riel. Il lui doit son nouveau Parti. Le 26 juin, deux jours avant le départ de Montréal du premier train pour Vancouver, Mercier a dévoilé le programme du Parti national. *La situation est grave car nous sommes menacés dans ce que nous avons de plus cher après la religion: l'autonomie de notre province*, peut-on y lire. *La situation est d'une triste simplicité. Notre province n'est plus respectée parce que la majorité de ses représentants l'ont sacrifiée à l'esprit de Parti.*

Le *Manifeste* énumère la longue liste des raisons pour lesquelles Mercier n'est pas l'ombre de Laurier et le Québec celle d'Ottawa. *Considérant que l'autonomie des provinces est en péril et que la politique des gouvernements de Québec et d'Ottawa associés prépare la ruine de notre indépendance provinciale*, établit-il d'entrée; *que le pouvoir fédéral poursuit d'année en année le cours de ses empiétements législatifs et que ces mesures centralisatrices sont le résultat d'un système de gouvernement*, prévient-il, *dont le but tend manifestement à détruire les garanties stipulées à l'époque de la Confédération et à imposer aux provinces, petit à petit, le régime de l'union législative; bref, considérant que les auteurs de la Confédération ont voulu établir au siège de la province un véritable gouvernement*, rappelle-t-il, *et non pas un simple bureau de commis prenant chaque jour leur mot d'ordre à Ottawa, et que ce péril ne saurait être conjuré*, juge-t-il, *que par l'existence d'une administration provinciale fortement constituée, agissante, économe des deniers publics, indépendante du pouvoir central et fortifiée par l'appui du sentiment populaire*. Reprenez votre respiration, voici maintenant la solution! *Le Parti d'Honoré Mercier se propose de former un gouvernement non pas libéral mais bien national.*

Tardivel l'avait prédit. Du haut du gibet de Regina, l'ombre de Riel ne cesse de grandir. Elle se dédouble même. N'est-il pas devenu, bien malgré lui, le père du nationalisme ferroviaire canadien et celui du nationalisme autonomiste québécois?

VICTORIA
MONTREAL
JULY 1
1886
JWB

1887

La rue Saint-Jacques, la rue Craig et le dépôt du Grand Tronc se sont retrouvés entièrement sous l'eau, l'*Hôtel Albion* s'est transformé en quai, le carré Chaboillez est un lac et le bas de la ville une plaine liquide. Comme l'an dernier, le fleuve a fait des siennes au printemps.

Fin avril, on signale la présence de banquises qui se dirigent vers la montagne en empruntant la rue McGill. À Saint-Vincent-de-Paul, le pont Viau perd un de ses deux piliers. On parvient à l'arrimer de peine et de misère. Le chenal est bloqué par des pyramides de glace. C'est l'inondation annuelle. Progressivement, le débordement saisonnier se transforme en fête populaire. Partout où l'eau couvre les rues, on trouve des embarcations remplies de personnes et des radeaux qui vont et viennent d'un endroit à un autre. On badaude. Lorsque les pompiers répondent à une alerte dans un quartier inondé, ils doivent se rendre sur les lieux de l'incendie en chaloupe, se frayer un chemin dans un embouteillage de barques et ajuster leurs boyaux aux bornes-fontaines immergées, au milieu de curieux qui rament autour d'eux sans faire un geste pour les aider. On ne veut sans doute pas troubler le spectacle.

Cette année, le Constable Aumond a innové. Il s'est lancé dans une chasse à l'homme en chaloupe pour mettre la main au collet d'un vandale briseur de vitres et de vitrines. La crue porte à l'exubérance. Même la fièvre du printemps y trouve son compte et son profit. *Un parti de* Swells *aux gants jaunes promenait hier leur belle toilette en canot. Au moment où ils se proposaient d'éblouir un groupe de jeunes Irlandaises, le canot a chaviré et son contenu mâle et viril est disparu dans quatre pieds d'eau vaseuse,* relate *La Presse. Pendant quelques instants, les* Swells *ont pris un bain forcé pour réapparaître à la surface à moitié suffoqués. L'apparition des chats mouillés fut aussitôt saluée par des bravos des jeunes filles à la tignasse rousse.*

Les bravos que les Jésuites vont adresser au Premier Ministre Mercier en décembre ne seront pas aussi hystériques mais tout aussi euphoriques. L'ancien élève du collège Sainte-Marie aura alors bien servi ses anciens maîtres en obtenant la reconnaissance civile de la Compagnie de

Jésus. Le pilotage du projet de loi aura demandé beaucoup d'adresse. D'abord, des Jésuites. Le père Adrien Turgeon n'en manque pas. Le Recteur de Sainte-Marie ne hante pas les couloirs et n'obstrue pas les portes du Parlement comme le curé Labelle. Lorsqu'il se rend à Québec pour défendre sa cause, il rencontre Ministres et Députés dans l'intimité de leurs foyers. Son approche est plus discrète. *Plus jésuite!* lâcherait le gros curé en se tapant sur les cuisses. Turgeon est également un gros homme avec une bonne bouille et le teint fleuri, mais il parle calmement. C'est un grand seigneur qui donne du Monsieur à ses élèves. Tout le contraire de Labelle qui tutoie tout le monde, du gars de chantier au Premier Ministre. Il n'en revient pas moins d'une tournée en Europe pour attirer des immigrants français au Québec.

Comme le *Roi du Nord*, les Jésuites sont au mieux avec les rouges et Turgeon est un ancien condisciple de Mercier. Sauf que les rouges ne sont pas au mieux avec l'Archevêque de Québec, qui s'oppose à l'incorporation de la Compagnie de Jésus. Le Cardinal Elzéar-Alexandre Taschereau y voit une menace directe pour l'hégémonie de l'Université Laval. Si les Jésuites obtiennent le droit d'établir des maisons d'enseignement partout dans la province, ne tenteront-ils pas de relancer le projet d'une université à Montréal? Une hérésie! Taschereau la combat avec succès depuis 20 ans. Il prend l'initiative pour contrer Mercier. Il consulte l'épiscopat québécois. Sauf les Archevêques de Montréal, d'Ottawa et l'Évêque de Trois-Rivières, tous sont contre le projet de loi. Mercier contre-attaque. Il passe par-dessus Taschereau.

Comme simple Député, j'ai présenté à la législature du Québec une mesure pour reconnaître civilement la Compagnie de Jésus avec droits et privilèges accordés par les Papes, écrit-il directement au Saint-Siège. *J'ose demander bénédiction à Votre Sainteté et la prie de me dire si elle voit des objections à ma demande.* Ce n'est pas aux prélats romains qu'on va apprendre à faire des grimaces. La dépêche leur est parvenue par les bons soins des Jésuites et Rome est parfaitement au courant de l'opposition du Cardinal Taschereau à leur reconnaissance civile. *Le Saint-Père vous bénit,* répond le Sous-Secrétaire d'État du Vatican à Mercier. *Quant au sujet de votre télégramme, entendez-vous avec votre Archevêque.*

Mercier a étudié chez les Jésuites. Il connaît leur arme favorite, la restriction mentale. La dépêche ne dit pas: *Entendez-vous avec le Cardinal!* Elle dit bien: *Entendez-vous avec votre Archevêque!* Mercier habite Montréal et l'Archevêque titulaire de Montréal, Monseigneur Fabre, est favorable au projet de loi d'incorporation. Avec la sanction de l'Archevêque, le projet de loi est adopté par 18 voix de majorité, dans le plus parfait respect de la lettre des instructions du Saint-Siège. Ironiquement, comme la presse rouge naguère, la presse bleue en est réduite à protester contre cette intrusion du clergé dans la politique.

LE TEMPS D'UNE VALSE HÉSITATION

Wilfrid Laurier a beaucoup hésité. *Je ne désire pas être Chef,* explique-t-il à son ami Ernest Pacaud. *Je n'ai pas de fortune et je n'ai pas de santé. Si j'avais la fortune, je pourrais me passer de la santé. Si j'avais la santé, je pourrais me passer de la fortune. Mais quand toutes deux me manquent,* conclut l'hésitant, *comment puis-je espérer faire face aux devoirs que mes nouvelles responsabilités m'imposeraient?* On lui proposait la direction du Parti libéral fédéral. Laurier a accepté.

1888

Trente mille ouvriers qui œuvrent dans la chaussure, la métallurgie, la confection et le cigare dans une ville, ça compte! C'est encore mieux si ça se voit! L'Union des cigariers a pris l'initiative d'inviter tous les travailleurs syndiqués à un défilé pour la fête du Travail.

Le jour convenu, le 3 septembre, bannières en tête, cigariers, tailleurs de pierre, briquetiers, charpentiers, mouleurs, imprimeurs et artisans ont paradé dans les rues pavoisées pour la circonstance. Le parcours a emprunté Notre-Dame, Visitation, Sainte-Catherine, Bleury, Craig, McGill, Saint-Jacques, Place d'Armes, la côte Saint-Lambert et finalement la rue Saint-Laurent. *C'était une manifestation magnifique faite pour réjouir le cœur de tous ceux qui s'intéressent au progrès et à la prospérité des classes ouvrières,* s'extasie *La Patrie,* jouant la corde populiste. *Après le défilé, les ouvriers se sont rassemblés sur les terrains de l'exposition pour un pique-nique. Comme la plupart des participants à la fête étaient des Canadiens français,* se réjouit le journal d'Honoré Beaugrand, *c'est sur eux que retombent la plus grande part des éloges que nous sommes heureux de décerner à tous. C'est une belle et grande idée que cette fête annuelle du Travail dans laquelle les travailleurs de chaque corps de métier peuvent enfin se réunir,* s'enthousiasme le reporter un brin exalté, *et tout en se réjouissant et en profitant d'une journée de congé, discuter leurs affaires, apprendre à se connaître, à connaître leurs chefs et leurs amis.* Dans la vraie vie, tout ne va pas pour le mieux dans le meilleur des mondes. Les slogans en moins, le rassemblement de la fête du Travail rappelle celui de *La Grande Procession* de Médéric Lanctôt.

En septembre, la fête donne ses premiers fruits. Alphonse-Télesphore Lépine se présente sous l'étiquette du Parti ouvrier dans Montréal-Est, la circonscription où Lanctôt a combattu Cartier sous la bannière de la Grande Association de protection des ouvriers en 1867. Secrétaire du Conseil central des métiers et du travail de Montréal, fondateur du *Trait d'union,* le journal des Chevaliers du travail, Lépine a acquis ses lettres de noblesse dans le mouvement ouvrier dont l'appui lui est acquis. Son adversaire escompte celui des libéraux-nationaux. A.-E. Poirier défend les principes soutenus par le Parti national de Mercier. Dès l'ouverture de la campagne, il se lance dans une charge à fond de train contre le Pacifique Canadien. *On vient chercher votre argent pour le dépenser d'une manière extravagante au profit de riches capitalistes dans les régions de l'Ouest*, tonne le candidat démagogue. C'est une erreur d'aiguillage. Poirier a oublié que la circonscription compte plusieurs centaines d'employés de la compagnie de chemin de fer.

Télesphore Lépine

Jules Helbronner

Le candidat Lépine dispose d'un atout majeur dans un comté ouvrier, son Directeur de campagne se nomme Jules Helbronner ou plutôt *Jean-Baptiste Gagnepetit*. Toutes les semaines, Helbronner signe une chronique ouvrière de ce pseudonyme dans les pages de *La Presse*. Le journal de Chapleau et de Sénécal s'est-il soudainement converti au socialisme? Capitalisme oblige! Il va où son tirage quotidien de 14 000 exemplaires le mène. Or, le plus grand nombre de ses lecteurs se trouvent dans l'Est! Helbronner est influent. Il a obtenu la suppression de l'impôt municipal dit de la corvée que les locataires, donc les ouvriers, réclamaient depuis 50 ans. *Il n'y a rien d'effrayant dans le fait qu'un ouvrier demande légalement, calmement, une juste part des bénéfices qu'il procure au capital*, proclame hautement *Jean-Baptiste Gagnepetit*, *une part qui lui permette de vivre en homme et non en bête de somme*. Helbronner est un publiciste redoutable. Ses slogans sont percutants. *Rien d'honorable comme un bon ouvrier!* affirme l'un. *Ils n'ont plus besoin d'avocats ou de marchands pour les représenter!* confirme l'autre.

Lépine n'a pas d'opposant conservateur. Il bénéficie du discrédit des pendards auprès de l'électorat québécois. S'ils s'opposent directement à un candidat soutenu par Honoré Mercier, les bleus n'ont aucune chance. Ils choisissent donc d'apporter leur appui au candidat du Parti ouvrier. Chapleau et Taillon, les grands ténors conservateurs, poussent l'aria dans les assemblées publiques. Le soir du scrutin, Lépine est élu haut la main par une majorité de 685 voix. C'est un événement sans précédent pour le monde ouvrier! Pour Jules Tardivel, c'est l'apocalypse! Quel va être le résultat de toute cette agitation démagogique? *C'est que Montréal-Est sera représenté par un ouvrier. Mais il y a ouvrier et ouvrier. Dans le cas actuel, nous croyons que ce mot ne veuille dire autre chose que Chevalier du travail!* fulmine le champion de l'orthodoxie ultramontaine dans *La Vérité. Voilà le candidat ouvrier que nos Ministres fédéraux sont venus défendre au nom des bons principes.* C'est là où le bât blesse! Des pendards et des traîtres! *Eh bien! souhaitons que notre pays n'ait pas à se repentir trop tôt de la présence d'un Chevalier du travail au Parlement; car son triomphe est celui du véritable communisme qu'il professe!*

Sans doute impressionné par le décorum des Communes, le Député Lépine s'avère beaucoup plus mesuré lors de sa première intervention, sans doute un peu trop! C'est une autre première! *Si les électeurs de Montréal-Est m'ont élu leur Député, c'est pour expliquer publiquement, à la face du pays tout entier, la dureté des lois qui les frappent en matière de dettes ou de contrats,* déclare posément le représentant du monde du travail. *C'est pour exposer aux représentants du pays les souffrances ignorées, les injustices subies, les mille et une difficultés que les ouvriers ont à surmonter et contre lesquelles ils ne peuvent même s'élever.* Difficile d'émouvoir ceux qui en sont les premiers responsables! Est-il dangereux, ce Lépine? Voilà la question!

UN RECORD PEU ENVIABLE

Le Conseil législatif a repoussé un projet de loi qui a pour but de rendre inviolables 75 % des gages des ouvriers. Conséquemment, Montréal demeure le paradis des huissiers. *La preuve la plus palpable de la cruauté et de l'inefficacité de notre système judiciaire,* écrivait *Jean-Baptiste Gagnepetit* il y a 2 ans, *c'est qu'il y a moins d'ouvriers saisis à Londres, ville de 4 500 000 habitants, et à Paris, ville de 2 000 000 d'habitants, que dans notre bonne ville de Montréal qui en compte 150 000.*

Les ouvriers, Monsieur l'orateur, ne demandent aucune loi d'exception, poursuit leur champion, *ils ne demandent qu'une chose: la justice, et de cette justice ils n'attendent qu'une chose: une protection suffisante qui les mette sur un pied d'égalité avec le capital qui achète leur travail.* Tu peux toujours courir, Lépine, c'est pas demain la veille!

1889

Le Palais de justice en a perdu son latin. De mémoire de Greffier, c'est la première fois. Une opinion partagée par le Gantier. *Les francs-maçons m'en commandent régulièrement pour leurs assemblées,* reconnaît ce dernier, *mais pour les Juges, jusqu'à maintenant, ça s'est limité aux gants noirs qu'ils portent pour prononcer une sentence de mort.*

Ce matin, rapporte la chronique judiciaire du 12 janvier, *le Chef de police Hughes, en compagnie de ses principaux Officiers, a présenté à Son Honneur le Juge De Montigny une splendide paire de gants blancs sur un plateau d'argent, pour consacrer la coutume établie qui veut que chaque fois qu'il n'y a pas de cause devant une Cour, on présente une paire de gants blancs au Président du tribunal.* Un moment d'autant plus mémorable qu'inexplicable. *Après la présentation du cadeau, le Recorder a invité ces Messieurs à sabler un verre de champagne avec lui,* poursuit la chronique, *afin de se réjouir de l'état de moralité de la cité, une situation à laquelle, selon lui, la police a largement contribué.* Pas d'arrestations, donc pas de crimes, donc pas de criminels! Pour un Juge, cela tombe sous le sens.

Les voleurs ne volent plus parce qu'ils n'ont plus les moyens de verser une commission à Pacaud, vous diront les cyniques. Ernest Pacaud est Directeur du *Soleil* de Québec. C'est un vieil ami de Wilfrid Laurier et l'Organisateur d'Honoré Mercier. Pacaud n'est ni Ministre ni Député mais, depuis l'arrivée au pouvoir du Parti national, c'est lui et lui seul qui place et déplace les fonctionnaires, accepte et refuse les candidatures, distribue les commandes aux entrepreneurs, endosse les chèques, escompte les traites et règle les comptes du Premier Ministre. Le petit Pacaud rend service avec une camaraderie inlassable et un porte- monnaie qui se regarnit miraculeusement. Il est celui par qui le patronage arrive. Pacaud est l'intermédiaire universel, le guichet unique et le percepteur de la contribution obligatoire.

Quand le Grand Argentier et le Chef ratissent trop large, la troupe en prend ombrage. Elle se vexe d'être négligée. N'a-t-elle pas droit à la reconnaissance pour ses états de service? Calixte Lebeuf a été de toutes les batailles libérales depuis au moins 10 ans. Il préside le Club national de Montréal. Avec Honoré Beaugrand, il est de ceux qui se réclament du radicalisme rouge des Doutre et des Dorion et qui n'acceptent pas l'alliance contre nature des libéraux avec les castors. Lebeuf n'est pas un inconditionnel de Mercier. Il ne l'a jamais été. Encore moins de Pacaud. Il est rouge avant d'être merciériste. C'est dans cet esprit qu'il sonne le tocsin dans une lettre ouverte publiée dans *La Patrie* de Beaugrand en avril. Sa dénonciation publique de *Pacaud et sa bande qui mènent Mercier à sa mort politique* n'est pas un pétard mouillé, c'est une bombe.

Es-tu sérieux, Ernest, quand tu dis que les partisans de Monsieur Mercier sont unis? demande Lebeuf dans une lettre personnelle encore plus explicite que sa lettre ouverte. *Je ne sais pas ce qui se passe à Québec ni dans les autres villes, mais je connais parfaitement ce qui se passe, ce qui se dit et ce qui se fait dans la ville de Montréal et dans les environs. Et je vais te le dire franchement pour que tu ne puisses pas l'ignorer.* Les intentions de Lebeuf ne sont pas au-dessus de tout soupçon. Il a pris soin de faire circuler sa lettre sous le manteau. Son diagnostic, en revanche, traduit implacablement la réalité. *Ici, on accuse le gouvernement Mercier d'être composé d'incapables, d'ignorants et de têtes de linotte. Tout le monde s'accorde là-dessus. Unanimité unanime!* Il n'y a pas de gouvernement, *répète-t-on,* il n'y a que Mercier.

Voilà pour les généralités! Passons maintenant au vif du sujet. La corruption! *On trouve que Mercier et toi vous menez une vie d'un faste scandaleux. On trouve que Mercier, qui était pauvre, est devenu riche trop vite et que son salaire ne lui permettait pas de s'enrichir aussi vite que cela. On en dit à peu près autant de toi et de ceux qui entourent Mercier. Ce sont vos meilleurs amis personnels et politiques qui parlent ainsi et tout bas. Tu serais surpris si je te disais les noms.* Lebeuf insiste. Il n'invente rien. Il ne fait que rapporter. La grogne augmente avec l'écœurement! *On dit tout haut que cette administration est la plus corrompue qui ait souillé les lambris du palais législatif. Que tout s'y vend! Qu'il n'y a pas de principes, pas d'honnêteté, pas de parole, pas d'honneur!*

On peut tolérer l'appétit et la gourmandise, mais pas la gloutonnerie. *Les libéraux, les vrais, les honnêtes, les indépendants sont dégoûtés. Ils ne veulent plus endosser la responsabilité de vos actions. Ils ne veulent plus vous défendre et ils sont sur le point de vous dénoncer.* La lettre ouverte dans *La Patrie* n'est qu'un début. La menace d'une révolution de palais est dans l'air. *Ils s'organisent. Ils voudraient bien ne pas entrer en*

guerre. Ils voudraient bien sauver le gouvernement malgré lui. Mais ils sont résolus à sauver le Parti libéral et ses grandes et honnêtes traditions, dût le gouvernement périr. Il en va de la vie et de l'existence mêmes du Parti. Et ça urge! *Il faut que tout cela cesse de suite. Il faut que Monsieur Mercier se rappelle qu'il n'y a pas dans le Parti que des Pacaud, des Langelier, des Beausoleil et des Préfontaine!*

Le patronage n'est pas tout! Pour gagner des élections, ça prend des militants! *Vous n'avez pas été les seuls à la peine pendant 25 ans et vous n'êtes pas la sagesse du Parti. Vous entourez seuls le Premier Ministre, et tant et si fort que vous l'étouffez. Vous le conseillez mal. Vous lui faites faire des bêtises. Vous le compromettez et vous le rendez odieux. Sur ce point-là, tout le monde s'accorde ici!* Un changement s'impose. Ce n'est pas un conseil ou une menace. C'est l'évidence même! *La politique du gouvernement est rétrograde et antilibérale. Il faut que Monsieur Mercier se débarrasse de l'étreinte de boa des castors et qu'il se rappelle que ce sont les libéraux qui l'ont fait ce qu'il est et qui l'ont porté là où il est.* Si vous l'avez oublié, nous, on s'en souvient! *Le jour où il nous plaira de le faire descendre de son piédestal, il en descendra plus vite qu'il n'y est monté!*

Tout n'est pas irrémédiablement perdu. Il est toujours temps de faire un examen de conscience. *Écoute, Ernest, si les honneurs, les faveurs et les richesses ne t'ont pas rendu sourd. Écoute les grognements d'indignation et de colère qui vont toujours grossissant autour de toi et de Mercier, et tâche de réfléchir. Pour te rendre service, à toi et à Mercier, je t'ai montré un peu ce qui se passe derrière le rideau.* Lebeuf est un idéaliste. Seul le Parti importe! *En cela, je n'ai d'autres intérêts que de sauver Mercier s'il en est encore temps. Il a perdu la confiance de ses meilleurs amis et qu'a-t-il gagné en échange?* Maintenant, la balle est dans le camp de Pacaud. *Je m'arrête là pour aujourd'hui. Sans rancune. Ton ami, Calixte Lebeuf.* Avec des amis pareils, qui a besoin d'ennemis? Mais la question demeure. Mercier a des obligés. A-t-il encore des vrais amis?

Honoré Mercier a toujours aimé donner des leçons. Il n'aime pas en recevoir. Question de nature! Puisqu'il a raison, il ne peut avoir tort. Face à l'impétuosité et à l'indiscipline des jeunes libéraux fédéraux, l'approche de Wilfrid Laurier est tout autre. *Tu es l'aîné,* rappelle-t-il au même Ernest Pacaud dans une lettre, *il t'appartient d'être le plus généreux. Il faut laisser un peu de latitude à nos jeunes amis et leur permettre quelques divergences d'opinion. Quand il leur arrivera d'avoir des différends,* souligne le Chef du Parti libéral fédéral, *au lieu de leur tomber dessus comme tu l'as fait déjà, quelques paroles d'explication personnelle éviteront probablement une plus large brèche.*

Mercier ne l'entend pas de cette oreille. Il fait donner sa garde prétorienne contre Calixte Lebeuf. L'attaque est menée tambour battant par le frère de Mercier et Raoul Dandurand. En deux temps trois mouvements, le prophète de malheur est remplacé à la présidence du club national par le gendre de Mercier, Lomer Gouin. C'est un garçon discret et ambitieux. Adolescent, il a déjà arrêté son choix de carrière. *Moi aussi, je serai Premier Ministre un jour!* confiait-il alors à son cousin, l'ancien Premier Ministre John J. Ross. Obnubilé par sa vision d'un Québec autonome, Mercier n'a pas voulu écouter le message de Lebeuf. Il a préféré sacrifier le messager. Il s'en repentira!

BOXING DAY?

C'est par un simple coup de feu que le signal de l'ouverture à la colonisation du dernier territoire étasunien a été donné. Plus de 200 000 personnes étaient massées aux frontières depuis 2 mois en prévision de cette ruée vers des terres où subsistent encore 75 000 Indiens de 22 tribus différentes. En moins de 9 heures, un million d'hectares ont été distribués aux colons dans le seul district d'Oklahoma. Qui a dit que la colonisation, c'est la civilisation en marche?

1890

HONORÉ MERCIER

En septembre, la saison des réceptions mondaines a débuté par la visite du Prince George, le petit-fils de la Reine Victoria, suivie en octobre par celle du Comte de Paris et du Duc d'Orléans. L'été des Indiens a été devancé par l'automne des Princes.

Le Prince George est âgé de 25 ans. Pour le moment, il jette sa gourme dans la marine. Un moment qui risque fort de s'éterniser si on se fie à l'expérience de son père. Fidèle habitué des *Folies-Bergère* de Paris, son père Édouard, le Prince de Galles, tourne les 51 ans. Il attend toujours l'heure où il montera sur le trône d'Angleterre. Sa mère l'occupe depuis 53 ans. Un règne qui a débuté en 1837, l'année de la Répression. Honoré Mercier, Adolphe Chapleau et Wilfrid Laurier n'étaient pas nés.

Depuis la disparition de son consort, le Prince Albert, il y a 30 ans, la Reine Victoria est toujours vêtue de noir. Au dire des familiers de la cour, la souveraine aurait une nouvelle raison de porter le deuil: le décès de John Brown, son domestique personnel. Une relation fort peu victorienne. La Reine avait pris l'habitude de prendre une tasse avec John dans l'intimité d'un pavillon de son jardin. De thé? Sûrement pas! John Brown a été emporté par le *delirium tremens.* Édouard en a soupiré d'aise. Il avait exigé qu'on rase le pavillon pour supprimer la tentation. La Reine a insisté pour que son médecin personnel assiste l'ivrogne dans ses derniers moments. Elle est inconsolable. *Il arrivait souvent à mon bien-aimé John de dire: Vous n'avez pas un domestique plus dévoué que Brown,* s'épanche-t-elle dans une lettre au frère du disparu. *Et ô combien je le ressentais! Souvent et souvent, je lui ai dit que personne ne l'aimait plus que moi ou n'avait meilleure amie et il me répondait:* Ni vous que moi! Personne ne peut vous aimer plus que je vous aime!

LA REINE VICTORIA ET JOHN BROWN

Pour les visites royales, c'est toujours le même

scénario colonial. D'abord, un bain de couleur locale! Cette fois, le comité organisateur a été mal inspiré. George est un ours taciturne. Les cérémonies officielles l'ennuient et il ne le cache pas. Son visage est invariablement fermé. *Dans la marine, c'est la règle de ne pas sourire lorsqu'on est en devoir!* marmonne-t-il sans craquer une ride. Grâce à son air de bœuf, il a pu éviter le triplé classique, la visite de la montagne, celle de Caughnawaga et l'inévitable saut des rapides de Lachine. Le Prince George a échappé aux *natives,* mais il n'échappera pas aux *loyal subjects.*

Toujours aussi peu engageant, il assiste à une partie de crosse, préside un lunch au Saint James Club, un deuxième au Forest and Stream Club et honore de sa présence princière le grand bal qu'on donne en son honneur à l'*Hôtel Windsor. Welcome to our Sailor Prince!* proclame une bannière qui dit tout haut ce que les invités espèrent lui murmurer privément. Ils ont payé 10 $, 5 $ et 2 $ pour ce privilège. Pendant les 2 services du souper qu'on a voulu fin, le Prince George ne peut réprimer ses bâillements. Il accepte de faire danser quelques-unes des jeunes débutantes montréalaises les plus riches et, ayant satisfait aux exigences élémentaires de l'étiquette, s'esquive.

Le *Sailor Prince* n'est pas allé se coucher. L'ours se change en *rough and tough.* Il enfile les habits d'un simple matelot et part se balader dans les rues de Montréal. À l'aise et incognito. C'est plutôt sympathique! Ni vu ni connu. Sauf qu'aux petites heures du matin, une bagarre éclate au coin des rues Dorchester et Des Allemands. *Pendant cette lutte qui a opposé plusieurs citoyens de Montréal et des officiers des frégates anglaises,* révèle une dépêche publiée 2 jours plus tard dans le *World* de New York, *le Prince George qui y prenait une part active a été arrêté et conduit au poste de police.* La nouvelle est aussitôt démentie. Son auteur arrêté et relâché. La Reine Victoria est dûment informée que l'incident n'a pas eu lieu. Quant au Prince George, il a obtenu ce qu'il voulait. Dorénavant, on lui fiche la paix!

En octobre, la visite de deux autres Princes cause un émoi. Tout d'abord dans le cœur des Canadiennes. Le jeune Philippe d'Orléans est pâmant. Il est beau comme un dieu. Elles veulent toutes lui fondre dans les bras. Un émoi également dans le cœur républicain des rouges. Ils s'indignent que Montréal prépare en toute inconscience des fêtes grandioses pour le prétendant au trône de France. Une réaction qui n'est pas injustifiée ou inconséquente. Le Comte de Paris est intraitable sur un point. Même ses partisans monarchistes admettent que son attitude est

LE SALUT PAR L'EMBONPOINT

On a frôlé la catastrophe! *Cinq minutes avant l'arrivée du Comte de Paris à l'église Notre-Dame, en entrant dans le jubé, Madame Barrett a mis le pied sur un bout de planche placé négligemment au-dessus d'une ouverture,* rapporte *La Presse. La planche a basculé et Madame Barrett s'est enfoncée aussitôt dans le vide. Si elle n'avait dû son salut à son embonpoint qui l'a coincée dans la trappe, elle aurait été précipitée d'une hauteur de 25 pieds jusque sur le sol!* Aux pieds du prétendant au trône de France! Un hommage excessif!

irréaliste. Le petit-fils du Roi-Citoyen Louis-Philippe n'acceptera la couronne de France qu'à condition qu'on troque le tricolore pour le fleurdelisé.

Honoré Beaugrand, Louis Fréchette et Raoul Dandurand, surnommés *les trois Brutus* par Thomas Chapais, se lancent dans une campagne antimonarchiste furibonde. Il faut contrer ces réceptions qui sont une insulte pour la République. Encore faudrait-il qu'ils expliquent ce qu'est une république à la population. Le banquet du *Windsor* est un succès. *Laissez-moi vous répéter, Monseigneur, ce qu'on a dit lorsque, après un siècle de séparation, le drapeau de la France est reparu sur les eaux de notre grand fleuve,* pavoise le Juge L. A. Jetté, qui préside le banquet. *En revoyant ces marins qu'il n'avait pourtant jamais vus, l'habitant s'est écrié:* Oui, je me souviens, ce sont nos gens! *exprimant dans son langage simple mais vrai la pensée de tous.* Trop ému, le Comte de Paris a négligé de faire remarquer que le drapeau qui flottait au mât de *La Capricieuse* était le tricolore qu'il abhorre.

1891

Le voyage en Europe d'Honoré Mercier est un triomphe. À Rome, le Pape Léon XIII l'a fait Comte palatin pour son rôle dans le règlement de l'affaire des biens des Jésuites. Reçu partout comme un Chef d'État en France, le Premier Ministre du Québec a fait un malheur.

On dit que sur les bords du Saint-Laurent, les descendants des Français de jadis sont fiers de nous, roucoule *Le Temps*, un journal parisien. *En entendant Monsieur Mercier, nous avons bien plus raison encore de nous sentir fiers d'eux.* Un succès que le Chef du Parti national doit en grande partie à son ami, le curé Labelle. L'ancien Sous-Ministre à l'Agriculture et à la Colonisation s'est éteint brutalement en janvier des suites d'une opération pour une hernie. Le gros curé avait séduit le Tout-Paris lors de son dernier voyage, il y a un an. La presse française voyait alors en lui la réincarnation de Rabelais. *Il faut le prendre après le dîner et lui laisser tirer sa pipe de sa poche. Il retrousse sa soutane et sur son large pantalon en laine brune canadienne il fait partir son allumette et il allume, comme il dit,* s'émerveille *Le Figaro* complètement sous le charme. *Très fort et très puissant, il peut parler six heures d'horloge avec une volubilité sans cesse croissante. C'est, croyons-nous, à l'heure actuelle, le seul prêtre du monde qui soit Ministre d'État.*

L'allure de ce corpulent villageois a d'abord causé quelque surprise au milieu d'un cercle élégant dont il avait accepté l'invitation, raconte *Le Soleil* de Paris également conquis. *Mais, en dépit de son parler populaire, de son accent du terroir et de son gros appétit, tous ont bientôt été captivés et la séduction opérée sur les convives s'est même doublée d'une vive émotion lorsqu'on a entendu cet hercule taillé au rabot conclure tout simplement:* Vous me faites bien de l'honneur, Mesdames et Messieurs, et vous me témoignez plus de considération que je n'en mérite. Je m'en vas écrire ça à ma mouman au Canada et elle va en être ben contente! À tous ceux qui le complimentent, le curé Labelle s'empresse de préciser: *Tant que vous n'aurez pas vu Mercier, vous n'avez encore rien vu!* Ils ont vu et entendu l'idole du gros curé cet été. Ils n'ont pas été déçus.

Pendant qu'Honoré Mercier se laisse griser par la considération et la déférence des Français, les politiciens d'ici volent plus bas. Battus aux dernières élections, les libéraux fédéraux n'ont pas l'intention de rentrer dans leur tanière. *Nous allons noyer Langevin dans la mer de boue où je vois déjà tomber McGreevy. Si le gouvernement peut être tué,* promet Israël Tarte à Wilfrid Laurier, *c'est avec cette affaire, croyez-m'en!* Le Député Thomas McGreevy s'adonne au trafic d'influence. Il profite de son copinage avec Sir Hector Langevin pour prendre connaissance à l'avance de la nature des contrats et du montant des soumissions présentées par ses concurrents. Israël Tarte tient sa promesse. L'ancien Organisateur bleu converti aux libéraux aligne 63 chefs d'accusation devant les Députés de la Chambre. Déculotté, Langevin doit remettre sa démission comme Ministre le 10 août. La date a de l'importance. McGreevy, quant à lui, est expulsé des Communes 3 semaines plus tard.

Tarte a rompu le pacte du silence. La loi du talion partisan s'applique. C'est la règle d'or du parlementarisme des Partis. Les conservateurs dégotent un scandale à Québec. Ils frappent à la tête. Mercier absent, Pierre Garneau occupe le poste de Premier Ministre intérimaire. C'est un homme honnête et sa conscience le trouble. Il se confie au Lieutenant-Gouverneur conservateur Auguste-Réal Angers. À la demande d'Ernest Pacaud, il a remis une somme de 175 000 $ à l'entrepreneur Armstrong. Ce dernier a obtenu le contrat pour terminer le chemin de fer de la baie des Chaleurs. Armstrong n'a gardé que 75 000 $ et, tel qu'entendu au préalable, il a versé 100 000 $ à Pacaud devant témoin. Le Grand Argentier du Parti national a utilisé la majeure partie de la somme à des fins électorales et une autre assez minime pour régler certains frais de voyage du Premier Ministre en France. Le pot aux roses est révélé au Comité sénatorial des chemins de fer. La riposte à l'affaire McGreevy n'a pas tardé. Le nouveau scandale éclate le 12 août, 2 jours après la démission de Langevin. Patronage pour patronage! Affaire douteuse pour affaire louche! Chef rouge pour chef bleu!

Le Comte palatin est rentré à la mi-juillet. Mais, depuis son retour d'Europe, il ne porte plus à terre. Son Altesse pontificale s'est retirée dans son domaine de Tourouvre, à Sainte-Anne-de-la-Pérade. Mercier vit dans une bulle où il festoie avec ses amis et fait la sourde oreille à tous ceux qui le pressent de rassurer Angers sur son ignorance de la transaction Armstrong-Pacaud. Le Lieutenant-Gouverneur inféodé au Parti de Langevin ne verrait pas la chute du Chef nationaliste d'un mauvais œil. Bien au contraire! Inutile d'insister! Pour le moment, le Comte Mercier consacre toutes ses énergies à l'organisation d'une fête.

Il attend 180 zouaves pontificaux qui arrivent de Québec et de Montréal par trains spéciaux. Après avoir défilé en costume, les quadragénaires logent sous des tentes comme à la guerre contre Garibaldi, dont la plupart n'ont connu que les casernes et les bordels romains. Le lendemain, la journée s'ouvre par une messe solennelle. En costume de Grand-Croix de Saint-Grégoire, Mercier s'y rend dans un carrosse traîné par 2 de ses chevaux de race. À sa descente de voiture à la porte de l'église, le Comte palatin soulève son chapeau et salue la foule éberluée. Les habitants de Sainte-Anne-de-la-Pérade en restent bouche bée jusqu'à l'*Ite missa est. As-tu vu les plumes? – Ouais! Y est allé se remplumer dans les vieux pays pendant que Pacaud nous pleumait icitte!*

La fête est entrecoupée de discours, de fanfares, de feux d'artifice, de remise de médailles, de promenades en chaloupe et de deux banquets. Le premier a lieu le matin dans le parc décoré de faisceaux de drapeaux et le second dans la soirée éclairée par les lanternes vénitiennes qui illuminent le parc du Manoir. Rien n'est trop beau pour les zouaves! *C'est pas croyable!* se récrie l'un d'eux tout émoustillé. *Le champagne coule comme si c'était de la bière d'épinette!*

Le jour même, Tardivel conclut un éditorial dévastateur sur le Scandale de la baie des Chaleurs par une phrase lapidaire. *C'est le commencement de la fin!* prophétise-t-il. Il n'a pas tort. Le Lieutenant-Gouverneur s'apprête à destituer le Premier Ministre!

LA GÉRONTOCRATIE

Le vieux drapeau, le vieux chef, la vieille politique, proclame le nouveau slogan électoral bleu. *La Patrie* l'a complété exhaustivement en ajoutant *la vieille taxe, la vieille dette, la vieille blague, la vieille coquinerie, la vieille spoliation, la vieille corruption, le vieux charlatanisme, la vieille hypocrisie et les vieilles menteries.*

THE OLD FLAG

1892

La métropole peut se vanter de compter 31 millionnaires parmi ses contribuables. Aucun n'est canadien-français. Tout ce que la rue Saint-Jacques a de français, c'est l'origine de son nom. Le recensement est celui d'Austin Mosher, le correspondant montréalais du journal londonien *Empire.*

Avec ses 20 ou 30 millions, c'est Sir Donald Smith qui ouvre la marche des grosses poches. L'origine de la fortune de l'ancien souffre-douleur du magnat de la fourrure Sir George Simpson est exemplaire. Elle s'est nourrie aux 3 assiettes auxquelles s'empiffrent également tous ses émules: les banques, les chemins de fer et le gouvernement. Donald Smith est Président de la Bank of Montreal, Administrateur du Pacifique Canadien et Député de Montréal-Ouest à Ottawa. C'est le tour du chapeau du gros bonnet. Les Canadiens français n'ont une niche que dans la deuxième catégorie, celle du demi-million. Selon Mosher, ils sont 15 à se presser aux portes de la fortune et à patiner dans la foulée d'un trio qui mène l'offensive: le Conseiller législatif Louis Tourville, son associé Joël Leduc et l'Agent de change Louis-Joseph Forget. Le classement dans le monde de la finance est à l'image d'une ville où les Canadiens français sont nettement dans la deuxième catégorie sur tous les plans.

Le Baron Pierre de Coubertin s'est arrêté à Montréal il y a trois ans. *Il en est du sport comme de l'argent, les Canadiens français y sont nettement défavorisés,* juge-t-il sans aménité. *Leur littérature est en enfance, leur presse est incolore et on habitue l'intelligence à se mouvoir dans un cercle étroit d'où ne peut sortir rien de grand ni d'original.* L'apôtre du sport n'est pas tendre mais il pointe le doigt dans la bonne direction. Les ultramontains ont fait des ravages. *L'éducation maintient que les exercices physiques, les soins de propreté, la formation du caractère, l'usage de la liberté, tout ça pour les Canadiens, ce sont des billevesées.* Le Baron a une comparaison sous la main qui force l'admiration. *À côté d'eux, les jeunes Anglais jouent à des jeux virils et entrent dans la vie active avec de l'initiative et de la volonté.* Le manque de sports pour l'admirateur des Grecs antiques est l'origine de tous les maux et leur pratique, celle de toutes les vertus. *Le résultat est que tous les bénéfices sont pour les Anglais, que toutes les affaires se font autour d'eux, que leurs idées dominent et qu'ils regagnent ainsi à Montréal même ce que leur infériorité numérique leur ferait perdre.* À condition qu'on reconnaisse la Bank of Montreal, le Pacifique Canadien et le gouvernement comme des sports! *C'est partout le même contraste,* théorise De Coubertin. *Dans les écoles anglaises, les muscles de l'activité, de la hardiesse, des regards bien francs. Chez les Canadiens, des membres maladroits, des attitudes gauches, aucune indépendance et rien de viril. Heïl* Coubertin!

Le Vicomte de Bouthillier-Chavigny, un émigré français, se charge de répondre au Baron qui remue ciel et terre pour faire revivre les Jeux olympiques à Athènes. *Avez-vous déjà essayé, mon cher De Coubertin, de lutter de vitesse avec un enfant du Canada?* ironise le Vicomte. *Avez-vous comparé la carrure de nos épaules avec celle de nos frères d'Amérique? Avez-vous rencontré sur votre chemin quelques-uns de nos fils d'habitants, à 16 ans plus développés qu'un homme de 25 chez nous?* Le sport, c'est comme la musique, ce n'est pas suffisant de s'entraîner, il faut d'abord être doué. *Si vous n'avez pas vu tout cela, mon cher, épargnez-nous, je vous en prie, d'affirmer la prédominance de l'éducation physique anglaise sur celle des Canadiens français.*

Louis Cyr n'a lu ni le Vicomte ni le Baron. Il se contente tout simplement de résister à la traction de 4 chevaux de 1 200 livres chacun comme il l'a fait en décembre dernier devant 10 000 personnes au parc Sohmer. Malgré tous

PIERRE DE COUBERTIN

les efforts des bêtes fouettées par un cocher, les bras de Louis, attachés par des harnais spéciaux, ne se sont pas écartés. En janvier, l'homme fort a fait ses débuts à Londres, précédé par sa réputation. Plus de 5 000 personnes se sont vu refuser l'entrée au Royal Aquarium. *Lorsque le rideau s'est levé sur le numéro de Louis Cyr, un silence impressionnant s'est fait. Éclairé par la lumière de 2 projecteurs, le Montréalais se tient debout, les bras croisés, ou plutôt posés sur son énorme poitrine, les jambes légèrement écartées, le corps bien d'aplomb, moulé dans un maillot collant,* rapporte un témoin. *Louis se tait et la foule se tait aussi.* De l'homme fort ou du public, on ne sait lequel était le plus impressionné!

Le charme n'est rompu que par le manager *de Louis Cyr qui s'avance sur la scène pour faire une déclaration,* poursuit le journaliste sportif. *Louis Cyr est considéré en Amérique comme l'homme le plus fort du monde.* On ne peut pas provoquer sans être provocant! *Jamais il n'a refusé de rencontrer qui que ce soit.* Prouvez-nous le contraire! *Nous avons déposé chez le Trésorier du journal* Sporting Life *la somme de 25 000 $.* C'est la bourse! *Elle servira à couvrir n'importe quel pari que Sampson ou Sandow voudront faire puisque tous deux prétendent au titre d'homme le plus fort du monde.* C'est le défi! *Un titre que nous contestons à tout homme qui n'aura pas battu Louis Cyr.* L'invitation est lancée. *À la grande déception du public,* note le journaliste qui laisse percer la sienne, *Sandow et Sampson, qui sont dans la salle, ne quittent pas leur siège.* Tous deux sont de belles pièces d'homme au regard bien franc et aux muscles de l'activité et de la hardiesse bien développés.

Le gros Louis se lance dans une suite de numéros de force plus éblouissants les uns que les autres. D'abord, il soulève 273 livres et quart d'une seule main. Puis, à 2 mains, une barre de 301 livres jusqu'aux épaules qu'il développe à partir de là. Ensuite, pour la bonne bouche, il arrache un haltère de 174 livres du bras droit et du bras gauche, sans plier les genoux ni les bras. Pour l'amusement, il amène un haltère de 104 livres et demie à l'épaule, allonge le bras horizontalement et l'immobilise pendant plusieurs secondes. Pour reprendre son souffle, il charge un baril de ciment de 314 livres sur l'épaule et soulève 551 livres d'un seul doigt. Pour terminer en beauté, Cyr soulève avec son dos une plate-forme où se tiennent plusieurs hommes qui totalisent un poids de 3 635 livres. Qui dit mieux?

Le lendemain de la soirée au Royal Aquarium, Sandow et Sampson quittent Londres. Louis Cyr est reçu par le Prince de Galles et devient la coqueluche de la haute société londonienne. Cyr est un phénomène! On l'adule mais, pendant tout son séjour en Angleterre, personne ne relève son défi. Il n'est pas suffisant d'être l'homme le plus fort du monde. Encore faut-il l'être... *according to the rules!* On n'a jamais plus de force que celle qu'on veut bien vous accorder. Le siècle qui s'annonce se chargera de l'apprendre à la société qui vient de chasser Honoré Mercier du pouvoir.

Louis Cyr a pris sa leçon. À moins d'être le plus puissant et non pas le plus fort, il faut gagner sans humilier l'adversaire. C'est un art que ne possèdent pas ceux qui se félicitent maintenant d'avoir écrasé le nationalisme et l'autonomisme à tout jamais.

Le Québec est retombé pour longtemps sous la coupe de la politique des Partis. *La défaite de Mercier n'a pas été qu'un coup de balai mais un coup de torchon,* se réjouit A. D. Decelles. *As-tu remarqué que chez nous les revirements se font sous la forme de grandes vagues populaires qui emportent tout?* confie-t-il à son ami Chapleau. *Il suffit de trouver une idée générale, simple, facile à saisir et tout le monde la gobe.*

On a accusé Honoré Mercier d'être un voleur. Lorsque la Cour l'a blanchi de toute accusation, sa ruine politique et personnelle était déjà consommée. C'était pas plus compliqué que ça! Son chien était mort! Vive Mercier!

Bibliographie

LES INCONTOURNABLES

Le Boréal Express, tome I (1524-1760), tome II (1760-1810), tome III (1810-1841), Le Boréal Express, Trois-Rivières.

Dictionnaire biographique du Canada, volume I (1000 à 1700), volume II (1700 à 1740), volume III (1741-1770), volume IV (1771-1800), volume V (1800-1820), volume VI (1821-1835), volume VII (1836-1850), volume VIII (1851-1860), volume IX (1861-1870), volume X (1871-1880), volume XI (1881-1890), volume XII (1891-1900), Presses de l'Université Laval, Québec, 1966, 1969, 1974, 1980, 1983, 1987, 1988, 1985, 1977, 1972, 1982, 1990.

Lacoursière, Jacques et Bizier, Hélène-Andrée, *Nos racines, l'histoire vivante des Québécois,* fascicules 1 à 117, TLM, Montréal, 1979.

Rumilly, Robert, *Histoire de Montréal,* tome I, tome II, tome III, Fides, Montréal, 1970.

LES INDISPENSABLES

Asimov, Isaac, *Biographical Encyclopedia of Science and Technology,* second revised edition, Doubleday, New York, 1982.

Chronique de l'Amérique, Éditions Chroniques, Paris, 1988.

Chronique de l'humanité, Éditions Chroniques, Paris, 1990.

Chronique de la France et des Français, Éditions Chroniques, Paris, 1987.

Chronologie du Québec, Jean Provencher, Boréal, Montréal, 1991.

Famous First Facts, Joseph Nathan Kane, H. W. Wilson, New York, 1964.

Timetables of American History, Laurence Urdang editor, Simon and Schuster, New York, 1981.

Timetables of History, Bernard Grun, Simon and Schuster, New York, 1982.

Timetables of Inventions and Discoveries, Kevin Desmond, Evans & Company, New York, 1986.

Timetables of Science, Alexander Hellemans and Bryan Bunch, Simon and Schuster, New York, 1988.

LES GÉNÉRIQUES

Collard, Edgar, A., *Montréal du temps jadis,* Héritage, Saint-Lambert, 1981.

Collard, Edgar, A., *Montreal, The Days that are no more,* Totem Books, Don Mills, 1978.

Collard, Edgar, A., *Montreal Yesterdays, more Stories from All our Yesterdays,* The Gazette, Montreal, 1989.
Collard, Edgar, A., *Montreal, 350 Years in Vignettes,* The Gazette, Montreal, 1991.
Collard, Edgar, A., *The Story of Dominion Square,* Longman, Don Mills, 1971.
De Salva, Elie, *366 Anniversaires canadiens,* Frères des écoles chrétiennes, Montréal, 1949.
Encyclopédie de la musique au Canada, Helmut Kallmann, Gilles Potvin, Kenneth Winters, Fides, Montréal, 1983.
Encyclopédie des mots historiques, Historama, Paris, 1970.
Gray, Clayton, *Le Vieux Montréal,* Éditions du Jour, Montréal, 1964.
Hubert-Robert, Régine, *L'Histoire merveilleuse de la Louisiane française,* Éditions de la Maison française, New York, 1941.
La Presse, 100 ans d'actualités (1884-1984), Éditions La Presse, Montréal, 1984.
Massicotte, E. Z., *Anecdotes canadiennes,* Librairie Beauchemin, Montréal, 1922.
Oxford Book of royal anecdotes, édité par Elizabeth Longford, Oxford University Press, New York, 1989.
Roy, P. G., *Les Mots qui restent,* tomes 1 et 2, Éditions Garneau, Québec, 1940.
Roy, P. G., *Les Petites Choses de notre histoire,* première série à la septième série, Lévis, 1919-1944.
Roy, P. G., *Toutes petites choses du Régime anglais,* première et deuxième séries, Éditions Garneau, Québec, 1946.
Rozan, Charles, *Petites Ignorances historiques et littéraires,* Éditions 1900, Paris, 1989.
Trépanier, Léon, *On veut savoir,* tomes 1-4, Montréal, 1960-1962.
Trépanier, Léon, *Les Rues du Vieux Montréal au fil du temps*, Fides, Montréal, 1968.
Ville ô ma ville (1642-1942), Éditions de la Société des écrivains canadiens, Montréal, 1942.

LES SPÉCIFIQUES

Ashdown, Dulcie M., *Royal Paramours,* Dorset Press, New York, 1979.
Barthel, Manfred, *The Jesuits,* William Morrow, New York, 1984.
Bernhardt, Sarah, *Ma double vie, Mémoires,* volume 1, volume 2, Éditions des Femmes, Paris, 1980.
Fitzsimons, R., *The Charles Dickens Show*, G. Bles, London, 1970.
Fulop-Miller, René, *The Power and Secret of the Jesuits,* Putnam's Son, London, 1930.
Kerdeland, Jean de, *L'Antique Histoire de quelques inventions modernes,* France-Empire, Paris, 1980.

Orieux, Jean, *Talleyrand ou le Sphinx incompris*, Flammarion, Paris, 1970.
Playfair, G., *Kean*, E. P. Dutton, New York, 1939.
Tebbel, John, *The Compact History of the Indian Wars,* Tower Books, New York, 1966.
Verneuil, Louis, *La Vie merveilleuse de Sarah Bernhardt*, Éditions Variétés, Montréal, 1942.
Wilmes, Jacqueline et Prézelin, Jacques, *Lola Montes, Pavane pour un roi poète*, Éditions Rencontre, Lausanne, 1967.

LES SPÉCIFIQUES QUÉBÉCOIS

Albani, Emma, *Mémoires*, Éditions du Jour, Montréal, 1972.
Assiniwi, Bernard, *Lexique des noms indiens en Amérique,* Noms géographiques, Leméac, Montréal, 1973.
Assiniwi, Bernard, *Lexique des noms indiens en Amérique,* Personnages historiques, Leméac, Montréal, 1973.
Aubert de Gaspé, Philippe, *Les Anciens Canadiens*, Fides, Montréal, 1967.
Aubert de Gaspé, Philippe, *Mémoires*, Fides, Montréal, 1971.
Audet, Francis J., *Les Députés de Montréal (1792-1867)*, Éditions des Dix, Montréal, 1943.
Benoit, Pierre, *Lord Dorchester,* HMH, Montréal, 1961.
Béraud, Jean, *350 Ans de théâtre au Canada français,* Le Cercle du livre de France, Montréal, 1958.
Bernard, J. P., *Les Idéologies québécoises au XIXe siècle*, Boréal Express, Montréal, 1973.
Bernard, J. P., *Les Rouges, libéralisme, nationalisme et anticléricalisme au XIXe siècle*, Presses de l'Université du Québec, Montréal, 1971.
Bernier, Jacques, *La Médecine au Québec, naissance et évolution d'une profession*, Presses de l'Université Laval, Québec, 1989.
Berton, Pierre, *Le Grand Défi,* Un rêve insensé, tome I, Le dernier mille, tome II, Éditions du Jour, Montréal, 1975.
Bizier, Hélène-Andrée, *Crimes et Châtiments, la petite histoire du crime au Québec*, tome I et tome II, Libre Expression, Montréal, 1983.
Bonneville, Jean de, *Jean-Baptiste Gagnepetit, les travailleurs montréalais à la fin du XIXe siècle*, Éditions de l'Aurore, Montréal, 1975.
Bossé, Éveline, *La Capricieuse à Québec en 1855*, Éditions La Presse, Montréal, 1984.
Boyd, John, *Sir George-Étienne Cartier, sa vie et son temps*, Beauchemin, Montréal, 1918.
Boyer, Raymond, *Les Crimes et les Châtiments au Canada français du XVIIe au XXe siècle,* Cercle du livre de France, Montréal, 1966.
Brunet, Michel, *Histoire du Canada par les textes*, tome II (1855-1960), Fides, Montréal, 1963.
Buies, Arthur, Léopold Lamontagne, Classiques canadiens, Fides, Montréal, 1959.

Buies, Arthur, *Chroniques I*, Bibliothèque du Nouveau Monde, Presses de l'Université de Montréal, Montréal, 1986.

Burger, Beaudoin, *L'Activité théâtrale au Québec (1765-1825),* Parti pris, Montréal, 1974.

Cellard, André, *Histoire de la folie au Québec (1600-1850),* Boréal, Montréal, 1991.

Chaussé, Gilles, *Jean-Jacques Lartigue, premier évêque de Montréal*, Fides, Montréal, 1980.

Collectif Clio, *L'Histoire des femmes au Québec depuis quatre siècles,* Micheline Dumont, Michèle Jean, Marie Lavigne, Jennifer Stoddart, Quinze, Montréal, 1982.

Crémazie, M. Dassonville, Classiques canadiens, Fides, 1956.

Condemine, Odette, *Crémazie, poète et témoin de son siècle*, Fides, Montréal, 1988.

Creighton, Donald, *John A. Macdonald, The Young Politician*, tome I, *The Old Chieftain*, tome II, Macmillan, Toronto, 1974.

Cruise, David, Griffiths, Allison, *Lords of the Line, Canadian Pacific Railways*, Viking, Markham, 1988.

Cyr, Louis, *Mémoires de l'homme le plus fort du monde*, VLB Éditeur, Montréal, 1982.

De Lagrave, Jean-Paul, *Les Journalistes démocrates au Bas-Canada (1791-1840)*, Éditions De Lagrave, Montréal, 1975.

De Lagrave, Jean-Paul, *Le Combat des idées au Québec-Uni (1840-1867)*, Éditions De Lagrave, Montréal, 1976.

De Lagrave, Jean-Paul, *Liberté et Servitude de l'information au Québec confédéré (1867-1967)*, Éditions De Lagrave, Montréal, 1978.

Dictionnaire des œuvres littéraires du Québec, Maurice Lemire, tome 1 (*Des origines à nos jours*), Fides, Montréal, 1978.

Dionne, René, *Anthologie de la littérature québécoise, La patrie littéraire*, volume II (1760-1895), La Presse, Montréal, 1978.

Dugas, Marcel, *Un romantique canadien, Louis Fréchette (1839-1908)*, Éditions de la Revue mondiale, Paris, 1934.

Durham, Lord, *Le Rapport Durham*, Éditions Sainte-Marie, Montréal, 1969.

Dussault, Gabriel, *Le Curé Labelle, messianisme, utopie et colonisation au Québec (1850-1900)*, Hurtubise HMH, Montréal, 1983.

Fauteux, Aegidius, *Le Duel au Canada*, Éditions du Zodiaque, Montréal, 1934.

Felteau, Cyrille, *Histoire de La Presse, Le livre du peuple* (1884-1916), tome I, La Presse, Montréal, 1983.

Fréchette, Louis-Honoré, *Mémoires intimes*, Fides, Montréal, 1961.

Frégault, Guy et Trudel, Marcel, *Histoire du Canada par les textes*, tome I (1534-1854), Fides, Montréal, 1963.

Garneau, François-Xavier, A. Lauzière, Classiques canadiens, Fides, Montréal, 1965.

Garneau, François-Xavier, *Histoire du Canada français*, tomes I à VI, *Les amis de l'histoire*, Montréal, 1969.

Graham, John H., *Outlines of the History of Freemasonry in the Province of Quebec*, John Lovell & Sons, Montréal, 1892.

Grands textes indépendantistes, écrits, discours et manifestes québécois (1774-1992), Andrée Ferretti, Gaston Miron, L'Hexagone, Montréal, 1992.

Grenon, Michel, *L'Image de la Révolution française au Québec (1789-1989)*, HMH, Montréal, 1989.

Guinard, Joseph E., *Les Noms indiens de mon pays, leur signification, leur histoire*, Rayonnement, Montréal, 1959.

Hamelin, Jean et Marcel, *Les Mœurs électorales dans le Québec de 1791 à nos jours*, Éditions du Jour, Montréal, 1962.

Howard, J. K., *Strange Empire, the Story of Louis Riel*, Swan Publishing Co. Ltd, Toronto, 1962.

Ippersiel, Fernand, *Les Cousins ennemis (Papineau-Lartigue)*, Guérin littérature, Montréal, 1990.

Klinck, George A., *Louis Fréchette prosateur*, Le Quotidien limitée, Lévis, 1955.

Labat, Gaston P., *Les Voyageurs canadiens à l'expédition du Soudan ou Quatre-vingt-dix jours avec les crocodiles*, L. J. Demers et frères, Québec, 1886.

Lacombe, Patrice, *La Terre paternelle*, Hurtubise HMH, Montréal, 1972.

Laflamme, Jean et Tourangeau, Rémi, *L'Église et le Théâtre au Québec,* Fides, Montréal, 1979.

Lafleur, Normand, *Les Chinois de l'Est ou la Vie quotidienne des Québécois émigrés aux États-Unis de 1840 à nos jours*, Leméac, Montréal, 1981.

Lanctôt, Gustave, *Faussaires et Faussetés en histoire canadienne,* Éditions Variétés, Montréal, 1948.

Lapierre, Eugène, *Calixa Lavallée*, Granger, Montréal, 1950.

Larrue, Jean-Marc, *Le Théâtre à Montréal à la fin du XIXe siècle*, Fides, Montréal, 1981.

Leblanc, Léopold, *Anthologie de la littérature québécoise*, Écrits de la Nouvelle-France, volume I (1534-1760), La Presse, Montréal, 1978.

Lefebvre, André, *La Montreal Gazette et le nationalisme canadien (1835-1842)*, Guérin, Montréal, 1970.

Legget, Robert F., *Railways of Canada*, Doublas & McIntire, Vancouver, 1987.

Lemieux, Lucien, *Histoire du catholicisme québécois, Les XVIIIe et XIXe siècles*, tome 1, *Les années difficiles* (1760-1839), Boréal, Montréal, 1989.

Lemire, Maurice, *La Vie littéraire au Québec (1764-1805)*, tome I, Presses de l'Université Laval, Québec, 1991.

Lévesque, Robert, Mignier, Robert, *Le Curé Labelle, le colonisateur, le politicien, la légende*, La Presse, Montréal, 1979.
Macdonald, Cheryl, *Emma Albani, Victorian Diva*, Dundurn Press, Toronto, 1984.
Marmette, Joseph, Roger Lemoyne, Classiques canadiens, Fides, Montréal, 1969.
Mémorial du Québec, tome I (1534-1759), tome II (1760-1838), tome III (1839-1889), tome IV (1890-1917), Éditions du Mémorial, Montréal, 1980.
Monière, Denis, *Ludger Duvernay*, Québec-Amérique, Montréal, 1987.
Osler, E. B., *Louis Riel, un homme à pendre*, Éditions du Jour, Montréal, 1962.
Ouellet, Fernand, *Louis-Joseph Papineau, a Divided Soul*, The Canadian Historical Association, Ottawa, 1972.
Papineau, Amédée, *Journal d'un Fils de la Liberté*, volume I et volume II, Réédition Québec et L'Étincelle, Montréal, 1972, 1978.
Papineau, Louis-Joseph, *Histoire de l'insurrection au Canada*, Leméac, Montréal, 1968.
Parizeau, Gérard, *La Chronique des Fabre*, Fides, Montréal, 1978.
Parizeau, Gérard, *La Vie studieuse et obstinée de Denis-Benjamin Viger*, Fides, Montréal, 1980.
Poteet, Maurice, *Textes de l'exode*, Guérin littérature, Montréal, 1987.
Provencher, Jean, *Les Quatre Saisons dans la vallée du Saint-Laurent,* Boréal, Montréal, 1988.
Quesnel, Joseph, *Colas et Colinette ou le bailli dupé,* Réédition Québec, Montréal, 1968.
Revai, E., *Alexandre Vattemare, trait d'union entre deux mondes*, Bellarmin, Montréal, 1975.
Roy, Pierre-Georges, *À propos de Crémazie*, Éditions Garneau, Québec, 1945.
Roy, Pierre-Georges, *À travers les Anciens Canadiens de Philippe Aubert de Gaspé*, M. Ducharme, Montréal, 1943.
Rumilly, Robert, *Histoire de la Société Saint-Jean-Baptiste de Montréal*, Éditions de l'Aurore, Montréal, 1975.
Rumilly, Robert, *Honoré Mercier et son temps*, tome I et tome II, Fides, Montréal, 1975.
Rumilly, Robert, *Papineau et son temps*, tome I et tome II, Fides, Montréal, 1977.
Schull, J., *Laurier*, Hurtubise HMH, Montréal, 1965.
Sylvain, Philippe, Voisine, Nive, *Histoire du catholicisme québécois, Les XVIIIe et XIXe siècles*, tome 2, *Réveil et consolidation (1840-1898)*, Boréal, Montréal, 1991.
Sweeny, Alastair, *George-Étienne Cartier*, Mc Clelland and Stewart, Toronto, 1976.

Tanghe, R., *Laurier, artisan de l'unité canadienne*, Mame, Bruxelles, 1960.
Tessier, Yves, *Histoire de la rivalité Québec-Montréal, de l'époque amérindienne à nos jours,* Éditions Tessier, Québec, 1962.
Trémaudan, Auguste-Henri de, *Histoire de la nation métisse dans l'Ouest canadien*, Éditions du Blé, Saint-Boniface, 1979.
Tremblay, Victor, *Histoire du Saguenay depuis les origines jusqu'à 1870*, La Société historique du Saguenay, Chicoutimi, 1968.
Voisine, Nive, Hamelin, Jean, *Les Ultramontains canadiens-français*, Boréal Express, Montréal, 1985.
Weider, Ben, *Louis Cyr, l'homme le plus fort du monde*, VLB Éditeur, Montréal, 1976.
White, Ruth L., *Louis-Joseph Papineau et Lamennais, le chef patriote canadien à Paris (1839-1845)*, Hurtubise HMH, Montréal, 1983.
Woods, Shirley E., *La Saga des Molson (1763-1983)*, Éditions de l'Homme, Montréal, 1983.
Young, Brian J., *Promoters and Politicians, the North Shore Railways in the History of Quebec (1854-1885)*, University of Toronto Press, Toronto, 1978.
Young, Brian J., *George-Étienne Cartier, bourgeois montréalais*, Boréal Express, Montréal, 1982.

Index

D

E

T